カルロス・ゴーン＋フィリップ・リエス　高野 優訳

カルロス・ゴーン 経営を語る

Citoyen du Monde

日本経済新聞社

カルロス・ゴーン

経営を語る

装幀：金澤孝之

カバー及び扉写真

撮影：筒井義昭

メイク：長澤雅美

出典：Men's Ex　2003年１月号表紙より

提供：世界文化社

プロローグ

一九九九年三月二七日。東京の代表的ビジネス街、大手町。日本経済の大本山「経団連会館」の大ホールで、日本有数の大企業、日産自動車と外国企業の提携が発表された。この発表は、その内容が「日産が外国企業から救済を受ける」というものだっただけに大きな衝撃を与えた。業績が芳しくないとはいえ、日産は依然として従業員一四万八〇〇〇人、系列会社やサプライヤー（納入業者）を含めれば五〇万人にも達する巨大集団で、その経済規模は日本の国内総生産（GDP）の一パーセント強を占める。米国、メキシコ、欧州およびアジア各地に工場を持ち、五大陸にわたって販売・サービス網を張りめぐらすグローバル企業だ。

実は、この発表が三月二七日に行われたのは、決して偶然ではない。三月三一日は決算日である。そして、この時点で日産は過去八年間で七回目になる赤字、それも巨額の損失を計上せざるを得ない状況にあった。

日産といえば、一五年ほど前にはデイヴィッド・ハルバースタムの『覇者の驕り』のなかで、現代日本を代表する企業、デトロイトを脅かす存在とまで称えられた企業である。だが、この九九年三月二七日の時点では、もはやその面影はなかった。日産は倒産の危機に陥っていたのだ！　国内シェアをずるずると二六年にもわたって失い続け、累積債務も抱えきれないほどに膨らんでいた。日産にとって、残された道は二つしかなかった。破産申し立てをするか、あるいは海外に救いの手を求めるか、である。日産の首脳部は海外に救いを求めることに決め、九九年三月三一日の決算日をデッドラインとしてそのかなり前から提携相手を探していた。そして、その相手がようやく決まり、この日に正式に発表されたのである。だが、そこで発表された相手企業の名前がまた、人々の意表をついた。

ダビデとゴリアテ

「ルノー？　ルノーですか？」

ルノー（かつてのルノー公団）と言えば、自動車業界では長年「落ちこぼれ」とみなされてきた企業である。民営化されたとはいえ、まだフランス政府が筆頭株主であり、その持ち株比率は群を抜いている。また、海外戦略で失敗を重ねてきたこともすぐに頭に浮かぶ。例えば、米国ではかつて小型セダンのドーフィンで束の間の勝利を収めたことがあるものの、ＡＭＣ（アメリカン・モーターズ）の買収では大失敗し、数十億フランをつぎ込んだあげくクライスラーに再売却した。欧州でもボルボとの提携が頓挫している……。すなわち、いまだに国有企業時代の足かせを引きずり、またフランス国内市場に偏りすぎて、グローバル化に出遅れている——そんなイメージを持たれた結果、「ルノーの行く末はもう見えている。このままでは、世界的な自動車業界再編の波に呑み込まれるのも時間の問題だろう」と、そう思われていた会社なのである。

もともと、日産の提携相手の有力候補として、当時、その名前が取り沙汰されていたのは、ダイムラー・クライスラーであった。ダイムラー・ベンツとクライスラーが大西洋を越えて手を結んだ結果、誕生した超大企業――企業統合の波がつくりだした、業界の新たな巨人である。

ダイムラー・ベンツと合併する前、クライスラーは同じくデトロイトの「ビッグ・スリー」でありながら、GM（ゼネラル・モーターズ）やフォードに比べると規模が小さく、この二社の後塵を拝してきたところがあった。ところが、そのクライスラーを手中に収めて、超大企業の仲間入りをすると、ベンツの帝王ユルゲン・シュレンプの野望は今度はアジアに向かった。その標的は日産である。というわけで、ダイムラー・クライスラーが、同じ日産との提携を考えていたルノーと対峙することになったのだ。ただし、この対決は、誰が見ても旧約聖書にある「巨人ゴリアテと羊飼いの少年ダビデ」の図だった（訳註：もちろん、ダイムラー・クライスラーがゴリアテで、ルノーがダビデである）。なにしろ、フランクフルトとニューヨークに上場しているダイムラー・クライスラーは、ルノーのおよそ一〇倍の資金力を持っていたのだから……。

この対決には、それ以外にもダイムラー・クライスラーが有利と考えられる根拠があった。ダイムラー・クライスラーはドイツ系でもあり、日産にとっては、どうせどこかに身売りせざるを得ないなら、心情的にはドイツのほうがましだろうということである。というのも、メルセデス、BMW、アウディ、フォルクスワーゲンといった車の売れ行きからもわかるように、ドイツ車は日本人お気に入りのブランド力を持ち、日本との自動車分野での貿易均衡を保っている国だからだ。それに比べ、ルノーの日本での販売台数は九八年でたったの三〇〇〇台に過ぎない。もうひとつダイムラー・クライスラーに有利な点は、傘下にメルセデスとフライトライナーというトラックのブランドを収め、世界一のトラックメーカーとなっていたことだ。日産の経営陣にとっては、本体以上に業績の悪い子会社、日産ディーゼルを救えるという意味でも、魅力的な相手だったのである。

ただし、実際に提携交渉が始まってみると、（羊飼いの少年ダビデが巨人ゴリアテを倒したように）ルノーは身の丈の小ささなど不利な点を逆手に取ってうまく立ち回ることになる。だが、ここではまず、「ルノーにとっては、日産と提携交渉をするという決定が熟慮の上に成された」ということだけ言っておこう。というのも、ボルボとの提携交渉が苦い破談に終わったあと、ルノーの会長であり最高経営責任者であるルイ・シュヴァイツァーは、一刻も早く別の道を切り開かなければならないと考えていた。そこで、民間企業への脱皮が一段落し、メルコスル市場（南米南部共同市場）に海外戦略の突破口が開かれるやいなや、ベテランのジョルジュ・ドゥアン率いる国際事業部に指示を飛ばしたのだ。「アジアで提携相手を探せ」。そしてルノーは日出づる国、日本へと舵を切ったのである。

日産しかなかった

では、その日本の状況は、どのようなものであったのか？

当時、日本の自動車業界は、トヨタ自動車の輝かしい躍進とは裏腹に危機的様相を見せていた。確かにトヨタは世界第三位の自動車メーカーにのしあがり、その生産システムはほぼ世界中で模倣され、「世界を変えた」とまで言われていた。国内シェアは四割を超え、その豊富な資金力を武器に世界各地へと触手を伸ばしつつあった。日本第二位の地位を狙うホンダも堅調だった。ホンダは自社の実力に自信を持ち、他社との提携を頑なに拒んでいた。だが、この二社以外の企業はというと、いわゆる

「失われた一〇年」の影響を受け、いずれも業績が悪化、方向転換の必要を迫られていたのである。

したがって、もしルノーが日本で提携先を探すとしたら、トヨタとホンダ以外ということになるが、当時、すでにマツダは事実上フォードに吸収され、富士重工業、いすゞ自動車、スズキの三社は、世界の覇者GMの傘下に入っていた。軽自動車に専念してきたダイハツもトヨタ・グループに組み込まれていた。となると、提携相手として可能性があるのは三菱自動車工業と日産だけということになる。

では、はたしてシュヴァイツァーは三菱との提携は考えなかったのだろうか？　日産ほどではないものの、三菱もかなりの苦境に陥っていた。交渉相手としては十分に考えられる。しかし、三菱グループという強固な後ろ盾の存在がネックになった。三菱自動車の株はその大部分が三菱系列の二大企業に握られている。グループの旗艦、三菱商事と、重工業界の巨人、三菱重工業である。のちにシュヴァイツァーから聞いた言葉を借りれば、「三菱自動車と交渉するとなると、三菱という巨大企業集団を相手にすることになり、一方、日産の場合はその経営者とのみ交渉すればよかった」のである。

さて、そこでいよいよ日産だが、その話をするためには、それまで日本資本主義を動かしてきた「構造」――結果的にはそのアキレス腱となってしまった「構造」、銀行の問題に触れる必要がある。

日産がすでに経営危機に陥っていた九七年の秋、富士銀行の頭取が、同銀行を中心とする芙蓉グループの一員である山一證券の危機に際して「これを救済するつもりはない」と明言したが、実はこのことが日産の尻に火をつけることになった。というのも、日産もまた芙蓉グループの一員だったからである。資本市場が相対的に立ち遅れていた日本では、企業はほぼ全面的に銀行からの資金調達に頼っていた。危機に際して、グループの中核である銀行から手が差し延べられないとすると、これまで日本経済を支えてきた「構造」は根本から揺るがされることになる。実際、山一が倒産し、次いで北海道拓殖銀行が破綻すると、「日本の金融システム全体が崩壊の一歩手前にある」ということが白日の下にさらされ、それと同時に、「主要銀行は従来のように企業を支えることができなくなった」ということがもはや誰の目にも明らかになってきた。

日産は従来、二つの大銀行に頼ってきた。前述の富士銀行と日本興業銀行（興銀）である。特に興銀に対する依存度は高く、また興銀側も日産と密接な関係を持ち、軍資金の提供のみならず指揮官をも送り込んでいた。ところが、富士には頼れないとわかった日産が興銀に目を向けてみると、こちらもまた深刻な状況に置かれていた。日産の経営陣にとって結論はすでに明白だった。つまり、もはや銀行には頼れないということだ。

それでは日本の競合メーカーに助けを求めるのか？　確かにほかの先進工業国同様、日本でも自動車業界は内部で融合を繰り返してきた。日産自身も六〇年代にプリンスを吸収合併した歴史がある。日本メーカー同士の提携もありえないことではない。だが、日産の場合、その答えは「ノー」と決まっていた。なにしろ、相手の候補はトヨタかホンダの二社しかないからである。

結局、日産は海外に救いを求めるしかなかった。そして、その行く手に理想のパートナーとして現れたのがルノーである。これは検討する価値は十分にあった。

完璧な補完関係

ダイムラー・ベンツとクライスラーの合併を機に、自動車業界再編への新たな闘いの火蓋が切って落とされた時、ルノーは動揺した。資金力も販売力もきわめて小さく、相変わらず極端に欧州市場に頼っていたからだ。経済アナリストたちは自動車総合メーカーとして生き残れるかどうかの分かれ目を年間生産台数四〇〇万とはじいていたが、ルノーはそれに程遠かった。依然として国が大株主であったため（四四・四パーセント）、資本に不安はないとはいえ、それも所詮マジノ線（訳注：第二次世界大戦の時にフランスがドイツに対して築いた防衛線）のようなもので、いつまで当てにできるかわかったものではない。というのも、フランス政府は民党化した企業の株主に長くとどまるつもりはないと表明していたからである。つまりルノーにとっては、他の軍門に下りたくなければ規模を拡大するしかないということだ。しかも、時間の余裕はなかった。

シュヴァイツァーの命を受けたルノーの海外戦略部隊は調査を急ぎ、さっそく次のような答えを出す。自分たちの未来を託すならアジアだ。そしてアジアなら理想の相手は日産だと……。まずは地域戦略的な補完関係がほぼ完璧だった。日産は英国東北沿岸にサンダーランド工場という優れた拠点を持ちながら、欧州でのシェアはほかの日本メーカー同様に低い。だが、ルノーは欧州が牙城だ。一方、日本およびアジア市場ではルノーはほとんど知られていないが、日産の浸透度は高い。日産はすでにメキシコに拠点を持ち、ルノーはさらに南のメルコスル市場に攻勢をかけている。またルノーはAMCの買収に失敗したあと北米から身を引いていたが、日産はそこで年間七〇万台まで販売規模を広げて、利益をあげていた。

さらに互いの技術力や営業上の強みを分析してみても、かなりの相乗効果が期待できそうだった。日産は高レベルの技術力を有し、特にエンジンやトランスミッションでは群を抜いている。またなによりも日本メーカーの代表として、その生産システムや品質管理には一目置くべきものがある。これに対し、ルノーは日産が苦手とする分野、例えば斬新なコンセプト、ユニークなデザイン、マーケティング、ブランド・アイデンティティの創出といった点に優れ、財務分析も得意だった。

一気の決着

こうして、ルノーは提携の相手として、日産を標的に定めた。だが、問題は、どうやって日産を説得するか、である。というのも、日産の提携相手として当時、候補にのぼっていた企業は三社あり、ルノーは力でも金でも地位でもいちばん劣っていたからだ。当時、いちばん強力だったのはダイムラー・クライスラーである。実際、ルノーが日産との交渉を決めた頃、日産社長（当時）の塙義一は、大型車部門の子会社である日産ディーゼルの救済を皮切りに、ダイムラー・クライスラーと交渉を開始していた。同時に日産は、米国の巨人フォードにも接近を図っていた。だが、フォードは日本およびアジアの生産拠点としてすでにマツダを確保しており、次は欧州でボルボなどの買収を済ませていた。フォード社長ジャック・ナッサーは塙に「ノー」とは言わなかったが、乗り気でないことは見てとれた。

そうなると、これは、最終的にはルノーとダイムラー・クライスラーとの戦いになる。だが、ここでダイムラー・クライスラーは日産に対して難題を持ちかけた。株の過半数取得、つまり経営権掌握を条件としたのである。一方、ルノーは、ボルボとの破談の経験を活かして、今回はソフトなアプローチでいくと決めていた。日産に対して独占交渉権も要求せず、まずは双方からメンバーを出し合って検討を進めようと言ったのだ。結局、この検討作業には双方から一〇〇人を超える人数が参加することになった。そして、そのあと何か月もかけて、互いの仕事のやり方や、製品、プラットフォーム(車台)、エンジンなどについて、また統合のシナジー(相乗作用)および技術や市場の補完関係などについて、数多くのディスカッションが重ねられ、その間に互いを理解し、相手の価値を認め合う作業が進められることになった。経営権など利害の絡む問題は後回しにされた。

やがて、こうした検討作業が進めば進むほど、両社の「相性」がほぼ理想に近いことが明らかになっていった。そして、九八年一一月、ルイ・シュヴァイツァーはついに切り札を出した。二年前にミシュランから引き抜いたばかりのナンバー・ツー、カルロス・ゴーンを引っ張りだしたのだ。

ゴーンはさっそく東京へ飛び、日産の経営会議で黒板を使いながら以前、自分が行った〝二〇〇億フラン削減計画〟を説明し、この計画によってルノーがいかにして蘇ったかを語った。このプレゼンテーションがルノー・日産交渉に大きなインパクトを与えたことは、その場にいた誰もが認めることである。カルロス・ゴーンこそ提携の要になる人物だとシュヴァイツァーは確信していたが、これ以後は塙もその思いを共有することになった。

日産経営陣はルノーに魅力を感じ始めていた。とはいえ、まだ内部の意見は分かれていたため、ダイムラー・クライスラーとの交渉は打ち切らず、またフォードとの窓口も開けておいた。ところが、九八年の夏前に始まったルノー・日産交渉は、九九年二月半ばから三月末にかけての数週間で一気に決着を見ることになる。まずダイムラー・クライスラーが突然日産との交渉から身を引くと発表した。これはダイムラーとクライスラーの合併後の社内統合が予想以上にうまくいっていなかったためで、ユルゲン・シュレンプはこの貴重なチャンスを目の前にしながら取締役会の米国側メンバーを説得しきれなかったのである。のちにシュレンプは（訳註：当初、対等合併と言っておきながら、クライスラーの役員を次々と追い出していったことについて）「対等合併と言ったのは策略に過ぎない」と言い切ってみせたが、この時点では米国側（旧クライスラー側）の意見を尊重し、独断を避けたのである。ルノーにとって、これは二一世紀を目の前にして与えられた千載一遇のチャンスだった。残る壁はただひとつ。大株主、フランス政府の説得である。

勇気ある株主の決断

ルイ・シュヴァイツァーの準備は万全だった。ルノーは九六年に大赤字を計上したが、その後〝二〇〇億フラン削減計画〟に成功してあっというまに黒字転換していた。ルノー・グループに債務はなく、資金繰りも健全、商品ラインアップも堅実だ。特に初のコンパクト・モノスペース（ミニバン）であるセニックが好調で、欧州各地でひっぱりだこになっていた。トルコおよび南米市場への進出も資金調達を終えていた。幹部も若返り、社員には新たな冒険に乗り出す気構えが備わっていた。シュヴァイツァーはこうした状況を政府にアピールしたうえで、日産との提携は経営規模や市場の拡大、技術力や資金力の向上を可能にし、ルノーに長期展望を与えてくれる画期的なチャンスだと力説した。確かにリスクはあるが予測可能なレベルであり、むしろ業界地図が塗り替えられようとしている時に、ただ手をこまぬいてじっとしているほうがはるかに危険だと言ったのである。

それまで、フランス政府は、公企業の株主として勇気ある決断を下したことなど一度もなかった。

まず考え方が一貫していない。「公企業であっても、自由競争市場に身を置く場合は原則的に民間の競合会社と同様に経営の自由を持つ」と言っておきながら、その裏では「公企業はすべからく社会的、政治的に責任ある行動を取るように」と迫る。また株主としての責任感にも欠けている。クレディ・リヨネやフランス・テレコムの例を見てもわかるように法外なリスクを容認し、それどころかリスクのある事業を助成することさえある。さらには政治的な干渉をやめない。慣例とまでは言えないものの、政権交代のたびに公企業の幹部ポストが「フランス式天下り」の受け入れ先になる例が見られるのだ。

とはいえ、シュヴァイツァーは政界を知り尽くしていた。というのも、ロラン・ファビウス内閣時には、財務省、産業省および首相官邸で長く官房長を務めていたことがあるし、ＥＮＡ(国立行政学院)を卒業して官僚になったという経歴から現職の大臣や参事官のなかにも親しい友人がいたからだ。首相のリオネル・ジョスパンもそのひとりである。結局、こういったつながりが役に立ち、日産との提携話は政府の上層部にまで持ちあげられ、しかも好意的な反応で迎えられた。その結果、今回の話にかぎっては、フランス政府は珍しく、株主として勇気ある決断を下すことになる。すなわち、ルノーの戦略的な賭け、民間の株主なら尻込みしたかもしれない賭けにゴーサインを出したのだ。

東京でも異例の歓迎ムード！

一方、東京でも政府や官庁はこの提携に異を唱えず、それどころか後押しをした。これもまた、じつに稀なケースである。というのも、多くの大企業がすでに数十年も前から海外進出を始めていたのに、日本の指導者の間には、外資を拒む風潮が根強く残っていたからだ。しかし、グローバル化は大陸移動のようなもので、誰にも止められない。日本だけが逃れようとしても無理な話だ。実際、八〇年以降、日本はとっくに時代遅れになった経済成長モデルにしがみついたまま軌道修正もできずにいたが、それが八〇年代半ばの投機を生み、株価と地価の異常な上昇により巨大なバブルが形成されていった。そして九〇年代に入ってこのバブルがはじけた時、G7トップの成長率を誇っていた日本は一気に最下位に転落したのである。おそらく、これが弱小新興国なら国自体が崩壊したところだろう。しかし、幸い、日本は十分な準備金を蓄えていたので、そこまでには至らなかった。とはいえ、銀行は深手を負い、政権も不安定になり、また相次ぐ金融スキャンダルや不祥事で、それまで品行方正で通ってきた官僚組織にも土がつくなど、国中のあちこちにひびが入り始めた。強い企業はこの窮地を巧みに切り抜けたが、それ以外はみな荒波に呑まれ、銀行の融資にすがりつこうとした。

変革はゆっくりと、だが、確実に進行した。日本の基本構造は行政の枠組みから会計基準、企業の経営規範まで、地道に長い時間をかけて作りあげられてきたものだ。経営規範などは欧米にも取り入れられて国際基準とされるまでになっていた。ところがバブル崩壊によってその基本構造自体が問い直されることになったのである。終身雇用、年功序列、行政監督機関と企業の馴れ合い、系列グループ内の旧い連帯意識など、もはやどれも通用しなくなった。古くからの株の持ち合いも、必要に迫られて解消する企業が出てきた。明治維新以前に遡る歴史を持ち、長い間、競合関係にあった三井と住友のような大系列でさえ、銀行などの多分野で統合を始めた。

しかし、構造自体が問い直されるなかで、海外企業と手を結んで生き延びようという発想も少しずつ芽生えてきていた。とりわけ、通産省（現経済産業省）がそういった考えを持ち始めたことが大きい。かつてチャルマーズ・ジョンソンが『通産省と日本の奇跡―産業政策の発展』のなかで「日本株式会社」の心臓であり頭脳であると称したあの通産省が、今度は改革の先導役に回ろうというのである。掛け声ばかりで実質が伴わないという面はあるが、それでも通産省がルノー・日産の提携案を歓迎したことは確かだ。しかも、この点では首相官邸も同様だった。当時、首相の小渕恵三は九七～九八年に日本を揺さぶったあの経済危機に再び襲われないようにと、最善の策を模索していたからだ。もちろん、政界でも官庁でも、旧態依然の保守的な勢力からは反対の声があがっただろう。だが、結局、海外企業が日産の大株主になるというニュースは、意外なほど前向きに受け入れられた。

ただし日本のマスコミは、まずは驚き、その後はいっせいに懐疑的態度にまわった。これは海外のマスコミも似たようなものだった。うまくいくはずがないと考えたのだ。経済評論家も競合各社も含め、誰もがフランスの人気漫画『アステリクス』のローマ兵のようにこう思っていた。「ばかな奴らさ、ガリア人なんて！」（訳註：ガリア人はフランスの先住民族。フランス語ではゴール。煙草のゴロワーズは「ゴールの女」の意味）。

コストカッター

こうして、ルノーと日産の交渉がまとまると、この提携は、具体的にはひとりの男の姿をして日本にやってきた。カルロス・ゴーンである。ゴーンは「コストカッター」の異名とともに日本に紹介された。海外ジャーナリストがつけた呼び名が、そのまま日本のメディアにも引き継がれたからだ。

実際にやってきたこのコストカッターは、まだ若く、数か国語に通じ、レバノン系でブラジル生まれ、フランス式の教育を受け、欧州や北米、南米の各地で目覚ましい活躍をしてきたという人物だった。もちろん、ビジネス上の伝説には事欠かない。例えば、世界第一位のタイヤ・メーカー、ミシュランに一八年間籍を置き、そこでスピード出世の記録を打ち立てた。九六年には北米ミシュランの最高経営責任者（CEO）として全社売上の四割を占める大市場を掌握、その実績から、ルイ・シュヴァイツァーに乞われてルノーに移った。ルノーに入るやいなや、抜本的な合理化とコスト削減による再建策、〝二〇〇億フラン削減計画〟を打ち出した……。

とりわけ印象に残るのは、やはりルノーにおけるコスト削減の手腕だろう。実はその年、ルノーは厳しい事態に直面していた。過去の負の遺産を克服できず、大幅な赤字に再転落していたのである。ゴーンの削減計画にはベルギーのビルボールド工場閉鎖が含まれていた。閉鎖はこの一か所だけだったが、これが社会に波紋を投じ、ルノーには政治的圧力がかかった。だが、ルノー経営陣は一歩も引かなかった。結局、ゴーンの削減計画は妥協なく実行され、その結果、ルノーは早くも翌九七年には黒字に復帰した。「コストカッター」はこの時つけられた異名だったのである。

ルノーとの提携の話を聞き、自分たちはいったいどうなるのかと懸念する日産社員の耳にも、まずはこの異名が届いたことになる。日産の社員が感じた不安は想像に難くない。そもそも破産が近いと宣告された状態から、荒療治なしに立ち直れるはずはないのだ。ところが、ルノー側は征服者として銀座に乗り込んできたのではなかった。確かにルノーはおよそ五四億ドル（約六四三〇億円）を支払い、日産株の三六・八パーセントを取得した（ルイ・シュヴァイツァーは連結ベースで日産の巨額の赤字を抱え込むことを避けるため、出資比率を抑えたのだが、後日、提携の成果が出れば比率を上げられるように、その権利は確保していた）。また、契約では日産の取締役会の枠を一〇名に減らし、内三名はルノーから出すとされ、同時に、日産側は新たに最高執行責任者（ＣＯＯ）のポストを用意、そこにゴーンが就任すると決められていた。しかし、実際に第一陣としてフランスから派遣されたのはたったの一七名、せいぜい小コマンド部隊といったところで、占領軍が大挙してやってきて日産社内に宿営地を築くといった想像からは程遠いものだった。ルイ・シュヴァイツァーがこの小部隊に与えた指示はきわめて簡潔だった。

「急げ。ルノーは長期戦に耐えられるほど大きくもないし、金持ちでもない」

では、当のゴーンはどんなつもりだったのか？　パリを発つ前に、ゴーンはこのメンバーに活動プランを配っているが、そこには「日産を変えようなどと思うな。日産を立て直す手助けをする、それに尽きる」という趣旨の言葉が添えてあった。

サクセスストーリー

すべては瞬く間に進められた。九九年一〇月一八日、東京モーターショーの開催二日前、ゴーンは日産リバイバル・プラン（ＮＲＰ）を発表する。二万一〇〇〇人の削減、国内の五工場を閉鎖——これが新聞に大見出しで出た。日本のタブーが破れたと同時に、幻想が打ち砕かれた瞬間だった。つまり、この発表によって、ゴーンは「日産が危ない」と明言してみせたのである。同時に、計画の進め方が日本のみならず世界の度肝を抜いた。ここに掲げた目標は必ず達成されなければならないとされ、目標年度にそれができなければゴーンを筆頭にエグゼクティブ・コミッティ全員が辞任するという。その目標とは、①リバイバル・プラン着手の初年度に黒字化、②三年後までに有利子負債を半額に削減、③同じく三年後までに営業利益率を四・五パーセントに上げる——の三点だった。

結果だけ述べておくならば、ゴーンはもちろん、エグゼクティブ・コミッティのメンバーは誰も辞任することはなく、また日産の再生は、混迷のうちに明けた二一世紀初頭における驚くべき「サクセスストーリー」と評されることになる。経済の低迷が長引く日本で、また米国の景気後退や証券市場の崩壊などに象徴される困難な国際市況のなかで、日産は少し持ち直したどころではない、見事に立ち直ってみせたのである。それもたったの二年で！

それを助けたのは、もちろんルノーである。ルノーは他の資金力のある大会社がひるんだほどのリスクを負い、そこから成果を引き出した。もしそうなら、この提携はルノーのほうから見ても、やはり賭けに勝ったと言ってよい。なにしろ、日産と提携した結果、ルノーは狙い通り規模が拡大できたのだから……。実際、あのまま手をこまぬいていたら、欧州内で足踏みしていたはずが、今や北米、中南米、アジア・太平洋に間接的な足がかりを持つグローバル企業となり、ひいては中国にも大きな一歩を踏み出そうとしているのである。

しかも、両社にとって、この提携はまだ始まったばかりだ。その後、資本関係は強化され、ルノーは二〇〇二年三月に日産の持ち株比率を四四・四パーセントに引き上げ、その数か月後には日産がルノー株の一五パーセントをフランス政府から取得した。本当の提携効果が出てくるのは、おそらくこれからだろう。ルノーとプラットフォームを共用化した日産の新型マーチ（訳註・同じプラットフォームがルノーではクリオに使用される）が市場に出たのは二〇〇二年の春——まだ最近のことでしかない。これに加えて、ノウハウやユニットの共有、サプライヤーの統合、生産拠点や世界にまたがる販売網の相互利用などが行われれば、さらなる効率化によって生産性が向上し、相互補完による効果は計り知れないものになってくるだろう。

人間尊重に基づいたグローバル化

では、この提携はどうしてうまくいったのだろうか？　ひと口で言えば、それは「日々の仕事を通じて、ルノーの社員と日産の社員の間に、ある特別な関係が生まれた」からである。その関係とは、何か精神的なつながり、この大チャレンジに身を投じた者同士でなければわからない何かである。ここまで来るためには、おそらく、互いに理解に苦しみ、いらいらし、誤解し、揉め事になり、ときには正面切って対立することもあっただろう。だが、その一方で感動し、助け合い、ともに笑うこともあったに違いない。見るからに異なった二つの企業、二つの歴史、二つの文化が歩み寄るとは、まさにそういうことなのだ。そして、ルノーと日産の社員はこの歩み寄りに成功したのである。

そう考えると、この成功は決して幸運や偶然の産物ではない。すべては両社の首脳部が互いに何の隠しだてもせず、「たかが提携、されど提携」ということで、率直に話し合ったところから始まったのだ。実際、ルイ・シュヴァイツァーは二〇〇一年春に東京を訪れた際、その二年前に自分と塙義一が調印したグローバル・アライアンス合意文書の基本方針は次のようなものだったと述べている。

「互いの相違点を認識して、その価値を認め合うこと。相手を尊重したうえで率直に語り、また相手の言うことに真摯に耳を傾けること……。こうした方針はあまりにも単純で当たりまえだと思われるかもしれませんが、では、従来の経営マニュアルに書いてあるかというと、必ずしもそうではありません。大事なのは自社の文化を維持しながら、同時に相手の文化を理解し、それに適応していくということです。私たちが合意したのは、あくまでも二つの会社、二つのアイデンティティを認め、それを尊重し合ったうえで提携するということでした」

シュヴァイツァーは、のちに「二国籍グループ」と名づけられるルノー・日産グループが採用したこの方式を、「自動車業界にも、日仏間にも先例のない新たな提携方式」と表現した（訳註：「新たな」というのは、「相手を尊重する」という、そういった意味だったのである）。

だが、ここで興味深いのは、このユニークな提携に誰よりも力を尽くしている人物が、日本人でも、また生粋のフランス人でもないことだ。カルロス・ゴーンはブラジル生まれだが、両親はレバノン系で、受けた教育はフランス式、そして最終学歴はフランスきってのエリート教育機関、グランド・ゼコール（訳注：大学とは別系統の高等教育機関）である。まさに多文化の権化、「オープンマインド」の具現体である。ゴーンは世界市民、それも新時代、二一世紀の市民なのだ。

人類は無知と偏見、極端なまでの愛国心や憎しみの虜となり、はるか昔から野蛮な行為を繰り返してきた。そして、それはつい数年前に終わった二〇世紀まで続いた。だが、二一世紀に生きる我々は、人類をその野蛮から解き放つ役割を期待されている。そういった意味からすると、ゴーンが何か国語にも通じ（ポルトガル語、アラビア語、フランス語、英語、現在では日本語も少々）、何か国にもわたって仕事をしてきたことは（フランスほか欧州、ブラジル、米国、日本）、国境なき地球の申し子として、野蛮な争いから私たちが抜け出す手本を示してくれているように思える。別の言い方をすれば、国という枠組みに捉われず、どんな場所に行っても自分自身でいられるということだ。これはまた、よい意味でのグローバル化にも通じる。

ルノーと日産の挑戦が生きた手本であるように、本当のグローバル化というのは、人間に重きを置き、その個性を大事にしながら進めていけば、必ず達成できるはずのものである。企業のトップがその意に反して（なかには意図的な場合もないとは言えないが）、拝金主義的な経営を行って、あとで批判されるという例が続くなかで、ルノーと日産の提携は、言い古された表現ながら、企業経営というのは「金よりも人」だ、とあらためて教えてくれる。また、企業とはいまだに、そこに集う社員たちが能力、努力、情熱によって自らの運命を切り開いていく場所なのだということを、今一度思い出させてくれるのである。

第1章　旅立ち

移民の血

「祖父の名前はビシャラ・ゴーンと言いました」

そう言うと、カルロス・ゴーンは生前一度も会うことのなかった祖父のことを敬意と親しみを込めて語り始めた。それはどこにでもあるような、だが同時にとても波瀾に満ちた物語だった。ちなみに、ゴーンのフルネームは、カルロス・ゴーン・ビシャラという。

「祖父は若い頃に、たったひとりでレバノンからブラジルに渡りました。まだ一三歳だったと聞いています。ですが、当時は、比較的若い頃に国を出るのは、珍しいことではありませんでした。まだ義務教育というものがなかったからです」

（訳註：ゴーンの祖父が生まれたレバノンは、イスラエルの北、シリアにまわりを囲まれるようにしてある小さな国である）。歴史的に見れば、絶えず他国の支配を受けてきたという過去を持つ。例えば、二〇世紀の初めまではシリアの一地方としてトルコのオスマン帝国の支配下にあり、第一次世界大戦のあとは、フランスによってシリアから分離される形で統治された。また、この地域の複雑な事情から、氏族や部族、宗教間の対立によって、国内はさまざまな集団に分割され、争いの火種が絶え

なかった。

したがって——そういったこの地域の歴史的、政治的、宗教的な事情を背景に、ゴーンの祖父のように若くして国を出るということは、決して特別な例ではなかったのである。アジア大陸から海外へ渡った中国人華僑のように、レバノンの山あいで生まれた子供たちは、アフリカの奥地や、大西洋を越えたラテン・アメリカ、さらには極東の端やオーストラリアにまで渡り、自力で道を切り開かなければならなかった。開拓者や商人、企業家たちは必死で働き、なかには莫大な財産を築いた者もいる。莫大とまではいかなくとも、たいていの者は、自分たちが移住した国に溶け込み、ゆとりある暮らしをすることができるようになった。だが、だからといって自分たちの祖国、レバノンとの絆を完全に断ち切ってしまうことはなかった。

それはともかく、ゴーンの祖父が祖国をあとにした当時、レバノンは、トルコからアラビア半島を経てアフリカのナイル川流域にまで及ぶ、広大なオスマン帝国の一部だった。だが、その広大な帝国も、すでに翳りを見せ始めていた。首都コンスタンティノープルには腐敗政治がはびこり、レバノンのように遠く離れた地方の法と秩序までは目が行き届く状態にはなかった。それがまた移民の動きを加速したのである。

キリスト教マロン派教徒の忠誠心

「二〇世紀の初め、レバノンからは多くの人が移民となって出ていきました。それには二つの大きな理由があったのです。ひとつはキリスト教のマロン派対イスラム教のドルーズ派、そして同じイスラム教でもシーア派対スンニ派という宗教上の対立、もうひとつは出口の見えない貧困です」
ゴーン一家の故郷は樹齢百年の西洋杉、いわゆるレバノン杉が生い茂る、レバノン山にある。そこでは、キリスト教のマロン派とイスラム教のドルーズ派（訳注：シーア派の流れを汲むイスマーイール派の分派）の対立が、もう何世紀にもわたって続いていた。このキリスト教のマロン派というのは東方カトリック教会の一派で、成立当初からずっとローマ・カトリック教会に従ってきた宗派である。その意味では、ローマ法皇を権威として認めないギリシア正教会やロシア正教会、シリアのカルデア教会やエジプトなどのコプト教会とは一線を画している。

「祖父はレバノン山のケスルーアン出身で、そこの住民は皆マロン派でした。マロン派の信者たちは忠誠心を大切にすることで知られていますが、その忠誠心はまず初めに教会とその伝統に向かいます。例えば、マロン派のミサは今でもシリア語（訳注：北西セム語派に属するアラム語の方言）で行われますが、シリア語というのは、現在使われている言葉ではありません。ですが、キリストの話していた言語なのです。こういった伝統は、マロン派の教徒の間では、代々受け継がれてきました。そういった気持ちから、マロン派の人々は、移民としてほかの土地に行っても、レバノンやそこに残っている一族を大切に思い、それに対する忠誠心を捨てません。そこで、移民した先で金を稼ぐと、一族に送ったり、あるいは、故郷の村に家を建てて、時折戻ってくるようにするのです」

レバノンにいるマロン派の人々の忠誠心ということで言えば、もうひとつ特徴的なのがフランスに対して忠誠心を持っているということである。これは今から一〇〇〇年以上も昔の「十字軍の遠征」にまで遡る長い歴史の結果で、この地域がこれまでに何度も他国からの侵略を受け、そして今もなお近隣の諸国によって独立を脅かされているということと密接に結びついている。すなわち、フランスは、中東や東アジアの植民地を支配する強国のひとつとしてだけではなく、〝カトリック教会の長女〟として、東方カトリック教会の信者たちを保護するという役割を自らに課し、その一環としてこの地域のマロン派の教徒たちを守ってきたのである。そしてまた、第一次世界大戦後にオスマン帝国が崩壊したあとには、レバノンという国を成立させる役割も果たす。というのも、まず初めにシリアからこの地域を切り離すと、大レバノン共和国の成立を宣言、そのうえでレバノンが国際連盟の委任統治領としてフランスの統治下に置かれることを国際社会に認めさせたのである。そして、第二次世界大戦後、レバノンはこのフランスの統治からも独立する。

「フランスの統治というのは、すぐに受け入れられました。というのも、マロン派の人々というのは、常にいくつかの文化が混ざり合ったなかで生きてきたからです。実際、フランスに統治されて以来、マロン派の人々は、自分たちが最低、二つの文化に属しているという意識を持っています。つまり、一方ではアラブ世界に属しながら、もう一方ではフランス語文化圏に属しているという意識……。といっても、最近ではフランス語圏に属しているという意識は少し薄れているようですが……。ほんのわずかですが、フランスに見捨てられているという気がしているからです。しかし、いずれにせよ、こうした複数の文化に属しているということを、マロン派の人々はごく自然に受け止めています。アラビア語とフランス語をごく普通に話し、また最近では職業上の必要から英語を話す人も増えてきました。要するに、マロン派の人々は常に世界に対して開かれた心を持っているのです。しかも、自分のアイデンティティはしっかりと保ちながら……」

ここで最後にもうひとつ、マロン派の教徒たちの忠誠心について触れておこう。いや、これは何もマロン派の教徒にかぎったことではないだろうが、その忠誠心とは、家族に対する忠誠心である。これはひとつには、結婚による関係を大切なものとして教える宗教の影響だろう。また、それは同時に、混乱の続いたレバノンの歴史とも関係しているに違いない。そして、移民する人々が多いというのも、その大きな理由だと思われる。故郷を離れて暮らす時、家族の絆が大切になるのは、きわめて当然のことだからである。

「常にまわりを危険に取り囲まれている状態では、家族というのは自分を守ってくれる場所になります。また、たとえレバノンの国内にいても、他国の侵入を受けたり、過激派の争いに巻き込まれたり、あるいはイスラム教徒のなかで暮らしたりして、自分のアイデンティティを見失いそうになった時、家族は自分が誰であるかを教えてくれます」

したがって、ゴーンの祖父であるビシャラ・ゴーンがブラジルに旅立った時にも、こういった家族に対する気持ちは、当然、その心のなかに熱く秘められていたに違いない。いや、それだけではない。身の回りの品だけ詰めたその貧しいトランクには、宗教や伝統やそのような価格感、故郷やそこで暮らす一族に対する忠誠心もおそらく入っていたことと思われる。

貧困からの脱出

「当時、レバノンでは民族的な対立や宗教的な対立がいたるところで起こっていたので、そうした情勢に不安を感じたのでしょう。あるいは、先の見えない貧しい暮らしから脱出するためかもしれません。いずれにしろ、たくさんの若者たちが移民となって出ていきました。村で生計を立てる手段はかぎられていました。何世帯もの家族に対して、土地はほんのわずかしかないのです。若者たちに将来の見通しが立つはずはありませんでした。祖父もまた、このままレバノンにいても将来暮らしていくことはできないと悟ったのでしょう、親戚のひとりから、ブラジルへ渡った従兄弟や友人、米国で財を成した友人知人の話をいろいろと聞いたそうです」

財を成すといっても億万長者になるわけではない。定職に就き、一家を構え、生計を立てる、そして子供たちに良い教育を受けさせる、そういう暮らしができるということだ。

「二〇世紀になったばかりのある朝、祖父は村を出て、ベイルートの港から船に乗りました。そして、それから三か月かかって、ブラジルにたどり着いたのです。その時の祖父は、ろくな学問もなければ金もなく、話せる言葉はアラビア語だけでした」

こうして、新しい国ブラジルでの冒険が始まった。ブラジルでは今でもまだレバノン移民のことを「トルコ人」と言う。これはレバノン人たちがブラジルに入国する際、オスマン帝国発行のパスポートを持っていたからだ。そして、前にも述べた事情で、結局、そのパスポートは第一次世界大戦が終わるまで使われることになった。

「リオデジャネイロは、成功者の町でした。ブラジルのあちこちですでにひと財産作った人たちが、余生を謳歌するために戻ってくる場所だったのです。その当時、黄金郷《エルドラド》――つまり、財産を築ける場所は、ブラジル中部や北西部のアマゾン流域でした」

そうとわかれば、リオデジャネイロなどで愚図ぐずしてはいられない。根っからの開拓者だったビシャラ・ゴーンは、小さな手荷物ひとつで本物の未開の地へと旅立った。行く先は、ボリビアとの国境付近、アマゾン川の大きな支流のひとつであるマデイラ川流域の処女地である。といっても、そこは当時、まだブラジル連邦の領土にはなっておらず、グアポレの名で知られていた（現在のロンドニア州。州都は川沿いの町ポルト・ベーリョ）。ビシャラ・ゴーンが荷を解いたのは、まさにそういった場所だったのである。

「祖父はその地方を渡り歩いて、さまざまな職に就きました。食べていくためには、どんな小さな仕事でもしました。そうやって着々と自分の道を切り開いていったのです。暮らしを立てられるようになると、今度は自分で仕事を始めました。まずは農産物で商売を始め、次にゴムの取引をする会社を作りました。というのもその付近一帯には、パラゴムの木が豊富にあったからです。それからさらに、祖父は新しい事業を始めました。その頃、ブラジルの航空会社は国内路線を広げようとしていました。そこで祖父は、地元の仲介業者となって、航空会社の業務拡大のために必要な地域の情報や、さまざまなサービスを提供したのです」

こうして数十年がむしゃらに働いたおかげで、ブラジルにやってきた時には言葉も話せなかった若者は、裸一貫からいくつもの会社を経営するまでになった。

祖父への思い

「私は祖父に会ったことがないので、人から聞いた話しか知りません。というのも、祖父は私が生まれる前、まだかなり若い時にこの世を去っていたからです。五三歳で胆嚢の手術を受けたのですが、その時に亡くなったということです。ええ、当時のブラジルの外科技術はお粗末なものでしたから……。ですから、生前の祖父に会ったことはありませんが、父や叔父、叔母をはじめ、祖父を知るさまざまな人たちから話は聞いています。いや、それを聞いただけでも、祖父がどれほど偉大な人だったかがわかります。祖父は真の開拓者でした。金も教養も学問もなく、まだ若いうちからさまざまな困難をひとりで切り抜けなければなりませんでしたが、そんなリスクに富んだ冒険を楽しんでいたのです。体ひとつで祖国を離れ、立派に暮らしを立てて、子供たちをきちんと教育し、それから、現代の基準から見ればたいしたことはないとはいえ、かなりの額の財産を遺した——そんな祖父の姿を、私はありありと思い浮かべることができます」

結局、ビシャラ・ゴーンは男四人、女四人の計八人の子供をはじめ、孫たちにも、土地と財産を遺した。だが、子供や孫たちにしたのはそれだけではなかった。物事の価値を教え、生きていくうえでの手本となったのである。

「祖父は私にとってかけがえのない人です。本当にすごい人で、祖父がやってきたことには今でも驚かされるばかりです。そのうえ、祖父はあの時代の開拓者には珍しく、非常に清廉潔白な人で、誰からも尊敬されていました。規律を重んじ、家庭を大事にする人、それが私の祖父像です。子供たちからもとても慕われていたようで、それは祖父のことを話す時の父の優しい顔や、叔父や叔母の愛情あふれる様子を見ただけでもわかります。祖父は子供たちにとって、特別な存在だったのです」

レバノンとの絆

さて、ビシャラ・ゴーンの死後、家族経営の会社は、すでに父親の会社で働いていた子供たちにそれぞれ引き継がれた。のちにカルロスの父親となるジョージは、航空関係の仕事を引き継いだ。兄弟たち同様、ジョージもブラジル生まれだった。

ブラジル暮らしが長いとはいえ、一家はレバノンと固く結ばれていた。これは海外に移民したレバノン人には、決して珍しいことではない。それには一家の文化や宗教上の理由もあれば、自分たちのルーツへの愛着心、あるいは親類がまだ暮らしているなどの、さまざまな理由がある。

「祖父は国を出ましたが、母親をはじめとして、兄弟、従兄弟たちはみなレバノンにいました。ですから、私たちのルーツであるレバノンとの絆は今でもとても強いのです」

こうしたことから、ゴーンがまだ子供の頃、一家はちょうどビシャラ・ゴーンがベイルートの港からリオへ向かったのと反対のルートをたどって、レバノンに旅行していたという。

「父もまた、他の多くのレバノン人やイタリア人、アイルランド人の移民と同じように、結婚相手を探しに祖国に戻りました。移民たちは誰もがそうしていました。やはり、何か重大な事柄にあたるときには、同じ価値観を持った人が望ましいものです。それが結婚となればなおさらのこと、宗教観や家庭観が同じであることはとても大切なのです。父はレバノンで、とても良い人たちだからとある一家を紹介され、母と知り合いになりました。ふたりはレバノンで結婚し、まもなく仕事の関係でブラジルに帰ると、今度は、そこで自分たちの新たな家庭を築きました」

フランスびいきの母

ゴーンの母親は名前をローズという。愛称は〝ゼッタ〟である。出身は、そのルーツをたどれば、レバノン北部の山あいに暮らす大家族であるが、ゼッタがまだ生まれる前に父親がナイジェリアに移民していた。したがって、ゼッタはナイジェリアで生まれたのだ。だが、しばらくすると、学業を優先させるためレバノンに帰された。というのも、ナイジェリアの教育制度は、理想的というには程遠かったからだ。祖国との結びつきのほかに、移民したレバノン人家庭に共通の特徴は、子供の教育を何より優先させることである。教育のためなら、親はどんな犠牲でも払うのだ。

「よくある話です。母の話によると、母の父——つまり祖父は仕事のためにナイジェリアに残り、家族に生活費を送りました。たまに帰ってくるといっても二年に一度ほどで、夏を過ごすと、またすぐにナイジェリアに戻っていったそうです。こういったことをするのは、レバノン人だけではないでしょう。ほかの国の移民たちの家庭でもよく見られる光景です」

こうして、ゼッタはレバノンにあるカトリック系の学校に入学する。この学校は、ブザンソンの修道女会が運営する教育機関のひとつで、その目的はカトリック信仰とフランス文化を広めることにあった。ゼッタはここで、宗教とフランス語の教育を受けたのである。レバノンの山間部に暮らすマロン派のキリスト教徒にとって、フランスは第二の祖国であり、また、政情が不安な折の避難場所であり、そして何よりも、愛してやまない国なのである。

「母は大の親仏家で、パリに行くと、たちまち生き生きします。文化に教育に音楽にと、母親がフランスびいきだと、家族も当然そうなります。そういうわけで、私たち一家にはフランス文化が深く根づいているのです」

人生を一変させるような事件

さて、レバノンで結婚すると、ゴーンの両親はブラジルに戻ってきて、ポルト・ベーリョで暮らし始める。そして、長女のクロディーヌと長男のカルロスをもうけた。このポルト・ベーリョの家の印象は、今でもはっきりしたイメージとして、ゴーンの心に残っているという。

ポルト・ベーリョは雄大な自然に恵まれた町だったが、気候はとても厳しかった。蚊が多く、気温も湿度も高かった。川は汚れていて、泳ぐことなど問題外、もちろん川の水を飲むこともできなかった。飲用にするには、いったん煮沸する必要があったのである。ところが、そんな暮らしのなかで、幼いカルロスと家族の身に、人生を一変させるような事件が起こった。

「ある日のことでした。家には母の家事を手伝いに若い娘が来ていたのですが、その娘が私に煮沸していない水を飲ませてしまったのです。私は病気になりました。当時まだ二歳でした。胃をひどく壊してしまい、母は医者から、もしお子さんに普通の暮らしをさせたければ、もっと気候が穏やかで、水のきれいな生活環境の整った土地に行ったほうがいいと言われたそうです。母は私の回復を願ってリオに移りました。おかげで病状は少し回復したものの、とても完治するまでにはいたりませんでした。そこで、ついに父と母は、私の病気を治すにはレバノンに行くしかないという結論に達しました。レバノンの祖母も、ここでならきっと治るから連れていらっしゃいと、母に強く勧めたそうです」

こうしてゴーン一家も、レバノン移民の間では伝統とも言える生活を送ることになった。つまり、母親と子供たちが祖国に帰り、父親がブラジルとレバノンを行き来するという生活だ。

「私たちもほかの多くの移民家族と同じような暮らしをすることになりました。父親は生活費を稼ぐために生活条件の厳しい外国で暮らし、残りの家族は教育環境の整った、暮らしやすい国で生活するのです」


この伝統は、「それが伝統である」ということ以上の素晴らしい効果をマロン派の人々の間にもたらしている。というのも、これによってマロン派の人々の社会では、女性が力を持つようになり、アラブ世界のなかでは例外的に男女の平等が実現されているからである。

「マロン派教徒の社会というのは、女性の価値が非常に高く認められています。これは周囲のアラブ世界とは、明らかに違っています。マロン派の家庭では、母親がとても重要な役割を持っています。家族に対して大きな影響力を持っているのです。それはおそらく、父親が外国に行って生活費を稼いでいる間、国に残って家を守っていることが多いからでしょう。その意味で、母親は家族のアイデンティティの象徴なのです。したがって、父親と母親は家族のなかで平等な関係にあります。それどころか、父親が家にいないことを考えれば、母親は家長の役割をすることさえ珍しくないのです」

レバノンでの生活

こうして、カルロスが六歳の時、母親は子供たちを連れてベイルートのアパルトマンに移り住んだ。その暮らしは、カルロスが一七歳になる一九七一年まで続くことになる。というのも、その歳になれば、初等教育から始まって、中等教育過程まですべて修了することになるからだ。ゴーンはそこで小学校から高校卒業まで一貫教育の行われる学校に通った。その学校はコレージュ・ノートルダムといって、イエズス会士によって運営される素晴らしい学校だった。一家の宗教や教育方針にもぴったりで、両親は迷わずここを選んだ。

「父も母もマロン派のキリスト教徒、つまり東方カトリック教会の信者の家に生まれたので、小さい頃からカトリックの信者でした。特に母は敬虔なカトリック教徒です。ですから、私たちの生活には自然と宗教が溶け込んでいました。しかし、だからといって、決して教条主義的だったわけではありません。私たちはイスラム教やそのほかの宗教にも寛容だったと思います。いずれにせよ、宗教は学校でも家庭でも、絶えず私の身近にありました。レバノンでは、どの宗教を信仰しているかで、その人の育ちがわかります。イスラム教ではドルーズ派にスンニ派、シーア派、そしてキリスト教ではマロン派、ギリシア正教、アルメニア正教と、さまざまな宗教があり、自分の信じる宗教が身分証明書がわりになるのです。そういうわけで私自身、宗教とともに生きてきたとも言えるでしょう。ですが、それを窮屈だと思ったことはありません。それが私の生き方なのです」

ゴーンがレバノンにやってきたこの六〇年――ベイルートは太陽の光が降り注ぐ活気にあふれた町だった。街並みが美しく、また気候も穏やかだということから、たくさんの観光客を集め、この地方一帯の経済の中心地でもあった。レバノンがまだ「中東のスイス」と見られていた頃の話である。そういった時期にベイルートでの暮らしを始めたゴーンは、この町で一一年も暮らしたというのに、戦争を経験していない。パレスチナ難民の流入やＰＬＯ（パレスチナ解放機構）本部のベイルート設置、イスラエルやシリアといった近隣諸国の執拗な干渉によって、さまざまな問題が引き起こされるのは、七三年になってからのことなのだ――ベイルートを二分し、中心地区を最後の石のかけらひとつまで破壊しつくした内戦が勃発するのは七五年である。この内戦について、ゴーンはこう語る。

「内戦が始まった当時、私はパリにいたので、これについては直接経験しているわけではありません。ただ、レバノンの歴史を振り返ってみれば、七五年から九〇年代まで続いたこの内戦も、特に珍しいこととは言えないと思います。確かにベイルートは崩壊しましたが、こうした殺戮は一九世紀の半ば、一八五〇年代にも幾度となくあったのです。レバノン人は皆、たとえ無意識にせよ、心の奥底ではいつもこういったことに対して不安とリスクを抱えて生きているのです。それがレバノンの歴史なのです。とはいえ、この内戦では私もずいぶん辛い思いをしました。地元には親戚や友人がたくさんいたので、とても心配だったのです。それにレバノンで一一年間暮らした者にとって、その国がさまざまな武力衝突で破壊されるのを見るのは耐えがたいことでした。紛争は、レバノン対パレスチナ、イスラム教徒対キリスト教徒、シリア対イスラエルと、多岐にわたって複雑化しました。この暗澹とした紛争は、勝者がありえない戦いでした。ただ誰かがより多くのものを失うだろう、それは誰なのか、ということだけです」

だが、ベイルートでの暮らしが始まった六〇年代には、まだその内戦の兆しは見えていない。この当時のゴーン一家の暮らしは、父親が定期的にレバノンにやってきたり、反対に家族が父親のいるブラジルへ旅行したりするというものだった。

「レバノンへ移ってからは、ようやく落ち着いた暮らしができるようになりました。私はある学校で一貫教育を受けることになりました。そこはイエズス会系の学校で、そこでの教えが私の人間形成にとても大きな役割を果たしたと思います。学校では何より規律が重んじられました。また、成績によって学生をクラス分けするシステムがとられ、生徒たちに競争心や、何事もあきらめずに挑戦し続ける精神が身につくようになっていました。といっても、ただ競争意識を高めることに目的が置かれたのではありません。イエズス会は、生徒たちの力を引き出し、伸び伸びと学習させることでも定評があったのです」

ゴーンの通ったコレージュ・ノートルダムの学長は、ジャン・ダルメというスウェーデン人神父だった。教師たちの多くはフランス人で、なかにはレバノン人やエジプト人もいた。

「つまり、イエズス会は、世界初の多国籍企業だったのです」

教師たちの教え

イエズス会士のなかには、教養にあふれる、素晴らしい教師が大勢いた。

「第二学年（訳註：高校一年生）の時、私たちは素晴らしい教師からフランス文学を教わりました。ラグロヴォール神父といって、高齢の、小柄ですが、がっちりした体格の人でした。神父は非常に厳格で、お世辞にも愛想がいいとは言えませんでしたが、そのフランス文学に対する情熱は並々ならぬものがあって、生徒たち皆から尊敬されていました。皆、かなり反骨精神旺盛な生徒たちでしたが、神父はいつも歌っているかのように、私たちに詩を朗読してくれました。なかでも特に熱が入ったのは、ラ・フォンテーヌです。『いつかある日のことでした、若いうさぎの宮殿を、イタチ夫人が乗っ取った（ダム・ベレット、アン・ボ・マタン、デュ・パレ・ダン・ジュンヌ・ラパン、サンパラ）』。

さて、ある時、神父は朗読を終えると、私たちにこう質問しました――あなた方はこの詩からどんな楽器を連想しますか？――神父自身は〝サンパラ〟という音からトランペットを連想したそうで、『サンパラ、サンパラ、サンパラ』と高らかに謳いました。これに限らず、この神父の話はとても魅力的で、私たちはいつも熱心に聞いたものです。多少尊大なところはありましたが、その情熱は、私たちの良き手本となりました」

多感な時期に、このように素晴らしい教師たちから受けた教えは、一生忘れるものではない。その教えのなかには、「自分の考えを簡潔に表現することの大切さ」を説いたものもあった。

「神父は私たちにこう教えてくれました。物事を複雑にしてしまうのは、実はそのことについて自分が何もわかっていないからなのだ、と……。どんな事柄も、その根本は簡潔なものなのですから……。神父もまた、フランス語を教えるという使命のために、家族や友人のもとを離れて世界のどんな果てまでも行くことを厭わない、高潔な修道士のひとりでした。そうした修道士たちの持つ魅力、それは忠誠心や誠実さ、素朴さ、そして教養です。おかげで私は多くのことを教えられました。卒業する頃には、規律の大切さや物事を組織立てる力、競争心を持つことを学んでいましたし、何ごとも最善を尽くしてやり遂げようとする、強い意志を身につけることができたと思います」

本人によれば、このコレージュ・ノートルダム時代、ゴーンは成績は優秀だったが、かなりの問題児でもあったらしい。おかげで母親のゼッタをずいぶん失望させたという。

「母は義務感が強く、いつも冷静で現実的な、規律を重んじる人でした。そんな母にしてみれば、目上の人の言うことは絶対です。私が学校で良い成績をとるのを喜んではいましたが、その一方で、なぜそんな反抗的な態度をとるのかわからないと、いつも嘆いていました。もし私の成績が良くなかったら、事態はもっと深刻になっていたことでしょう」

エリート主義のイエズス会士たちは、騒々しく成績の良くない生徒たちには厳しかったが、半面、たとえどんなに反抗的でも、優秀な学生には寛大だったのである。

「私は、ずいぶん寛大に扱ってもらえました。成績が良かったからです。語学が好きで熱心に勉強しましたが、いちばん夢中になったのは歴史・地理で、どんな質問にでも答えられるほどでした。数学や物理の成績も悪くはありませんでしたが、好きなのはやはり歴史と語学でした」

当然のことながら、歴史の授業ではレバノン情勢が詳しく取りあげられた。またフランス史とレバノン史、フランス革命やオスマン帝国について、そしてキリスト教徒やイスラム教徒がどれほど素晴らしい事業を行ってきたか、そういったことについても教育を受けた。

「その当時、大好きだったゲームがありました。〝リスク〟といって、今でも売られているものです。大きな地図になっていて、ゲームをしながら、世界各地のさまざまな国のことを知ることができるのです」

（訳註：将来、ゴーンが世界を股にかけて活躍することを考えると、このエピソードは興味深い）。そして様々な言語を学んだことで、ゴーンはまだほんの子供のうちから、貴重な財産を授かっていた。国境なき世界で生きるための貴重な財産である。

言語との関わり

「初めに話すようになったのは、ポルトガル語でした。レバノンに移り住んだ頃、最もよく使ったのもポルトガル語でした。あとはフランス語が少々と、ほんの片言のアラビア語です。コレージュ・ノートルダムでは、いちばん重要な言葉はフランス語とアラビア語でした。当時はまだ、家のなかではブロークンなポルトガル語を多少話してはいましたが、きちんと勉強したことはありません。英語にいたっては〝マイ・テイラー・イズ・リッチ〟くらいが関の山でした。しかし、そのうちに言語を学ぶことそのものが面白くなってきました。言語は民族の文化や歴史と深く結びついているので、言語を学ぶとそういったことまでわかってくるようになるからです」

実際、ゴーンのようにさまざまな土地で生きてくれば、それぞれの言語から学ぶことは大きい。ゴーンが関わったいくつもの言語は、まさにそれぞれの時期の〝旅の道連れ〟なのである。

「私の第一言語は何度も変わりました。幼少の頃はポルトガル語、レバノンではアラビア語とフランス語、フランスではもちろんフランス語でした。それがブラジルに戻って、またポルトガル語となり、米国では英語になりました。このうち、いちばん親しみのある言語はフランス語ですが、コミュニケーションの道具として仕事で使うのであれば、やはり英語がいちばんだと思います」

現在、ゴーンが日常業務で使う言葉は、フランス語と英語である。だが、特にルノーと日産の合併後は、ビジネスの世界の国際共通語《リンガ・フランカ》である英語を使うことが多い。といっても、ゴーンと親しく話してみると、そのフランス語からは、長い間カルチェ・ラタンの学生街で過ごした経験がはっきりと見てとれる。カルチェ・ラタン出身の知識人たちはかしこい人のことを「抜け目がない《シユー》」（訳注・元は

「スー族の」という意味）と言ったり、ちょっと変わった人間を「いかれぽんち《バルジョ》」（訳注：jobart　ジョバールという言葉を逆さにしたもの）と呼んだりするのだ。また、先ほどの本人の言葉にもあった通り、ゴーンはアラビア語も話せる。ポルトガル語も、昔はフランス語並みに話せたようだが、今ではそうはいかないらしい。

「要するに、話す機会がなくなったのです。六歳でブラジルを出てからというもの、ポルトガル語は第一言語ではなくなってしまいました。ですが、完全に忘れたわけではないので、おそらく今ブラジルに行っても、言葉に不自由することはありません。たぶん、訛りは出てしまうでしょうが……」

そして、今度は日本語である。日産に来てから、ゴーンは日本語を習得しようとしているが、本人によれば、これがかなりのストレスになっているらしい。だが、いずれにしろ、ゴーンの枕元にはいつもさまざまな言語で書かれた本がある。

フランスへ

さて、一七歳で高等教育課程を修了すると、ゴーンはフランスの大学入学資格試験《バカロレア》にも合格したため、フランスの大学でも、レバノンの大学でも好きなところに進学することができた。

「高等教育を受けるなら、やはりフランスがいいと思いました。米国にも良い大学はたくさんありましたが、大学の教育制度になじみがなかったうえ、学費も高かったのです。そういうわけで、選択肢はフランスかレバノンでした」

だが、将来の志望はというと、好きな歴史地理学を勉強して教職に就くというほかは、格別になりたいものもなかった。

「自分の進路について悩んでいた頃、身近には相談できるような人がいませんでした。そこで最終学年の時、フランスのＨＥＣ（高等商業学校——商科系のグランド・ゼコール）を卒業してパリの銀行に勤める従兄弟に、自分の学歴書を送ってＨＥＣに入学するための準備学級に申し込みをしてくれるよう頼みました」

　こうして、いくつかの手続きがすむと、いよいよパリでの暮らしが始まることになった。新しい旅立ちの時である。ゴーンはベイルートを旅立った。母と三人の姉妹、生涯の友と出会った青春時代をあとに残して……。その生涯の友について、ゴーンはこう語る。

「本当に親友と呼べる仲間と出会ったのは、コレージュ・ノートルダムの中・高校生時代です。お互いに時間がとれないので、頻繁にというわけにはいきませんが、イエズス会で机を並べた旧友たちとは、今でも会っています。皆それぞれ、フランスやレバノンや米国で暮らしています。私は同じ学校で一一年間、ほとんど同じ仲間たちと過ごしてきました。この関係は貴重です。どんな地位に就いたのか、どんな物を所有しているか、ではなく、どんな人間であるか、ということで付き合えるからです。その意味からしても、この学校で作られた友人関係は、ほかの何ものにも代えられません」

第2章　パリ

初めて大都会を目にした驚き

「まだ一七歳になったばかりでした。この年齢で、私は初めて家族と離れて暮らすようになったのです」

コレージュ・ノートルダムで教育を受けたことによって、ゴーンはフランス語を完璧に話せるようになっていた。また、フランスの文化や教育制度にも十分通じていた。だが、それでもやはり、パリに到着した時はショックだったという。

「パリはとにかく巨大な都会でした。陽光が心地よく降り注ぐ海辺の町ベイルートから、私は、非常に美しいけれど、暗く重苦しい感じもする大都会にやってきたのです。パリでは人間関係が希薄で、人あたりもずっと厳しいように思えました」

とはいっても、フランス語圏ではない国からやってくる人々に比べれば、それほど強い違和感はなかったと思われる。

「私はフランス語を完璧に身につけていましたし、フランス流の教育も受けていました。また、すでに大学入学資格もフランス語で取得していました。そのうえ、母が熱狂的とも言えるほどのフランスびいきでした。そういったことから、フランス文化に対しては相性が良かったわけです。クラスメートにはさまざまな国籍の者がいましたが、フランスになじみが深いという面では一歩先を行っているような気がしていました。とはいっても、ベイルートで暮らしたあとでパリにやって来れば、やはりショックには違いありません」

サン・ルイ高校のもぐら学級

このパリで、ゴーンはグランド・ゼコールを受験するための準備学級があるサン・ルイ高校に入学許可を得る（訳注：フランスの高校にはこういった準備学級が特設されている）。入学のための学力試験はなく、書類審査のみだった。サン・ミシェル大通りにあるこの高校は、ルイ・ル・グラン高校やアンリ四世高校とともに、パリの名門高校〝トップ・スリー〟を形成している。

サン・ルイ高校の準備学級時代は、ゴーンはコレージュ・スタニスラスの寄宿舎に入っていた。ゴーンがイエズス会系の学校の出身者だったことを考えると、普通なら、コレージュ・サント・ジュヌヴイエーヴ（通称、ジネット）に行きそうなものだが、これはベイルートの神父たちの反対もあってやめにした。神父たちは、コレージュ・ノートルダム時代、ゴーンが問題児であったことを心配したのである。コレージュ・スタニスラスの寄宿舎では生徒は個室を持つことを許されていたので、共同寝室に押し込められて嫌な思いをすることもなかった。

しかし、その時点で、〝将来の計画〟は最初に思っていたのとはすでに違う方向に動き始めていた。入学先のサン・ルイ高校の校長が、「数学の成績がこれほど良いのだから、何もＨＥＣ（高等商業学校）を目指して才能を埋もれさせることはない」と、従兄弟を通じて伝えてきたからである。そこで、ゴーンはＨＥＣではなく、エコール・ポリテクニーク（理工科学校）向けの数学準備学級（別名、もぐら）に入ることになった。というのは、数学のできる生徒にとっては、そこがまさに理想のクラスだったからだ。

フランスのエリート養成機関――グランド・ゼコール

ここでゴーンが準備学級に入学した一九七〇年代のフランスを振り返ってみると、「自由・平等・博愛」のスローガンにもかかわらず、当時のフランスは、ナポレオン一世の時代から引き続く高級官僚支配システムを堅固に維持していた。学生運動と労働者のストライキが呼応し合った六八年の五月革命は、ド・ゴールの体制を揺るがせはしたものの、システムそのものにはたいした打撃を与えなかった。このシステムのもとで公務員になるためには、郵便局員だろうと大学教授だろうと、ともかく採用試験に合格しなければならない。そして、そのシステムを教育のほうから支えているもの――それがグランド・ゼコールだったのである。

〔訳註：グランド・ゼコールというのは、一般の大学（高校を卒業して、大学入学資格試験に合格すれば入学できる大学）とは別のものだ。中学・高校という中等過程が修了した時に始まる、厳しい選抜の過程を経て初めて入学が許される、いわばエリート中のエリートを養成する機関である。グランド・ゼコールに入るためには、ともかく最高レベルの成績を取るのだという野心を持って勉学に励む必要がある。だが、そこを卒業すれば、高級官僚への道が開かれるのはもちろん、どこの企業でも超

エリートとして遇される。その意味で、グランド・ゼコールは、ピラミッドの頂点を形成する人々を養成する機関として、フランスのシステムを支える要になっているのだ」

このうち、ゴーンが受験しようとしていたエコール・ポリテクニーク（理工科学校）は、もともとはナポレオンによって創設された軍事学校の最高峰である。ここを受験するためには、上級数学クラス、次いで特別数学クラスという二年間の数学準備学級で切磋琢磨する必要がある。ちなみに、この準備学級を別名「もぐら」というのは、二年間ろくに外出もせずに勉強に集中しなければならないことから来るのだろう。理系のグランド・ゼコールの入学試験を優秀な成績で突破するには、数学に秀でていることが絶対条件なのである。

「従兄弟が電話をしてきて、『おまえを数学準備学級に登録しておいたぞ』と言われた時には、私は唖然としたものでした。しかし、同時に、『六か月経って、数学準備学級が気に入らなければ、進路を変えてもよい。難しいところからやさしいところに移るのはわけないことだから』というサン・ルイ高校の校長の言葉を伝えてくれたので、私はそこでやってみることにしました」

しかし、イエズス会のコレージュ・ノートルダムで秀才だったゴーンも、この数学準備学級ではまったく歯が立たなかった。

生まれて初めての逆境

「一学期の成績は惨憺たるものでした。これまで、平均点以下の成績を取ったことのない私が、数学で二〇点満点の四点だったのです。私はすっかり打ちのめされました。一生懸命勉強して、なんとか追いつかなければ、と思いました。というのも、ひとつには、あの時代の数学準備学級のカリキュラムというのは、かなり特異なものだったからです。レバノンでは幾何学ばかりで代数学を学ぶことはほとんどなく、現代代数学にいたっては学んだことがないと言ってもいいくらいでした。ところが、フランスでは、まず代数学を学ぶのです」

生まれて初めて陥った逆境に、ゴーンは正面から立ち向かう決心をした。

「数学準備学級から別のクラスに変わるようなことはしない、ここはあきらめずに何とかしがみついていってやろう、と私は決意しました。辛い勉強を続けていけたのは、この決意の賜物です。私はがんばって、もっといい成績を取れるということを証明したかったのです。そのおかげで、上級数学クラスを終わる頃には、私はトップレベルにいました。そうして、次の特別数学クラスでは、〝ポリテクニーク準備クラス〟に進めたわけです」

この苛酷なシステムでは、クラスの上位十人だけがセクションM′、つまりポリテクニーク準備クラスに進めた――このクラスではポリテクニークとエコール・ノルマル・シュペリユール（高等師範学校）の理科を受験するための準備が行われる。次の十人はセクションMに入ることが許された――これは、今挙げた二つ以外の理科系のグランド・ゼコールを受験するために設けられたクラスである。そして、最後はセクションP――このクラスでは生徒たちは物理学の道を目指すことになる。

「最終学期には、私はクラスのトップに立っていました。これで、数学準備学級からエコール・ポリテクニークを受験してそこに入学。エコール・ポリテクニークを卒業したあとは、さらにエコール・デ・ミーヌ（高等鉱業学校）に進むという、きわめてはっきりした道筋ができたのです」

フランスでは、エコール・ポリテクニークで理系全般の科目を学んだあとで、さらに高いレベルの専門技術を学べる学校を目指すのが理想的なコースとされている。したがって、トップレベルにある学生たちは、エコール・ポリテクニークを卒業したあと、エコール・デ・ミーヌやエコール・デ・ポンゼ・ショセ（国立土木学校）など、さらに別のグランド・ゼコールに進むことになる。

「準備学級のセクションM′、つまりポリテクニーク準備クラスに入れたということは、エコール・ポリテクニークでも、エコール・ノルマル・シュペリユール（高等師範学校）の理科でも、どちらでも受験できるということでしたが、私は教員の養成校であるエコール・ノルマル・シュペリユールに進む気はありませんでした。歴史や地理の教師になりたいと思っていたことはありますが、数学の教師になる気はなかったからです。それよりも、二年間の数学準備学級で、クラスの秀才たちのなかで揉まれているうちに、エコール・ポリテクニークのほうに心を惹かれるようになっていたのです。エコール・ポリテクニークには、卒業後により多くの進路が開けるという利点がありました。つまり、さらに別の学校に進んでもよいし、直接産業界に入ってもよいのです。こちらのほうがいろいろなチャレンジができそうだし、進路の選択も幅が広い、私はそう思いました。つまり、エコール・ポリテクニークなら、勉強しながら進路について思いを巡らせる時間があるわけです。一方、もっと専門的な学校の場合は、早すぎる段階で決まったレールの上に乗せられてしまうという感が否めません」

異質なものを取り込むフランスの社会

ところで、今ではまたちょっと事情が違うのだが、かつてのフランス流〝能力主義〟には、異質なものを貪欲に取り込んでいくという機能があった。すなわち、グランド・ゼコールの扉はそこを受ける能力のある者になら、誰に対しても開かれていたのである。その結果、出身がどこであれ、難しい入学試験を突破した者には、仕事で成功するためのチャンスが与えられ、そこから社会的階層を上りつめていくこともできたのだ（現に元フランス領の国々を中心に、フランスには海外からの最も優秀な学生が集まってくる）。

「クラスメートのなかには、労働者の子弟はほとんどいませんでした。けれども、親が体育教師であるとか小学校の教諭であるといった者もいました。また、大企業の経営者の子弟もいましたが、もちろん皆、まったく同じ型でできたように〝粒揃い〟でした。だいたい、フランスでは、自分の生まれを自慢するなどという話はありません。そんなことよりも、学生たちは皆、仲間と同じようになるべく、学校という枠組みの中で努力をするのです」

そのようななかにあって、ゴーンは自分が多少異質であることを楽しんでいた。

「もともと、私はブラジル生まれでポルトガル語を話すということで、レバノンにいた時から異質な存在でした。レバノンで生まれ、レバノンで教育を受け、レバノンで仕事に就くという、普通のレバノン人ではなかったのです。そして、フランスに来てからは、さらに異質な存在になりました。ええ、生まれはブラジル、義務教育を受けたのはレバノンということで、例えば数学準備学級にいた時のことを考えても、五区に住んでいて自宅通学してくる平均的な生徒に比べれば、かなり異質だったということが言えます。だから、私は常に他人とは違った人間でした。どこに行っても、みんなとまったく同化して集団のなかに溶け込めたと思えたことはありません」

こうした異質性は、ひとたび大人になってしまえば、長所と認めてもらえることもあるし、切り札になることだってある。

「といっても、子供にとっては、それほどありがたいことではありません。やはり、みんなと同じでありたいと思うのが人情でしょう。人とは違うことで、確かに難しい時期はありました。けれども、その困難を子供時代に克服しておくことで、将来、ものに動じない強靭な精神を鍛えることができるのです。大人になれば他人と違っていることなどもう問題にもなりません。身を守る術はちゃんと身についているのですから……」

では、ゴーンが学生時代を過ごしたフランスという国はどういう国か？　受け入れるのに値する人間ならば、むしろ積極的に受け入れてくれる。フランスとはそういう国だ。

「フランスというのは、異質なものに惹きつけられて、好奇心を抱き、いろいろとその違いについて考えてみる、そういった文化を持っています。しかし、その文化は、同時に、真ん中にしっかりと芯の通った文化でもあります。つまり、確固とした構造を備えているとともに、外部のものを吸収することもできる。外部の世界には大いに好奇心をそそられますが、それと同時に自分たちが『フランス人であること』、そしてまた『フランス独自の生活様式を持っていること』に確固たる自負を抱いています。だから、外国から来た人間には、フランス人そのものになるよりは、フランス社会に同化することを求めてくる。これは難しくもあり、やさしくもあります。いや、やさしいというのは、フランス流の生活を営みながら、一方で自分自身であることも許される、ということだからです。エコール・ポリテクニークでは、私は自分が孤立しているとは感じませんでした。しかし自分が異質だと気づいていたし、クラスメートもそう感じていたと思います」

言葉に対する興味――アメリカン・テーブルを主催

エコール・ポリテクニークの学生には特権的地位が与えられていた。というのも、この学校は国防省所属の教育機関なので、学生は幹部候補生として給料をもらえたのである。そのうえ、エリート中のエリートなので、アルバイトの仕事にも事欠かなかった。ゴーンは数学準備学級《もぐら》で、数学の講師をしていた。

「最高レベルの学校に在籍したという学生生活は、とても快適なものでした。それはもう素晴らしい経験をたくさんしました。特に思い出すのは、エコール・ポリテクニークの同級生、四〇人で行った米国旅行です。その旅行の目的は米国文化に関するセミナーに出席することでした。一か月間米国を周遊したあとで、私たちはコロラド・スプリングスにあるコロラド大学のキャンパスに到着しました。ちょうどその時、キャンパスではマーサ・グラハムのバレエ・カンパニーが稽古に励んでいるところでした。若いバレリーナたちが芝生の上で踊っている光景に、私たちは目をみはったものです」

このエコール・ポリテクニーク時代、ゴーンは米国人留学生と親交を深めるための夕食会――〝アメリカン・テーブル〟の主催者でもあった。こういった会を催したのは、やはり言葉に対する興味からだろう。

「私たちはパリに住んでいる米国人留学生たちを誘って、月に二回夕食をともにしました。目的は英語を実地に試すことです。夕食会のあとはカルチェ・ラタンのバーやナイトクラブに繰り出しました。

〝アメリカン・テーブル〞にやって来る米国人学生は、男子学生よりも女子学生のほうが多いくらいでした」

レバノン内戦とエコール・デ・ミーヌへの進学

七五年にレバノンで内戦が勃発すると、ゴーンの一家はパリに集まることになった。

「内戦が始まった時、私はエコール・ポリテクニークを卒業して、エコール・デ・ミーヌに入学するところでした。その頃、姉のクロディーヌはすでにパリに来ていて民族学の博士課程に在籍していましたが、内戦が始まったのをきっかけに、残りの家族もフランスにやって来たのです。その意味では、内戦は明らかに私にも影響を及ぼしました。といっても、レバノン人として現地で暮らしていた人々ほどではありません。私はフランスにいて、ブラジルのパスポートを持っていたからです。レバノンの捕虜になっていたわけではなく、内戦に参加しているのでもなかった……。やがて、レバノンからは大勢の避難民たちがパリにやって来ました。欧州のほかの国や、米国、アラブ諸国に向かう者もいました。いずれにせよ、この戦争が移民増加のきっかけを作ったことは否めません……」

そういったなかで、ゴーンは、今の本人の言葉にもあったように、エコール・デ・ミーヌに入学する。この学校は理科系の専門校のなかではいちばん評価の高い学校であるが、エコール・ポリテクニークを卒業する時、ゴーンはそこに進学するのに十分な席次を得ていたのである。

このエコール・デ・ミーヌは、その名前が示すように、もともとは鉱山専門技師の養成を目的とした教育機関であった。しかし、肝心の炭鉱業は、フランスでもすでに衰退してしまった産業なので、エコール・デ・ミーヌの卒業生は炭坑の底に降りていく代わりに、技術系の官公庁や大企業の責任あるポストに就いた。すなわち、エコール・ポリテクニークと同様、エコール・デ・ミーヌは純粋にエリートを育てる機関として機能していたのである。

「エコール・デ・ミーヌを卒業したあとには、二つの選択肢がありました。ひとつは理工系の高級官僚として国家公務員になる道。もうひとつは、やりたいことを自由にやるという道です。私は国家公務員になる道を選びませんでした。エコール・デ・ミーヌを出たあとは、大学の経済学の博士課程に入るつもりだったのです。エコール・デ・ミーヌを卒業していれば、無条件で経済学の博士課程に進む資格が得られますから……。これを利用しようと思っていたのです」

要するに、エコール・デ・ミーヌを卒業しても、実社会に出る心づもりはなかったらしい。少なくとも、ゴーンは自分が何になりたくないかを知っていた。それは——公務員である。

「エコール・ポリテクニークでは、何よりも数学が重視されました。国家公務員になって高級官僚になるためには、それが何より大切だからです。そのために、みんな猛勉強をしていました。世間で評判のよい官公庁に入るきっかけを掴みたい。あるいは、そのきっかけが掴めればそれでよい、という気持ちで……。しかし、私はそういう風潮に乗る気はありませんでした。仮に実社会に出るとすれば、民間企業で競争することに惹かれていたからです。この点については、フランスにいようとブラジルにいようと、どこの国にいても同じ考えを持ったでしょう」

フランスの教育システムの問題点

ゴーンの言葉には、当時のフランスの教育システムの問題点が隠されている。というのも、当時のシステムは、学校と実社会の間に〝矛盾に満ちた〟状態を作り出していたからだ。つまり、厳しい受験戦争に勝利して最高の免状を手にしてしまえば、あとは巨大な官僚機構に守られて、ぬくぬくとした公務員生活が送れる、という状態である。その結果、国営の大企業の支配下にあること、そして官公庁による各種規制が多いこと——この二つによってフランス経済は厳しく縛られた状況にあった(この状況は、八一年の大統領選と国民議会選での左翼勝利の結果、八二年から始まった国有化政策によってさらに悪化することになる)。また、教育システムが生み出す人材と実際の企業社会が求める人材との乖離もあった。ということで、簡単に言えば、教育システムと企業を中心とする実社会がうまく結びついていなかったのである。

「フランスの教育システムは、〝競争〟と〝選抜〟と〝知性の価値を重んじる〟の発想に基づいていました。チームワークやコミュニケーションはまったく軽視されていたのです。なにしろ、複雑極まる数学の問題を、いちばん手際よく解いてしまうタイプの学生が模範とされていたのですから……。抽象的で現実離れしているものほど、高い評価を得られる傾向があったのです」

ゴーンはエコール・ポリテクニークで受けた最初の経済学の講義を今でも忘れないという。教授はティエリ・ド・モンブリアル(現在はフランス国際関係研究所所長)で、講義のテーマは地代だった。「教授は地代をこう定義したのです。『それはつまり、一定の空間における関数の三重積分のようなものだ』と……。この後も経済学の用語は出てこず、数学用語ばかりが飛び出してきました」

要するに、フランスでは知的体操に秀でていることが大切なのだ。これは何も純粋数学を志向するフランスの数学学派にのみ与えられた評価ではない。重要な国際機関にパリから派遣された高級官僚に対して、共通して下される評価なのである。

「フランスの教育では、〝虚飾的な知を誇り〟〝考察のための考察を行い〟〝どちらがより観念的であるかを競い合う〟ようなところがあります。その結果、まるで自分の能力の限界に挑戦するように、どう考えても理解できそうにないことを理解することが求められる……。ですが、そういった教育は、学生が苦労するだけで、結局は大して役に立たないのです。個人レベルで競争を行わせて、格付けをするほかは……。フランスでは、こういった競争や格付けばかりが重視されて、逆にチームワークが顧みられない傾向にあります。はっきり言って、これはフランスの教育の悪い面です。私はこれを反面教師としたい。まあ、そこから教訓が得られるとすれば、それは『何を知っていようと、何も知らないのと同じことがある』ということでしょうか。一生懸命そのことを勉強しても、それが何かの役に立つわけではない。それなのに、競争に打ち勝つにはその勉強をしなければならないのです」

こうした教育システムでは、卒業時の席次が問題になるので、勉学はどうしてもひとりで進められることになる。また、教師との交流もあまり活発であるとは言えなかった。

「教授陣との関係は、中等課程におけるほど親密ではありませんでした。私にとっては、レバノンのコレージュ・ノートルダムで出会った先生方のほうが、その後の数学準備学級やエコール・ポリテクニーク、そしてエコール・デ・ミーヌで教わった先生方よりもインパクトがあったように思います。しかし、その一方で、レイモン・クルビスとかジャック・アタリ、ティエリ・ド・モンブリアル、そしてローラン・シュヴァルツのような印象深い教授に出会ったことも事実です。といっても、エコール・ポリテクニークでは一学年が三〇〇人もいたので、先生方との交流を深める機会はかぎられていました。各講座が数週間しか続かないという事情もあります。そのあとのエコール・デ・ミーヌでは、規模が小さいぶん、多少恵まれていたように思いますが……」

コミュニケーションの大切さを肌で学ぶ

こうしたさまざまなことから、フランスではコミュニケーションの取り方がうまく学べないきらいがある。実際、数学準備学級の生徒たちは、米国の学生と比べて、ずいぶんハンディを背負っていたようだ。なにしろ米国では、小学生のうちから人前で話すことや、ディベートの訓練を始めるのだから……。

「米国人の学生がごく自然な形で容易に自己表現するのを見て、私たちはひどく驚いたものです。それはフランス人にはまったく欠けた能力だったからです。私は、この能力は役に立つ、と思いました。しかし、それを身につけるには、実地に学んでいくほかありませんでした」

だが、知性を重んじるシステムのなかで教育を受けたとしても、すべてが無駄だったというわけではない。

「もちろん、フランスの教育にもいいところはあります。問題を迅速に処理していきながら、それを総合的に考えていく能力。いい加減な妥協をせず、厳密に事を運んでいこうとする態度。知的な物事に対するチャレンジ精神。規律や組織に忠実で、どんなに仕事の量が多くても厭わずこなしていくこと……。こういった点を伸ばしていくには、フランスの教育はうってつけです」

そして、ゴーンがパリで勉強をしていた頃から見れば、時代はまた変わった。フランスは苦しみながらも、市場経済の方向に舵を切ったのだ。その結果、きわめて優秀なフランス人学生のなかにも、官公庁や公的部門よりも民間企業を選ぶ者が出てきた。米国のビジネス・スクールに触発されて、時代の趨勢に遅れまいと、フランスのグランド・ゼコールも、特に民間企業を想定した教育を行うようになってきている。

「私は現在エコール・デ・ミーヌの理事会のメンバーであり、また、国際化を図っているエコール・ポリテクニークでも講演を頼まれることがあります。それからすると、フランスの教育はずいぶん変わってきているような気がします。これは私自身が肌で感じた変化です。しかし、自分が受けた教育について言えば、民間企業に就職したあとに、学校で習った知識が役立ったことなど一度もなかったように思います。当時のグランド・ゼコールはあくまで高級官僚を養成する学校であって、良き企業人を養成する場所ではなかったのでしょう。だから、あらゆることを現場で学ばねばならなかったのです。確かに、私がミシュランに入った時、エコール・ポリテクニークとエコール・デ・ミーヌをともに卒業しているという経歴は有利な点でした。けれども、いざ入社してみると、すべてを一から学び直さなければなりませんでした。それもまた事実なのです」

第3章　ミシュラン

早朝の電話

「私はミシュランで働いているヒダルゴという者です。リオデジャネイロのレセプションでお姉さまにお会いして、電話番号を教えていただきました」

電話の向こうの男は、強いスペイン訛りで言った。一九七八年五月の朝八時半のことである。夜遅くまで勉強するエコール・デ・ミーヌの学生にとっては、やっと明け方になったばかりという時間だ。

「私は信じられませんでした。これは仲間がかけてきたいたずら電話だろう、そう思いました。そして、『私どもは是非あなたにお目にかかりたいと思っています。クレルモン・フェランまで来ていただけませんか』と相手が言った時、これは絶対に手の込んだいたずらだと確信しました」

ヒダルゴのほうも、相手が寝ぼけていて、しかも自分の話を疑っていることに気づいた。

「ヒダルゴ氏は私に言いました。『それでは、私の電話番号をお教えしておきましょう。この番号でクレルモン・フェランの私のオフィスにつながります。お姉さまに電話してお確かめいただいても結構です。ゴーンさん、あなたに関心を持ったのは、あなたがフランスの教育を受けたブラジル人の技術者だからです。お姉さまの話によると、いつかブラジルへ戻りたいとお考えのようですね。私ならその希望を叶えられます。私どもはこれからブラジルで大きなプロジェクトに着手しようとしておりまして、ブラジルをよく知っていて、ポルトガル語も話せてフランスで教育を受けた技術者を探しているのです。もしあなたご自身の気が進まないようであれば、どなたかほかの方をご紹介いただけませんか？』」

ゴーンは受話器を置くと、すぐさま相手のオフィスに電話をかけてみた。もちろん、本当にいたずらではないか、確かめるためだ。すると……。

「すぐにヒダルゴ氏が電話に出て、こう言ったんです。『では、ご都合がよろしい時に、二日間の予定でクレルモン・フェランに来ていただけますか？　費用はすべてこちらで負担します』。私はあまりにびっくりしたので、よく考えさせてほしいとお願いしました」

そして、リオデジャネイロにいる姉のクロディーヌに電話をした。姉ともすぐに裏がとれた。

「ブラジルで大きなプロジェクトに着手しようとしている人々よ。かなりまじめな会社のようす……」

実を言うと、この電話がかかってくるまで、ゴーンは将来のことを真剣に考えたことがなかった。前にも言ったように、学生生活は快適で、就職しようという気には到底なれなかったからだ。

「ミシュランからの電話を受けた時、私はまだ就職するつもりはありませんでした。当時、私はエコール・デ・ミーヌの最終学年で、経済学のＤＥＡ（高度研究免状）取得のための勉強をしていて、そのあとは大学の博士課程に進もうと考えていました。二四歳でした。数学準備学級で講師をしていたので、生活費の問題もありません。ですから、まだ先の話だと思っていたのです。私は独身だったし、パリでの学生生活を堪能していました」

ブラジルへの思い

しかし、ヒダルゴの話は魅力的だった。ミシュランは将来、ブラジルで大きなプロジェクトを立ちあげようとしているらしい。それが、〝いつかまた生まれ故郷のブラジル、特にリオデジャネイロに戻りたい〟と思っていたゴーンの気持ちを揺り動かしたのだ。

「レバノンにいてもフランスにいても、ブラジルは私の心から離れませんでした。私は『将来はブラジルで仕事をするんだ！』と、いつも自分に言い聞かせていました。そのために、勉強をし、また準備をしてきたのです。私の思い描く未来には、必ずブラジルがありました」

ブラジルをあとにしてから、もう二〇年近くの月日が流れていた。だが、それだけ離れていて、帰郷する機会もほとんどなかったというのに、生まれ故郷のイメージや色や香りは、子供の頃も、思春期の頃も、そして大人になってからも、ゴーンの心を離れることがなかったのである。ゴーンは言う。

「ブラジルは美しく魅力的な国です。広く豊かな自然、そして、あらゆる人種が共存しています。私はブラジルが好きです」

だが、ブラジルにこだわったのは、ほかにも理由がある。それは家族のことだ。これまでゴーンの家族はさまざまな苦労を体験していたが、当時はまたリオデジャネイロに戻っていたのだ。

「家族のいるところ、それが〝ホーム〟、つまり故郷《ふるさと》です。波乱に満ちた道をたどった末に、私の家族はブラジルに落ち着いていました。そして、今も……。ですから、私にとってリオは世界でいちばんくつろげる街です。自分が自分でいることができるという感じがします。父は二〇〇二年の六月に亡くなりましたが、それでもリオにはまだ母が暮らしています。姉も妹もそこに住んでいます」

卒業を間近に控え、将来暮らす場所のことを考えた時、ゴーンにとってほかの選択肢はなかった。

「フランスに落ち着こうと思ったことは一度もありません。フランスでは、私はなにも特徴を活かすことはできません。そこでは、学歴が問題になるのです。けれども、ブラジルで働くことになれば、私は自分の持っている良いものが活かせるだろうと思っていました。つまり、フランスについての深い知識や、フランスで受けた教育が……。ちょうど、その頃、ブラジルには海外の資本がさかんに投入され始めていました。フランスの企業もブラジルに進出し始めていました。つまり、そのようなチャンスが到来したら、私にとって最も自然な就職先はブラジルでのフランス系企業だったのです。私のような学歴があって、またブラジルのことが好きで、ブラジルのことをよく知っていれば、必ず自分の良いところが発揮できる状況が訪れる――私はそう確信していました。面白くて、モチベーションが高まるような仕事が見つかる、と……」

だがこれはあくまでも、頭で考えた時の理屈である。本当の気持ちは、もっと別のところにあった。

「いや、今の説明は、自分の気持ちを正当化するためのもっともらしい理屈に過ぎません。本当は、ただブラジルに戻って、自分の子供時代に過ごした場所でもう一度暮らしてみたかったのです。ですから、ミシュランから『近い将来、ブラジルで大きなプロジェクトがある』と電話で聞いた時、私は心のなかでチリンと鈴が鳴ったような気がしました。それは運命のようなものでした。その運命を告げる言葉――つまり、〝ブラジル〟という言葉だけが、学生生活から私を引き離すことができたのです。ミシュランの誘いには、あらゆる利点が備わっていました。世界を相手に仕事をしているフランスの大企業に入って、しかも、家族のもとへ、ブラジルに戻ることができるのです」

クレルモン・フェラン

二週間後、ゴーンはミシュランの本社があるクレルモン・フェランにいた。

「幹部の人たちが私を採用したいと思っていることはすぐにわかりました。実際、二〜三週間して、ミシュランは申し分ない契約条件を提示してきました。エコール・ポリテクニーク卒業生の給料の相場として『レクスパンション』誌に載っていた額より、なんと三〇パーセントも多かったのです」

七〇年代のフランス経済は、まだ制度的にやや遅れたところがあり、ようやく本格的な市場競争に目覚めたところだった。現在のようにヘッドハンティングが行われることはほとんどなく、誰もが偶然か、あるいは血縁関係によって仕事に就いたのである。そのようななかで、高学歴の人々が給料の相場を知ろうと思ったら、経済情報のパイオニア『レクスパンション』誌（月二回発行）を見るのがいちばんだった。この雑誌は毎年、管理職の給与に関する数字を発表しており、この数字が発表される号は発行部数が最も多くなる。

「給料については、その数字が私たちの判断基準でした。さて、ミシュランの幹部の人たちは、『最初は研修が必要ですが、それが終われればブラジルへ行ってもらいます。まあ、どんな肩書きで行ってもらうかは、フランスでの成績次第ですが……』と言いました。その言葉に、私はとても心を惹かれました。しかも、ミシュランが考えていたプロジェクトは、サン・パウロではなく、リオデジャネイロで行われるということでした。もしそうなら、それはまさに私のためのプロジェクトです。というのも、それまで私がやってきたことすべてに意味を与えてくれることになるのですから……」

だが、その前に、ミシュランの本社で研修を受けなければならない。それはパリのカルチェ・ラタンを離れてクレルモン・フェランに行くことを意味していた。

ミシュランの本拠地は、中央山塊《マシフ・サントラル》が横たわるオーベルニュ地方の首都クレルモン・フェランにある。タイヤの製造会社として一九世紀の終わりにこの土地で誕生して以来、ミシュランはこの街といわば一心同体の関係を続けてきた。街の中心には今でもいちばん初めに建てられた工場があって、住民の生活はミシュランと深く結びついている。その家族主義的な経営は有名だった。ミシュランは〝産院から墓場まで〟従業員の面倒を見ると言われていたほどである。何世代にもわたって社宅に住まわせ、学校で教育し、訓練所で養成する。こうして従業員たちは、一生を通じて〝ミシュランの人間〟になるのである。

「ミシュランは評判のいい会社でした。唯一気が重かったのは、クレルモン・フェランへ行かなければならないことでした。だから、私は『ほんのしばらくの辛抱だ。そこで一年間、実地訓練を受けたらブラジルへ行くのだ』と自分に言い聞かせました。けれども実際は、七八年にミシュランに入社してから八五年まで欧州にとどまったのです。ええ、七年もですよ！」

同期入社は社内ネットワーク作りの基礎

さて、ミシュランに入社したからといって、人はその日のうちに〝ミシュランの人間〟になれるのではない。

「ミシュランは、将来の幹部候補生が一日でも早く会社の一員になるように、非常に効果的で、独特のシステムを採用していました。〝SPスタージュ〟という社員研修のシステムです。このシステムでは、インストラクターの指導のもとに、幹部候補生は全員三か月間の研修を受け、寝食をともにします。そして、この間に、生産、営業、販売、財務、海外業務などさまざまな分野に関して、その部門を率いるトップの人々から講義を受けます。つまり、こうして研修生は会社のことや、会社を動かしているトップの人々について知ることができるわけです」

学生生活から職業生活へスムーズに移行するためにも、また幹部候補生にミシュランという企業が持つ〝優れた文化〟を教え込むためにも、この方法は大変効果的だった。

「私は七八年の九月に入社しました。一般に、SPスタージュの九月期生は新卒者を対象にしているので、一緒に研修を受ける人々の年齢はかなり若いのが普通でした。私の時もそうで、人数は一〇〇人ほどの大所帯でした。技術、販売、マーケティング、財務、人事など、それまで専門に勉強してきた事柄もさまざまです。しかし、同じ研修生ということで、自然に連帯感が生まれ、雰囲気は最高でした。私たちはともに経験し、失敗し、問題や困難を分かち合ったのです。これは素晴らしいことでした。というのも、私たちは研修後にはミシュランのさまざまな部署に配属されて、いわばそれぞれの道に進むわけですが、そういった人々の間につながり、ネットワークができたのです。いや、それはさておき、研修の雰囲気はとてもなごやかで楽しいものでした。会社に入るということは、すでにそれ自体が大きな変化です。それに加えて、大部分がパリの大学からやって来た若者たちにとって、産業界で働くこと、なかでもタイヤ製造業で働くことは大きな衝撃でした。しかし、その衝撃も、仲間と一緒に体験すれば耐えやすいというわけです」

同期入社のメンバーには、ゴーンがミシュラン時代を通じて親交を深め、また現在でも交流が続く友人たちがいる。このように同期のつながりが深く、またそれを大切にするところは、日本ふうであるとも言える。これもまた、ミシュランと日本の大企業との類似点のひとつかもしれない。

SPスタージュ——ミシュランの研修の実際

さて、研修の目的は新入りの幹部候補生に知識を与えたり、〝ミシュランの文化〟を伝えたりすることだけにあるのではない。それと同時に現場での実践が大切にされる。

「研修では各部門のトップの講義を聴くだけではなく、実践的な訓練も行われます。といっても、それは研修のためにわざわざ用意された訓練ではなく、実際に会社が直面している問題を課題として研修生に解決させようというのです」

これは幹部候補生に実践的な教育を施すというだけではなく、その若く優秀な頭脳をおおいに利用できるという意味でも、賢いやり方である。一方、幹部候補生——研修生にとっても、こういった機会を与えられることは、会社が現実に直面している問題や、その実際的な解決法を知るうえで、きわめて貴重である。

「こういった課題はひとつが解決次第、次の課題が与えられるという形で、研修期間中に最低ひとつ、多ければ三つ与えられます。これによって研修生たちは解決策を探り出す方法を学び、それと同時にミシュランという会社を知ることになるのです。その一方で、これは会社が研修生を知る機会にもなります。というのも、研修生が課題の解決に取り組むために工場や営業所を訪れれば、あらゆる人々から評価を下されるのですから……」

ゴーンももちろんこの実践研修を受けた。ゴーンは工学技術《エンジニアリング》の高等教育を受けてきたので、最初に与えられた課題も〝技術〟に関するものであった。

「その頃、工場では大きな料理鍋のような古い圧力釜を使っていたのですが、私に与えられた課題は、『圧力釜を使うのをやめるか、それともお金をかけて改良するか、どちらを選んだらよいか』というものでした。そこで、私はまず、その圧力釜で何を作っているのか見に行きました。それから、近くにあるミシュランのほかの工場を見に行って、そこでも圧力釜が使われているかどうかを調べました。そして、圧力釜を使うというやり方は残すが、もっと合理的なものにするという結論を出したのです。この研修によって、私はクレルモン・フェラン工場の労働者たちと知り合いになることができました」

次に取り組んだのは原料に関係する課題だった。ゴムを生成するためにはラテックス（ゴムの樹液）が必要であるが、この貴重なラテックスは世界中のパラゴムの木から集められてくる。

「そこで課題として出されたのは、原料に関係して従業員の安全をどう確保するかということでした。ラテックスはタンクに入って工場に届きますが、そのラテックスが注文通りであることを確かめるためには、従業員の誰かがタンクによじ登って見本を採取しなければなりませんでした。そこで、どうすればその従業員が安全にその作業を行えるかという課題が出されたのです。このように、研修生に出された課題は、企業戦略に関わるような大きな問題ではありませんでした。私たちが取り組んだ問題は、非常に具体的で短期的なものだったのです。しかし、そういった問題についての解決法を見つけ出そうとするうちに、私たちは多くの人たちと関わることができました」

ミシュランの先進性

前述したように、研修生はさまざまな人から評価を下される。特に、現場ではコミュニケーション——つまり人づきあいの能力が評価される。そういった評価は上層部の耳にも入る。ミシュランは将来の幹部養成を重視しているため、管理職のトップクラスが直接、研修に携わっているからだ。

「私が受けたSPスタージュの責任者は、のちにミシュランのナンバー・スリーになるルネ・ザングラフでした。ザングラフは研修における私のインストラクターでもありました。さて、研修が進むにつれて、私たちは現場のいろいろな人々と知り合いますが、そこでは当然のことながらいろいろな評価が下されます。『ゴーンだって？　あの男には会ったよ。あれはいい奴だね』とか、『嫌な奴だ』とか、あるいは『感じのいい奴じゃないか』とか、『ただのうぬぼれ屋だよ』とか……。こういった評価はすべてインストラクターの耳に入るのです」

こうして、三か月の研修が終わった時には、ミシュランはカルロス・ゴーンについてかなりの知識を持っていた。だが、逆もまたしかりである。研修を通じて、ゴーンはミシュランという会社を知り、ここに入ったことに満足していた。ミシュランは評判をはるかに超える企業だった。

「外から見たミシュランのイメージは、明らかに実際とはずれていました。実際には外部の人間が考えているより、ずっと先進的な企業だったのです。その証拠を挙げれば、まず、私がきわめて若くして高い役職に就いたこと。そして、フランスの企業であるのに、フランス国籍を持たない私がほかの人と同じように役職に就けたこと。まだ若いうちからかなり直接的な形でトップの人々と関わりが持てたこと。また、そういった時には会社の問題についてオープンに話すことができ――というよりも、オープンに話すことが奨励されていたこと……。これだけ挙げれば十分でしょう。つまりミシュランは、伝統のある企業にもかかわらず、非常に現代的で、先進的な側面を持っていたのです」

革新を支える経営者

こういった先進性は企業そのものの姿勢として、実際の物作りにも表れている。ミシュランというと、キャラクターマスコットであるビバンダム（訳註・積み重ねたタイヤに顔と手足をつけたキャラクター）や、世界のほとんどの地域を網羅している道路地図、そしてグルメのバイブルである赤い表紙のレストラン・ガイドで有名であるが、基本的には製品志向の強い企業で、技術革新や品質へのこだわりを大切にする会社である。だからこそ、第二次世界大戦後にラジアルタイヤを売り出すことによって、タイヤ業界に革命を起こすことができたのだ。だが、それだけにはとどまらない。それ以降も、ミシュランは常に技術競争の先頭であろうと努力してきた。そして、今日、国際化とグローバル化が進むこの業界において、日本のブリヂストン、米国のグッドイヤーと並んで世界の三大メーカーの座を保持しているのである。

さて、ゴーンが入社した時、ミシュランを率いていたのは創業者の孫にあたるフランソワ・ミシュランだった。一族の遺産を受け継いだフランソワ・ミシュランは、ただその遺産を守るだけではなく、それ以上の成果をあげた。そのやり方は独特で、カトリックの信仰に深い影響を受けた自分自身の考えを経営に反映しながら、会社の経営方針をそれまでとはがらりと変えるという方法をとっていた。この点について、ゴーンはこう語る。

「あの人のやり方は経営の本で学んだものではありません。どんなに若くても重要なポストに就けること、国籍を気にしないこと、理論よりも実践を重視すること、そういったことはすべてフランソワ・ミシュランの人間性と深く結びついているのです」

フランソワ・ミシュランはとても背が高く、少し猫背で、控えめな服装をし、きわめて礼儀正しい人物だった。しかし、新聞記者やカメラマンを非常に嫌って、マスコミには姿を見せなかった。五五年に共同社主のひとりとなると、それから三〇年以上もミシュランの舵をとったが、その三〇年間はミシュランが真の多国籍企業へと変わっていく決定的な転換期と重なっている。

「フランソワ・ミシュランは人間志向の強い人です。でも、その人間とは〝群衆〟や〝集団〟としての人間ではありません。まず何よりも〝個人〟としての人間です。それから、もうひとつ、経営者としてあの人が大切にしているのは〝事実〟と〝現実〟です。そして、あの人のこういった考え方は、社内に深く浸透しています。その結果、ミシュランという会社は、組織としては単純で、実践には厳しく、人材と製品と品質にこだわりを持ち、挑戦すべき事柄に対しては、タブーや先入観に左右されないという特徴を持つに至ったのです」

工場での実地訓練

ＳＰスタージュが終わると、研修生はそれぞれの部門に振り分けられて、実地訓練を受ける。ゴーンの場合、行き先は工場だった。

「私は初めから、製造部門への配属を希望していました。もう入社前からです。実際契約条件を提示する時、会社は私に『研究所で働いてほしい』と言ったのですが、私はこう答えていたのです。『研究所は嫌です。私は技術者としてタイヤの専門家になるためにミシュランに入るのではありません。もっと全体的な部分で会社に貢献するために、ミシュランに入りたいのです。そのために最もふさわしいのは製造部門だと思います。製造部門ではあらゆることが経験できます。製品について、工場で働く労働者や技術者のことについて、また経営についての知識を得られるのは製造部門だろうと思いますから……』。この主張は、最終的には聞いてもらえました」

そして、正式に配属先を決めることになった時、会社はその約束を違えようとはしなかった。この決定には研修の間にゴーンが見せた〝コミュニケーション能力の高さ〟も影響していると思われる。

「三か月の間、研修生たちは、会社のスタイルを身につけることができたかとか、工場で従業員や作業係長、技術者とうまくやっているかということをチェックされました。その結果、私の場合も『これならうまくいく』と判断されたのでしょう。私は『製造部門で、実地訓練を受けなさい』と言われました」

ということで、最初の訓練は工場で働くことから始まった。研修と同様、期間は三か月である。

「私が配属されたのはタイヤそのものを作るところではなく、タイヤに使うトレッドゴムを製造する工場でした。私はゴムを切り分け、ローラーにかけて型に入れ、それを運ぶという作業をしていました。それを三か月間！　しかし、研修生たちはそれほど嫌がらずにその作業を続けていました。私にとっても、工場での実地訓練は希望通りのものだったので、その三か月を思う存分楽しみました。これはもう二度と経験できない特別な時期だとよくわかっていましたので……。いずれにしろ、この経験によって、工場の従業員がどのように働いているのか、作業係長との関係はどうなっているのか、研究所で開発された技術はどうやって作業現場に伝えられるのか、品質はどのように管理されているのか、などといったことを学ぶことができました。本当に面白い三か月でした。交代制の勤務で、朝勤のときは五時に出勤できるように四時に起きました。午後勤は一時に始まります。夜勤もありました。ミシュランでは八時間労働の三交代制をとっていましたから……」

作業は実に簡単だった。多少の体力を必要としたが、健康な若者にとっては何でもなかった。

「工場内には強い仲間意識がありました。ですから、私たち訓練生が自分のほうから心を開き、工場で働く人たちと一緒に食事をしたり、カードゲームをしたりすれば、わだかまりなどひとつもできませんでした——私たちは休憩時間によくタロットゲームをしました。工場で働く人たちがいちばん嫌うのは、自分の殻に閉じこもっている人間です。でも、私はそんな人間ではありませんでした」

この訓練期間中も、将来の幹部候補生たちはインストラクターの指揮下にある。そして、ある時、グランド・ゼコールの卒業生であるゴーンと工場労働者であるインストラクターの間に絆が生まれることになる。

「私のインストラクターは作業訓練を専門に行っている人でした。その日の仕事が終わると、私は一時間、そのインストラクターから機械の操作方法を教わっていました。その人は会社で出世するためにも数学ができるようになりたいと言っていました。そこで、私はこのインストラクターに数学を教えてあげました。私たちは訓練時間を半分に分け、三〇分は私の訓練に充て、残りの三〇分は数学の問題に取り組んだのです。ええ、素朴でとても感じのいい人でした」

七〇年代の終わり頃になると、フランスの工場は労働力を移民に頼るようになっていた。移民の多くは、北アフリカやスペイン、ポルトガル、東欧や南欧からやって来た人々で、それこそ何百万人もの労働者たちが、フランス中の鉱山や工場、建築現場で働いていたのである。そういった理由で、クレルモン・フェランはフランスで最もポルトガル人の多い街だった。

「工場にはたくさんのポルトガル人がいて、私はその人たちとはポルトガル語で話していました。ユーゴスラビア人もいました。もちろん、オーベルニュ地方の人も大勢いました。そして、労働者たちはかなりの人数が組合に入っていました。あれは内部に入ってみないとわからない世界です。組合のことを知りたかったら、一度、内部に入ってみる必要があります」

作業係長、そしてル・ピュイの工場長に

やがて三か月の実地訓練が終わると、ゴーンは同じル・ピュイ工場で作業係長に昇進した。ミシュランはル・ピュイの工場で、掘削機やダンプカーなどの建設土木車両に取りつける大型タイヤを製造していた。そのなかには、人間の二倍の大きさに及ぶものまであった。

「私は自分のチームを持ち、そのメンバーとともに働いていました。ええ、管理の仕事ばかりではな

く、現場である作業場にもよく顔を出しました。そこでは主に生産性の問題と作業組織について考えました。その結果、私は製品フローを改善しようとしました。というのも、作業組織の面から見て、不合理な作業が入っているように思ったからです。こうして、私は工場での経験を通じて、教育と訓練、そして特にコミュニケーションの重要性を学びました。例えば、作業組織についてどんなに優れた意見を持っていたとしても、その意見が人に伝わり、みんなに協力してもらえるのでなければ何の役にも立ちません。そのためには、コミュニケーションをきちんと取り、そうする理由とその方法を具体的に説明する必要があるのです。私はそういったことを学校では学んできませんでした。といっても、これは常識の問題です。こういったことを理解して、また実践するのに、エコール・ポリテクニークを卒業する必要はないのですから……」

こうして、ル・ピュイの工場で六か月過ごしたあと、ゴーンは今度は技術者としての研修に参加するため、ドイツのカールスルーエ工場に行く。そこから戻ってくると、次はトゥール工場で工場組織に関する研修を受ける。そして、それが終わったところで、いよいよ本当の仕事に就くことになる。工場内の生産部長として、ショレの工場に赴任したのだ。この工場で、ゴーンは八〇年を終わりまで過ごした。だが、そこでびっくりするような辞令が下りる。

当時、ミシュランは急成長中で、新しい市場の獲得に乗り出していた。したがって、新しい幹部要員がすぐにでも必要だった。

「八〇年代の初めはミシュランが著しく成長した時期です。そのため、管理職の要員がすぐに足りなくなりました。ブラジル事業の準備が始まっており、アジアでは進行中の事業がありました。米国でも事業は拡大しつつありました。その結果、経験の豊富な幹部たちがそういった地域へ赴き、フランスの国内では、そのあとを任せるために若い幹部候補生たちを昇進させる必要がありました。だから、少しでも活力と関心がありそうな者はあっという間に管理職に就いたのです」

少しでも優秀な人材を派遣しようと、工場長クラスの人々がどんどん国外に送られていった。そうなると、必然的にフランス国内の工場長のポストにも動きが起こり、次々と新任の工場長が決まっていく。しかし、ゴーンが作業係長として腕をふるったル・ピュイの工場には、なかなか適任者が見つからなかった。

「フランスの工場を統括していたロジェ・ポルトは候補者全員と面会しました。あとで本人から聞いた話によると、私の名前は候補者リストの最後に載っていたそうです。さて、ポルトはほかの候補者全員と面接し、適任ではないと判断しました。そして、どうしようかと思いあぐねているところで、誰かに『まだ、カルロス・ゴーンがいます。入ってきたばかりの若者ですが、なかなか良さそうです』と言われたというのです。そこで、私と面会し、『よし、君《バンコ》を工場長にしよう』と言ったわけです。八一年の初め、私はル・ピュイの工場長になりました。二七歳でした」

こうして、まだ小さくて新しい工場に、若い工場長が誕生した。

「ル・ピュイの工場は最も新しい工場だったので、従業員もかなり若く、私とあまり変わらない歳でした。思い出に残っているのはいいことばかりです。結局、この工場には二年と三か月いました」

多少混乱はあったにせよ、工場長としての仕事はうまくいった。その時の様子をゴーンはこう語る。

「みんな驚きましたよ。実地訓練を受けていた人間がたった一年半で、工場長になって戻ってきたのですから……。でも、その驚きには歓迎のニュアンスが含まれていました。というのも、私となら話し合いができるとわかっていたからです。ええ、私は工場長として実際の仕事を始める前から、従業員たちに好意的に受けとめてもらっていたのです。ただ、管理職のなかでは私がいちばん若かったので、そういった意味での混乱はありました。人事部長は五四歳でしたし、生産部長は私が作業係長だった頃の上司でした。ですから、最初は少し不快に思われたようです。しかし、そのうちに、工場を良くしていこうという私の気持ちが伝わると、そういった不快感も消えました」

実地に学んだ指導者として大切なこと

このル・ピュイの工場長時代、ゴーンは指導者として大切なことをたくさん学んだ。

「自分がまだ若い場合、赴任して最初にすべきことは人間関係を作りあげることです。部下の管理職の人たちと一緒に過ごすことによって、自分のことをわかってもらい、交流を深め、その管理職たちが直面している問題と、それをどうやって解決しようとしているか、そのやり方を知る必要があります。そこで、いちばん大切なのは〝チームを作る〟ことです」

だが、工場長というのは、国の指導者のように大きな権限を与えられているわけではない。

「品質の問題にしても、原料のロスの問題にしても、生産性の問題にしても、掲げられる目標はかぎられていました。大きな問題については、何もかも本社の意向に従わなければならなかったからです。まず初めに会社の決めた方針があって、そのなかで成果をあげる必要がありました」

前にも述べたように、ル・ピュイ工場は建設土木車両用のタイヤを製造していた。このタイヤの最大の問題は、市場に強い循環性があり、需要の伸びと落ち込みの差が激しいことである。

「工場は順調でしたが、急に需要が伸びたり、反対に落ち込んだりして、生産管理がうまくいかなくなってしまうことがありました。それは高度に循環的な市場のせいです。急に需要が伸びれば原料が不足してしまうし、あるいは需要に比べて生産が過剰になっていれば、操業を一時的に停止しなければならない事態も起こります。どうすれば工場内の士気を保ったまま、市場から受ける影響を小さくできるかを考えるのはやりがいのあることでした」

そこでゴーンが達した結論は、作業組織をできるだけ柔軟な形にすることだった。生産計画を立て、操業の停止や時間外労働をなるべく計画のなかに取り入れやすいようにするのだ。だが、労働者との関係を考えた時、そんなことが簡単にできるものだろうか?

「この問題を解決するのは、それほど難しくありませんでした。ル・ピュイは新しい工場だったので、まだ組合がなかったのです。初代の工場長だったカミーユ・エオルメ（あだ名はレッド・ラッカム——漫画『タンタン』に出てくる登場人物）は、組合を必要としないような環境作りに成功しました。そして、私もその環境を保つことに成功していたからです」

社主からの呼び出し

工場長としての生活が二年近く経とうとしていた八三年の初め、ゴーンは突然、クレルモン・フェランの本社に呼び出された。ゴーンを呼んだのは、フランソワ・ミシュランである。ゴーンは入社してからそれまでの三年半の間に、会議などでフランソワ・ミシュランと顔を合わせたことはあった。

だが、二人きりで会うのはこれが初めてだった。

「会社のなかで、フランソワ・ミシュランは伝説的な人物でした。クレルモン・フェランの労働者たちは〝ムッシュ・フランソワ〟と呼んで、親しげに言葉をかけていました。しかし、ほかの社員はみんな、単に〝ボス〟と呼んでいました。ボスが誰を意味するかはみんな知っていました。ミシュランには三人の共同社主がいましたが、ボスは明らかにひとりだけだったのです」

カルム広場の執務室はフランソワ・ミシュランの性格をよく表していた。非常にシンプルで厳格と言えるほど飾り気がなく、少し古めかしいが完璧な秩序が保たれている。

「ひとしきり会話を交わすと、フランソワ・ミシュランは言いました。『ゴーン君、我々はクレベールという問題を抱えている。クレベールを放っておくわけにはいかないが、焦って動くのもよくない。そこで君に頼みがあるのだが、状況を分析して、どうすればよいか提案してもらいたいのだ』」

フランスでタイヤ産業の統合が進む以前、クレベール・コロンブ社はミシュランの競争相手のひとつだった。ミシュランはクレベールを独立した企業として存続させつつも財政を管理するようになった。しかし、クレベールの業績は悪化し、ミシュラン・グループにとって厄介な問題となっていた。

「フランソワ・ミシュランの関心は何よりも人にあります。それは会えばすぐにわかります。学歴や出身などまったく問題にせず、相手がどんな人間であるかに興味を持ちます。そして、何か単純なこと、家族のこと、会社のことについて話しながら、相手をすぐに打ち解けさせることができるのです。フランソワ・ミシュランは私のことをよく知っていました。けれども、私についての情報は、信頼できる側近のメンバーから話を聞いて得たものです。決して三〇ページもある分厚い身上書に目を通したわけではありません。それはあの人のスタイルではないからです。ええ、自分自身が実際に会って得た印象に比べたら、他人がどう評価したかなど問題ではなかったのです。そういった具合に、誰かとコンタクトを持つ時には、ひとりの人間とひとりの人間として、個人的なアプローチをする人でした」

この時の話し合いは、一時間から一時間半続いた。

「私たちはあらゆることについて長々と話しました。例えば、会社の印象などについて……。そして、そのあとすぐにクレベールのことが話題になったのです。フランソワ・ミシュランは明らかにそのことに懸念を抱いているようで、こう言いました。『これが今、私たちの抱えている問題だ。この状況を見れば、ひとつだけやってはいけないことがわかっている。それはクレベールを見捨てることだ』と……。この話をするフランソワ・ミシュランは、命令を下す指導者というよりは、戦略家の面が顔を覗かせていました」

こうしてボスの執務室をあとにした時、ゴーンには自分がどんなやり方をしなければならないのかわかっていた。また、急がなければならないことも……。時間の余裕はなかった。

「もともとフランソワ・ミシュランは、問題に対していつも戦略的な面からアプローチを行います。したがって、こちらもそうする必要があるのですが、この時、大切なことは、すでに決定の下された方針を揺るがさないことです。この場合でしたら、クレベールを見捨てないこと……。その方針さえ守れば、あとは自由な提案ができました」

クロス・マニュファクチュアリング

八三年六月、ゴーンはル・ピュイの工場を去り、クレルモン・フェランの本社にいるグループの財務部門を統括する責任者、ベルーズ・シャイード＝ヌーライのもとに派遣された。もちろん、クレベールの状況を分析するためである。

「クレベールは乗用車と小型トラックのタイヤ、そして農業機械用タイヤを製造していました。私はまずこの会社を徹底的に分析調査し、その結果、一〇月に結論を出しました。この時、いちばん重視したことは、農業機械用タイヤの分野ではクレベールがミシュランよりも成績がいいということでした。それは重要な切り札になりました。クレベールのノウハウを活用しない手はありません。そこで、ミシュランの農業機械用タイヤもクレベールの工場で製造することにしたのです」

クレベールを守るためにはどんな戦略を立てればよいか――この分析の経験から、ゴーンはその後、繰り返し使用することになる、あるアイデアを引き出した。英語で〝クロス・マニュファクチュアリング〟といって、別のブランド名で販売する製品を同一の設備で製造するというものである。

また乗用車タイヤの分野では、ゴーンはクレベールをミシュランに統合するように提案した。そのうえで、市場に応じた製品を生産していこうというのだ。その場合、クレベールの位置づけはミシュランのセカンド・ブランド――同じ乗用車用タイヤでも価格的に安いタイヤを供給する、あるいはいくつかの専門的なタイヤを供給する第二のブランド――ということになった。

「提案の大部分は採用されました。けれども、それを実行する時、私はもうそこにはいませんでした。八三年の一一月に、研究開発センターの責任者にならないかと言われたからです。もともと、会社側は私が入社した当時から、エンジニアとして研究部門に配属するという考えを持っていました。私は引き受けました。そうして、ラドゥーにある研究開発センターの土木機械、農業機械、工業機械などのタイヤを扱う大型タイヤ部門を任されました」

ミシュランでは何よりも研究が大切にされる。ラジアルタイヤを発明して以来、ミシュランはテクノロジー・リーダーを自任しており、研究分野には力を注いでいたのだ。それにまた、タイヤというのは単純であると同時に複雑な製品でもある。研究の果たす役割は大きい。

「フランソワ・ミシュランの主な関心事は製品と研究でした。社内では研究部門が力を持ち、莫大な予算が投じられていました。製品のスペック（仕様）は納得のいくまで議論されました。フランソワ・ミシュランはその製品を開発した人間と細かくやりとりをし、品質に目を光らせました。それはボスの仕事で、誰もがそのことを知っていたのです」

タイヤの品質、耐久性、ロードホールディング、衝撃に対する抵抗力などは、タイヤの構造で決まってくるが、それにもましてゴムの組成や製造過程における加熱の仕方、切断の仕方が大切になる。これは料理に似ている。要するに、知識と同じくらい技術が必要だということである。

「ゴムを作るときに大切なのは、天然ゴム、合成ゴム、カーボンブラックの配合の割合です。つまりどれほど精密に原料の量を調整するか……。これは経験が大きくものをいう分野で、その意味では料理の作り方に似ているところがあります。この原料の配合の割合は秘密にされていました。それは会社の根底に関わる〝技術情報〟のひとつだからです。したがって、クレルモン・フェランの研究所が開発した製品の化学式は、工場の専門技術者に送られると、厳重に保管され、工場長でさえ見ることはできませんでした」

製品に関する技術情報は、会社にとって最も貴重な資産である。したがって、それを秘密にするのは当然である。だが、それによって昔から、「ミシュランは秘密主義だ」という評判が定着していた。これについては伝説的なエピソードがある。というのは、フランスがドイツに占領されていた時、アドルフ・ヒトラーが工場を視察しようとしたことがあった。だが、ヒトラーは工場に入るのを拒否されたのである。これにはまた後日談があって、解放後、今度はド・ゴール将軍が訪れた。だが、この時だけは、なかまで入ることを許されたというのである。

ブラジルへ

結局、ゴーンが研究所にいたのは八四年のたった一年だった。南米事業を統括する最高執行責任者として、ブラジルに行くことが決まったのである。

「八四年一一月の時点で、すでにブラジルからの報告は思わしくありませんでした。クレベールの一件以来、私は財務部門の責任者であるシャイード＝ヌーライと交際を続けていましたが、ある時、彼にこう言われたのです。『ブラジルはうまくいっていない。我々はかなりの資金を投入したが、利益が上がらないんだ。そうなると、君は研究所に長くはいないはずだよ。ブラジルの状況を立て直す必要があるからね。この事業が取り返しのつかないほど悪くならなければの話だが』と……」

ちなみに、このシャイード＝ヌーライは、経営者としてのゴーンを育てるうえで大きな役割を果たす。というのも、多国籍企業の発展には、現代的な財務管理がそれ以前にもまして重要になるが、その財務管理に対する新しい発想をゴーンはこの人物から教わったのである。その発想とは、すなわち、〝財務担当者とは、英語で言う「ビーン・カウンター」（そろばん勘定をする人）ではなく、事業や資本市場への投資、銀行からの借り入れを常に最適化することを考える人のことだ〟ということである。

「シャイード＝ヌーライのことは今でも強く心に残っています。外から来た人でしたが、新しい考えとか、計画とか、野心とか、そういったものを〝活力剤〟のようにもたらしてくれました。私は、財務戦略や現状に対する柔軟な対応の仕方、財務の構築の仕方をこの人物から教わったような気がします。とても頭の回転の速い人で、企業における財務管理がどれほど重要なものか、私の目を開かせてくれました。といっても、性格はあけっぴろげで、感じのよい人でした。いずれにしろ、その専門とする財務部門で、この人はミシュランに革新をもたらしたのです。それと財務というものに対する考え方の厳しさを……。ええ、いかにも人のよさそうな顔をして……。現在はミシュランを辞めて教壇に立っていると思います。コンサルタントをしていると聞いたこともあります」

このシャイード＝ヌーライも含めた議論の結果、八五年一月、ミシュランの経営陣は、近くブラジル事業のトップを交代させると発表した。入社七年目にして、カルロス・ゴーンは目的に近づいたのである。生まれ故郷への扉がついに開かれたのだ。

「予想外のことでした。しかもナンバー・ワンの地位でブラジルに戻れるなんて、思ってもみませんでした。最初にブラジルに行く時は、製造部長くらいのポストだろうと思っていましたから……。いや、私としては、ポストには関係なく、早くブラジルに行って、仕事がしたかったことも事実でした。しかし、会社がいろいろな役職を与えてくれるうちに、自分の能力が思い通りに発揮できる状態になっていればいるほど、ブラジルに行ってからの仕事が面白くなるだろうということもわかってきました。入社してから七年の間、私はクレルモン・フェラン、ル・ピュイ、ショレ、トゥール、ドイツのカールスルーエ、スペインのバリャドリードと、欧州でがんばってきました。しかし、そのまま欧州に居続けるつもりはありませんでした。だから、例えば、ミシュランに入社して二年半後の八一年に、二七歳の私が五五歳の工場長のあとを継いでル・ピュイの工場長にならないかと言われた時にも、私はすぐにブラジルのことを考えました。今、フランスで工場長になったということは、ブラジルに行く時には、少なくとも工場長として行けると……。そういうふうに考えてからは、欧州で待っていることは別にもどかしくはありませんでした。今、欧州にいるのは、少しでも良い条件でブラジルに戻るためだ、そのために努力しているのだ、とわかっていたからです。しかし、逆に言えば、いつかはブラジルに戻れるという考えがあったからこそ、努力もできたのです」

ブラジル行きは数か月先に迫っていた。あともう少しの辛抱だ。その間、ゴーンは研究所での仕事を続けながら、ブラジル関連のすべての会議に出席するよう命じられた。そして、ついにクレルモン・フェランに別れを告げる時が来る。

「八五年の六月末、私は危機的な状況にあるブラジルへ出発しました」

第4章　リオデジャネイロ

家族との再会

リオデジャネイロに戻る時、カルロス・ゴーンはひとりではなかった。妻のリタが一緒だった。

「妻とは一九八四年九月、リヨンで出会いました。当時、妻は薬学の勉強をしていました」

リタはレバノン出身である。では、一族の伝統から同じ国の生まれの娘と結婚したのだろうか？

「レバノン出身の人間と結婚することは、私の人生設計のなかにはまったくありませんでした。つき合った女性は大勢いて、今でも心に残っています。米国人のある女性と結婚しようと考えた時期もありました。つき合っていた期間は長かったのですが、その人とは結局、別れることになりました。フランス人女性とつき合ったこともありますが、これもうまくいきませんでした。そして、ついにレバノンの女性と結婚することになったのです。いえ、結婚するならレバノンの女性、というふうには考えたこともありませんでした。本当に！　でも、妻には会った瞬間から親近感を持ったのです」

こうして一三年以上前から疎遠になっていたレバノンとのつながりが復活した。

「妻の生まれた村はレバノンにありました。両親や兄弟、従兄弟たちもそこにいました。私に比べれば、妻はちょくちょくレバノンに帰っていますし、時には私も一緒に行くことがあります。結婚してからレバノンとの絆は強いものになりました」

そして、八五年初め、事態は急展開する。

「ちょうどその頃、私の耳には遠くからブラジルの音楽が聞こえ始めていました。つまり、ブラジルに赴任するという話が……。そして、とうとうその話が正式に決まりました。まだ、妻と結婚する前のことです。私は決断を迫られました。リタをフランスに残してひとりで行くか、それとも結婚して一緒に行くか。結局、私たちは六月にクレルモン・フェランで式を挙げると、七月の初めにリオへ向けて出発しました」

このブラジル行きは、新婚の妻リタも喜んで承知したという。

「妻にとってブラジルに行くことは何の問題もありませんでした。妻は内戦で荒廃した国の出身です。つまり、それだけの強さを持っているのです。確かに妻は私よりずっと年下です。当時は私が三一歳で、妻が二〇歳でした。その歳で新しい世界に飛び込むのですから、妻にしてみれば冒険みたいなものだったでしょう。結婚も……ブラジルの生活も……。でも、妻はみごとに順応しました。いえ、ブラジルだけではなく、妻はこれまで私と一緒に暮らしてきたどこの国でも、まったく問題なく順応しています」

リオデジャネイロでは、リタは新しい家族に両手を広げて歓迎された。

「私の両親は明らかにとても安心した顔をしていました。私が米国の女性と真剣な交際をしていると知った時には、ひどく心配していたからです。その時には両親に忠告されました。『米国では離婚は珍しくないというではないか？　私たちとは家族の持つ意味が違う』と……。まあ、それもしかたがありません。両親にとって何よりも大切なのは家族の価値ですから……」

家族の中心にいたのは父のジョージである。ジョージはごく若いうちに父親のビシャラ・ゴーンが築いた家業を継いでいたが、自分の後を継ぐ者はいなかった。ついでに言えば、ビシャラの事業は八人の子供たちが後を継ぎ、規模を拡大していったが、そのさらに次の世代には、後継者がひとりもいない。

それはともかく、二〇〇二年の六月に亡くなるまで、ゴーンの父ジョージはリオで穏やかな生活をしていた。ジョージのまわりには家族のほとんどが集まっていた。ゴーンの三人の姉妹のうち、ひとりは結婚してフランスにいたが、あとの二人はゴーンよりも先にブラジルに戻ってきていたのだ。

「父はとにかく陽気な人物でした。人がよくて……。その意味では、いかにもブラジル人らしいと言えます。中等教育を終えると、すぐに家業を手伝い始めましたが、まあ、当時のことを考えれば、それはごく普通のことでした。そのあとは、ブラジルとレバノンを行ったり来たりの生活で、なかなか大変だったと思います。しかし、父は文句も言わず、その生活を続けていました。ええ、家族に対する思いが強かったのです。子供たちのことも大好きでした。父と一緒にいると、生きる喜びや活力といったものが伝わってきて、私はいつもびっくりしたものでした。そういった父だからこそ、たぶん子供たちはブラジルに戻ってきたのでしょう。一家の中心が活力にあふれ、家族が仲良く暮らしていれば、残りの家族もそこに引き寄せられるものだからです。この父が亡くなったあとも、リオでは母が暮らしています。姉も妹もそこにいます」

ブラジルという国

だが、せっかく生まれ故郷に戻ってきても、仕事のほうでは問題が山積みだった。

「利益をあげるということからすれば、理想には程遠い状態でした。しかし、何もしなければ何も始まりません。それに、ブラジルの事業がこのような危機に瀕しているからこそ、本社は急いで私をこの国に派遣したのです。そう考えると、むしろ嬉しいくらいでした」

天然資源がほとんど無尽蔵にあり、その豊かさによって大規模な発展を保証する候補地として、さまざまな企業の期待を集めてきたブラジル。だが、この南米の巨人は、進出してきた企業をすぐにまた失望させた。その経済の歴史は、木材、ゴム、コーヒー豆、石油など、時代によってさまざまな原料が開発され、またその開発が周期的に行われてきた点に特徴づけられる。その結果、ある原料に対する需要が高い時には国は繁栄を謳歌し、巨大な富を築きあげるが、ひとたび風向きが変わって需要が落ち込むと、次の原料が開発されるまで経済危機に陥ってしまう。

そういった歴史もあって、国土が広く、人口が多く、また豊富な地下資源を内蔵しているというのに、ブラジルはどうしても米国や欧州諸国、日本などの先進諸国の仲間入りができない。それどころか、政情不安、目にあまる社会的不平等、度重なる金融危機、脆弱な社会制度、軍部の政治介入がまかり通るような状況に、常に苦しみ喘いでいた。その祖国を、ゴーンは批判的でありながらも、寛容な目で見ていた。この点はいかにもブラジル人らしい。

「ブラジル人はとてもナショナリストで、自分の国にとても愛着を持っています。しかし、それと同時にかなり批判的でもあります。また、ブラジル人の特徴としては、ほかの国に行くと溶け込むのにひどく苦労します。よそでは幸せになれない……。みんなブラジルに戻りたいと思っているんです」

ブラジルが人種に富んでいるのは、さまざまな場所から来た人を受け入れ、同化させてしまう力が大きいからだ。受け入れるのにそれほど大きな問題は起こらない。また、米国などよその国で見られるような人種差別もない。

「ポーランド人、イタリア人、ドイツ人、トルコ人、アフリカから奴隷として連れてこられた人々の子孫たち……。その起源をたどれば、ブラジルにはいろいろな国の人たちがいます。そういったなかで、昔からこの土地に住んでいた先住民の数はそれほど多くはありません。いちばん多いのは、ポルトガルから来た人たちでしょうか。ほかの国の人たちより先に入植しましたから……。しかし、ブラジル人は出身地のことをどうでもいいと思っています。ブラジルの文化というのは、移民たちをブラジルという国に同化させ、それ以外の国をどうでもいいと思わせてしまう、そういった文化なのです。陽気で、気さくな文化です。しかし、それだけに克己心を持つことが難しい文化です。実際、ブラジルの文化は克己心を持ったことがなかった……。だからこそ、ブラジルは魅力的で、また見ていると苛々する国なのです」

だが、リオデジャネイロに戻ったゴーンは三一歳。世界はまだ建設すべきものとして映っていた。

「若者にとっては、ブラジルには夢中になるような側面があります。この国は遠い昔から変化し続けているのに、まだ変化のなかにいるのです。しかし、若者からしたら、そういった変化の状態というのは初めて経験するものでしかありません。ブラジルは国土が広く、豊かな自然があって、資源にも恵まれています。その意味では潜在能力が大きい。それなのに、実際に何かを始めてみると、物事を進展させることが難しい……。こうして、『どうしてなんだろう』とうんざりしながらも、結局はその魅力に取り憑かれてしまうのです」

　さて、ゴーンがこのブラジルにやって来た八〇年代の半ば、ブラジルには民主政治が復活したところだった。ほかの南米諸国同様、民主化という波に乗って、国は大きく変わっていく時期を迎えていた。首都ブラジリアでは、大統領の直接選挙が行われ、政権が軍部の手から、選挙に当選したタンクレド・ネベスの手に渡ったところであった。しかし、ネベスは大統領の就任式前に死亡し、副大統領であったジョゼ・サルネイがそのまま大統領に昇格した。

「つまり、大統領になった人は、国民から選ばれた人ではなかったというわけです。その結果、かなり異様な状況が生まれました。サルネイは軍部と通じていると言われていました」

ハイパー・インフレの脅威

　経済面では、ブラジルはハイパー・インフレによって疲弊し、企業の決算報告書を大赤字に転落させていた。ブラジルの銀行は、世界でも最高の性能を持つ決済のシステムを開発して、羽が生えたように軽くなっていく貨幣の価値を追いかけようとしていた。すなわち、名目金利の異常な引き上げである。

「ブラジル経済はまったくすさまじい状態で、インフレが年率一〇〇〇パーセント以上、実質金利は三五パーセントを超えていました。つまり名目金利は、少なくとも一〇三五パーセントには達していたということです」

そういったなかで、ブラジルの事業部は、事業に必要な資金は自分たちで調達することになっていた。クレルモン・フェランの本社は、最初に出資したあとは、資金の調達を現地に任せていたからである。

「ところが、そのやり方がうまくいっていなかったのです。その結果、損失はそのまま負債となりました。そして、ハイパー・インフレと高金利のもとで、負債はものすごい勢いで膨れあがっていました」

このインフレによって社会問題も発生していた。例えば、大都市ではインフレに比例してバスの料金が上がるたびに、すさまじい暴動が起きていた。無理もない。後にフェルナンド・エンリケ・カルドゾ大統領が言ったように、インフレとは貧しい人々に税を課すようなもので、このうえなく不公平なものだからである。だが、そのインフレを抑えるために、政府はインフレの治療薬としてはもはやいいいいいいいいい役に立たなくなった価格統制を行い、企業の価格設定に干渉していた。企業はそういったこととも闘わなければならなかった。

「労働者の生活を頭に置きながら、月二回、賃金の調整をする必要がありました。また政府と交渉して、製品の価格を調整することも行いました。価格統制があったからです。この価格調整を一日二日遅らせてしまうと、会社の利益は激減します。間違いは許されません。本当に特殊な状況でした」

ゴムのプランテーション

こうしたなかで、ゴーンは現場の様子を知ることにも時間を割く。

「ブラジルには、バスや大型トラック用のタイヤを製造しているカンポグランデ工場と、ラジアルタイヤの骨格《カーカス》になるスチールケーブルを作っているレゼンデ工場がありました。また、マト・グロッソ州とバイア州にゴムのプランテーションがありました」

だが、工場とプランテーションでは共通するものがあまりない。これについて、ゴーンはこう語る。

「ええ、この二つはまったく違う分野に属するものです。同じ現場といっても、作業工程の面で重なるところはありません。プランテーションで行っている作業、つまり、植樹、栽培、ラテックス（ゴムの樹液）の採取、その加工処理といった作業は、タイヤを製造する作業とは関わりがないのです。しかし、だからといって、プランテーションを手放すなどということは考えられませんでした。というのも、ミシュランにとって天然ゴムは重要な原料でしたから、自社でプランテーションを持っているのがいちばんだったのです。プランテーションを手放して、天然ゴムの供給に不安定な要素を持ち込むなど、もってのほかでした。それに、品質の良いタイヤを作るためには、原料についてよく知っておくことも大切なのです」

ミシュランのタイヤは、材料に混ぜる天然ゴムの割合がいちばん多い。これは業界では定説となっている。この貴重な原料を確保するため、ミシュランは最初、フランス植民地時代のベトナム・サイゴン（現ホーチミン市）の近郊にパラゴムの木の巨大なプランテーションを保有し、天然ゴムの素材となるラテックスを供給していた。ところが、六〇年代になってベトナム戦争が始まると、そのあたりは南北ベトナムの激しい戦闘によって様変わりした。そして、南の敗北後は、北ベトナムを中心とする政府によって、ミシュランのプランテーションは接収された。そこで、ミシュランはほかの国にプランテーションを建設することになったのだ。実は、この話には後日談がある。九〇年代になってから、ベトナム政府がクレルモン・フェランに密かに接触してきて、以前接収した工場とプランテーションを買い戻して、昔のようにまた事業を行わないかと、ミシュランに提案してきたのだ。だが、ミシュランの答えは素っ気なかった。「我が社の所有であるものを買い直すようなことはしない」ミシュランにはもうベトナムのプランテーションは必要なかった。実際、その頃にはすでにアフリカのコートジボワールやブラジルにプランテーションが建設されていたからである。

状況を把握することの大切さ

ブラジルのCOO（最高執行責任者）となったゴーンの最初の仕事は、経営の状態についての診断書を作ることであった。

「会社の状態はひどく悪化していましたが、それはこの状況に対する経営の判断にも原因がありました。つまり、これには外的要因と内的要因があったわけです。といっても、この二つは密接に結びついているのですが……。企業の経営者は、常に状況を把握して、それに応じた行動モデルを持つ必要があります。ところが、国内の経済環境という外的要因からもたらされた状況を正確に把握できないと、とんでもない失敗をやらかす恐れがあります。例えば、このブラジルの場合で言えば、ハイパー・インフレのもとで政府が価格統制や金融統制を行い、輸入の規制や輸出のための助成金のコントロールをしているというのが外的要因で、経営者としては、まず初めにその状況を把握することが大切になります。そのうえで、今度は状況に応じた方策をとっていく……。ところが、それまでの経営陣はそれをしてこなかったのです。これが内的要因、つまり経営判断の問題です」

それだけではない。ブラジルの事業部はもうひとつ問題を抱えていた。それは本社からたびたび口出しを受けていたことである。ブラジルの赤字増大で、クレルモン・フェランは、一種恐慌状態に陥っていたのだ。

「要するに、大切なのは経営のやり方を見直すことでした。その点では改善しなければならないことがたくさんありました。その手始めは、本社にいてブラジルの状況が何もわかっていない人々に余計な口出しを慎んでもらうことです。私はそういった人々にこう言いました。『ブラジルのことは、こちらで責任を持ちますからお任せください。あなたがたはその結果で判断してください』と……。実際、クレルモン・フェランの本社には、ブラジルの状態に慌てふためき、見当はずれの忠告をしてくる人々が大勢いたのです。そういった忠告は現地にいたことのある人々からもありました。現地にいた人々は、自分なりに経験を積んだ人たちだったので、私のやり方がよくないと判断すると、忠告するどころか、その忠告を実行に移すことまでしたのです」

こうして、まず経営の主導権を確立すると、次の課題は本来あるべき姿に基づいたチーム作りだった。

「ブラジルの業務はたくさんの部門に分かれていました。製造、営業、財務、ゴムの木の栽培……。そして、それぞれの部門の責任者はお互いに会社の問題を話し合うことなく、自分のところで勝手に仕事をしていたのです。また、責任者たちは、私がまだ若く経験が少ないこと、そして経営を取り巻く環境が危機的な状況にあることを知っていました。ということは、下手に私のような若造についていったら、何が起こるかわからない、という認識を持っていたということです。そこで、私が赴任しても、あえて私の言うことを聞かず、ことさらそれまでのやり方を続けようとしました。したがって、私のほうは各部門の責任者に集まってもらい、経営会議を行って、責任者たちが一体となって効果的に働ける体制を作りました」

非常識な経営

「会議の結果、ブラジルの事業部がひどく非常識なことをしているのがわかりました。例えば、営業部門ではいまだに納品したタイヤの支払い期日を二か月後としていました。それが欧州でのやり方だからです。しかし、ハイパー・インフレという状況を考えると、それがよくないのは明らかです。また、工場では原料が不足になった時に備えて、銀行から借り入れた資金で原料をストックしていました。けれども、名目金利が上昇するなか、こうしたやり方は運転資金に関するコストを増大させます。したがって、この状況ではまず何よりも、短期的な視点で原料に対する投資を最低限度に抑えるべきなのです。操業が続けられる範囲で……。そうして、キャッシュフローの状態が適正になるのを待つのです。ところが、ブラジルの事業部は本社のやり方にならって、むしろ中・長期の視点から、この原料に対する投資を続けていました。もうひとつは製品の価格調整の問題について……。価格調整は企業の存続に関わる重要な問題なのに、ブラジルでは二の次にされていました。本来ならば、政府に対して価格を上げる交渉を行う部署を経営執行部に置き、また、その交渉を週ごとに行うべきであるのに、そんなことはひとつもされていなかったのです」

要するに、ブラジルの事業部は、本社のやり方をそのまま踏襲していたのだ。そのやり方は、欧州や米国の経済環境ではうまくいっても、八五年のブラジルには通用しなかったのである。

「おまけに、政府と交渉しようにも、首都ブラジリアとの関係が良好ではありませんでした。本当なら、ミシュランの考え方を理解してもらうためにも、さまざまな行政機関とコミュニケーションを取れるようにしておかなければならないのですが、そういった人員は配置していなかったのです。もちろん、ファイアストンやグッドイヤーやピレリなど、ずっと前からブラジルで操業しているライバル企業がミシュランの進出を面白く思わず、さまざまな障害を設けて、行く手を阻もうとしていたことも事実です。しかし、そういったことよりも、問題はやはりブラジルの事業部の内にありました」

こうしてブラジルの状況に応じた新しいやり方をするなかで、ゴーンは財務管理について、これまでより厳しいチェックを行った。そして、優先的な課題として負債の問題を解決しようとした。

「負債を処理するには、まずキャッシュフローの状態を改善しなければなりません。つまり、キャッシュフローがマイナスからプラスに転じるようにするのです。次に、投資は必要最低限に抑え、製品在庫を減らし、納入品の支払い期間を短縮して、不必要な資産も処分しなければなりません。つまり、当初は使われていたものの、もう使われなくなってしまった土地や建物をすっかり売却するのです。こうして、私たちは大掛かりな清算事業に取りかかりました。ですが、幸いなことに、私は財務の担当者として、若く、優秀なフィリップ・ビアンデルを連れてきていました。この男はＨＥＣ（高等商業学校）の出身で、かなりの気難し屋でしたが、本当によく私を助けてくれました」

労働者との話し合い

一方、この国の情勢を考えると、労働問題のほうも一筋縄ではいかなかった。というのも、ブラジルでは軍事独裁政権が終わり、民主主義が復活したことで、政治色の強い労働組合運動に火がついていたからである。そのなかでは、特にCUT（中央統一労働組合）が中心的な存在として力を持っていた。このCUTは、そのカリスマ的指導者であるルイス・イナシオ・ルーラ・ダ・シルバ（通称、ルーラ）によって創設されたもので、ルーラが労働党の指導者であることから労働党ともつながりを持っている（労働党は大都市を基盤にして数多くの当選者を出している政党である）。ちなみに、ルーラはサン・パウロ郊外の工業地帯で労働運動を始め、その中心的な存在になったあと、八〇年代の終わりから三回にわたって大統領選に名乗りをあげ、二〇〇二年には四回目の挑戦で、ついに大統領の座を射止めている。

「労働組合に関しては、私たちのところでも問題を抱えていました。なかでも大変だったのが、カンポグランデ工場で三週間にわたって行われたストライキでした。当時のブラジルではインフレによって購買力が落ち込んでいましたが、そういった国内状況のなかでCUTは非常に効果的な闘争プログラムを持っていました。例えば、〝協定〟の刷新を求め、賃金交渉をする時に二週間以上のストライキを打つというのもそのひとつです。あのストライキの時のことはまだ覚えています。ストは金曜日に始まり、最初の二日間は工場の入り口がピケによって封鎖されていました。しかし、私はどうしても工場の幹部たちといろいろなことを相談する必要がありました。そこで、日曜日の朝、私は工場長に電話をしたのです。『これから工場に向かう』と……。工場長は、『無理です。いらしても、なかには入れてもらえないでしょう』と答えました。けれども、私は車に乗って、工場に行きました。そして……。私がやってくるのを見ると、ストライキ中の従業員たちは一瞬ためらったようでした。沈黙が訪れました。その時間はおそらく一分とは続かなかったでしょう。しかし、私にはものすごく長い時間に思われました。やがて、突然の私の訪問に、やはり心が動揺していたのでしょう、従業員たちは私をなかに通してくれました。私は工場の幹部たちと業務ミーティングを開き、必要なことを決めました。怖いもの知らずの時代でした。結局、ストライキは、誰もが納得できる妥協案が成立して、三週間後に終わりました」

実りある成果

ゴーンがブラジルに敷いた体制は、やがて着実に実を結んでいった。

「ブラジルに着いた翌八六年は、結局赤字のまま終わりました。その年は本当に危機的な状況にあったのです。ところが、八七年になると、会社は黒字に転じました。次いで、八八年には非常に良い結果が出ました。そして、八九年、ブラジル・ミシュランはグループのなかでもいちばんの売上利益をあげている子会社のひとつとなったのです」

この間に、ブラジル国内では、物価を安定させるための計画が次々と実施されていた。蔵相も代われば、通貨も変わった。だが、インフレを解消することはできなかった。ブラジルが通貨と財政の安定を得るには、九〇年代半ば、後に大統領となるフェルナンド・エンリケ・カルドゾ蔵相のレアル計画（訳注：九四年、新通貨導入によりインフレの抜本的解決を図ったもの）まで待たねばならない。

「やれ、フナロ計画だ、クルザード計画だ、それ、このプランだ、あのプランだと、政策はくるくる変わりました。毎回、政府はできないことを約束しては、何か月か後にだめになる……。一方、こちらのほうはどの政策のもとでも、巧みに舵取りをして会社を守っていかなければなりません。まるでスポーツをしているようでした」

こうして、一年、二年と経つうちに、ゴーンが率いる南米の事業部は、クレルモン・フェランの本社の信用を得ていった。だが、本社のほうは、大変な思いで事態を見守っていたのだ。そもそも、ミシュランという会社には短期運営という考え方がない。辛い状況でも、歯を食いしばって持ちこたえようとするのである。

「失敗してブラジルをあとにするなんて、一度も考えたことはありませんでした。『君が成功しなければ、ブラジルからは撤退するしかない』と、冗談まじりに言われたことはありましたが……。でも、私はまだ三一歳でしたから、失敗するかもしれないなどという思いは、まったく頭をかすめもしませんでした。大胆不敵な年齢なんです。必要とあれば昼夜かまわず働くし、何か問題があればすぐに対応する……。そうして八八年、私はカンポグランデの工場を拡張し、生産量を六〇パーセント増やす投資をすると発表しました」

フランソワ・ミシュランの来訪

しかしながら、ゴーンがブラジルでの成功にそれほど長く浸ることはなかった。

「八七年に、フランソワ・ミシュランが訪ねてきました。ブラジルには、これが初めての訪問だということで、奥さんが一緒でした。この訪問は私にとっては格別なものでした。というのも、仕事上の関係を超えて、フランソワ・ミシュランという人間をより深く理解する絶好の機会となったからです。私たちは一〇日ほどの行程で、カンポグランデの工場やレゼンデの工場、それからマト・グロッソ州とバイア州にあるゴムのプランテーションを巡りました。こうして一緒に旅をすることには特別の意味があります。それまでは、純粋に仕事上の関係だけだったのですから……」

といっても、世界を股にかける大企業の経営者の旅がただの観光旅行に終わるはずはない。工場やプランテーションを視察する間、フランソワ・ミシュランは市場についての知識を深めたり、現地で働く人々と話をしたりして、時間を有意義に使った。

「フランソワ・ミシュランは〝違い〟を大切にする人でした。そのため、ブラジルに強い興味を示しました。滞在の間に、ただブラジル・ミシュランのことを知るだけではなく、ブラジルの国や人々のことを知りたがったのです。とりわけ人々のことを……。つまり、ブラジルという国を、ブラジルの人々を肌で感じたかったのです。しかし、この〝違い〟に対する興味というのは、ある意味では謙虚なものだと思います。決して覗き見趣味的なものではありません。というのも、あの人の興味というのは、人間そのものに対する関心から来て、人間を尊重する態度に裏打ちされているからです。どんな社会階層に属しているかなど関係ありません。年齢も出身地も社内でどんな地位にいるかも関係ありません。それは何よりも、ミシュランにおける私の経歴が証明しています。そういったことから、誰かと話をする時、あの人は全身をアンテナにします。一生懸命、話を聞くふりをしているわけではありません。ある種の経営者がよくやるのとは違って、ポーズではないのです」

ミシュランはブラジルにとっては自国に投資を行ってくれた重要な外国企業である。したがって、その社主の訪問には公的な面も含まれた。そのため、フランソワ・ミシュランは首都ブラジリアに行って、ジョゼ・サルネイ大統領やナイルソン・ノブレガ蔵相にも会った。

「大統領や蔵相は、タイヤのメーカーというよりは、旅行ガイドブック――いわゆる『グリーン・ガイド』を出している会社としてミシュランのことを知っているようでした。ですから、会談の間、ともすると、話題はガイドブックのことになりました。グループ全体の売上高からすれば、ガイドブックの売上などほんの小さなものなのですが……」

結局、その旅行を振り返ってみると、フランソワ・ミシュランにとっては、現場を視察したことのほうが印象深かったようである。特に工場では、経営者としての人生のなかで、「これほど長い間、工場にいたことはない」というくらいの時間を労働者と一緒に過ごすことになる。

「カンポグランデの工場に行った時のことです。私たちは作業場のなかを通っていきました。ええ、フランソワ・ミシュランは現場で働く人々に声をかけるのが好きだったからです。ただ、私たちが訪れた時というのが、ちょうど〝協定〟に関する組合との交渉を一か月か二か月後に控えた時期のことでした。そのため、工場のなかには独特の雰囲気が流れていました。さて、工場内を歩きまわっている時、私たちは休憩室に入りました。そこでは三〇人ほどの従業員がおしゃべりをしていました。私たちは気軽にそのおしゃべりの輪に入りました。すると、いつのまにか、話題が賃金のことになって、議論が熱を帯びてきました。しかし、こういった時にも、フランソワ・ミシュランは、経営者としての立場から自己弁護しようとすることはありません。一緒になって議論に参加するのです。あの人にとって、あれは現場を肌で感じた時間だったと思います」

一〇日間の旅程の間には、ウイークエンドがはさまっていた。そのウイークエンドを一行は、ミナス・ジェライス州にある宝石のように美しい町、オウロ・プレトで過ごすことになる。オウロ・プレトは一八世紀のゴールドラッシュで栄えた町で、この町にポルトガル人たちは内部を黄金で飾られた美しい教会をはじめとして、素晴らしい建築物をたくさん残した。

「そういった教会を見て、フランソワ・ミシュランは驚嘆していました。あの人は〝驚嘆する能力〟を持っています。それが特別なところです。いろいろなことをたくさん見すぎると、驚嘆する能力が失われてしまうものですが、あの人にはそういったところがありません。例えば、一本の木の下で立ち止まると、『これは昔からブラジルにあった種類の木だろうか？』といった質問を発したりするのです。そういった質問をされると、私のほうも答えられないことが多く、右往左往して答えを探すということもありました。しかし、あの人は演技でそんなことをしているわけではないのです。まったく、あそこまで〝驚嘆する能力〟を持っている人はめったにいないでしょう。あれほど長い間、大企業のトップを務めてきて、しかも人間や物事に対して新しい見方のできる人を、私は初めて見ました。そして、何ごとにも新鮮な興味を持つという性格は、あの人の人間性の深いところから来ているのです。あの人は非常に感受性の豊かな人間です。だからこそ、相手に興味を持ち、また相手を尊重し、自分と相手との違いを尊重することができるのです。しかし、それと同時に、大企業のトップとして、計り知れない経験も積んできました。したがって、何ごとにも新鮮な興味を持つというのは、子供のように何も知らないからではありません」

予定していた滞在が終わると、フランソワ・ミシュランはフランスに戻っていった。だが、この時の滞在はやがてゴーンの経歴に決定的な影響を及ぼすことになる。

「この旅行は、ある意味で、私たちがお互いを知り合う旅行だったと言っていいでしょう。私がフランソワ・ミシュランを知り、向こうもまた私を知ったのです。北米の子会社の最高経営責任者（CEO）として米国に赴任することが決まったのは、それから一年後のことです。おそらくフランソワ・ミシュランは、『私はあの男を知っている。あの男にならば、この役目を任すことができるだろう』と、そう考えたのに違いありません」

こうして、新たなる出発の時が来た。しかし、再び取り戻したブラジルの家族とのつながりは、ゴーンとリタの間に子供が生まれたことによって、さらに揺るぎなく、強いものとなった。

「ブラジルを離れる時に、『毎年帰ってくる。子供たちも連れてくるよ』と両親に約束したんです。それもあって、毎年クリスマスから新年までの時期は、たいてい家族そろってブラジルに行きます。父がまだ存命中の頃は、両親がそろって、米国、フランス、日本にやってきたこともあります。電話も定期的にして、よく話しています」

第5章　北米での挑戦

三大企業が競い合う市場

北米でゴーンを待っていたのは、また別の容易ならざる挑戦であった。当時、ミシュランは、米国のタイヤ・メーカー、ユニロイヤル・グッドリッチを買収することによって、この世界で最も重要な自動車市場における規模を拡大しようとしていた。戦略的に見れば、この作戦は素晴らしいものだと言えた。だが、選ばれた時期が最悪だった。米国では、まさに景気が後退し始めたところだったのである。この不況は一九九一年から九三年までの三年間続き、再選を目指したジョージ・ブッシュ大統領は、対立候補のビル・クリントンに経済政策を徹底的に批判され、敗北の憂き目を見る。

「私は八九年二月に米国に赴任しましたが、それはちょうどユニロイヤル・グッドリッチのオーナーであるニューヨークの投資会社、クレイトン・ダビラー・アンド・ライス（CD&R）社との交渉が最終段階を迎えていた時でした。それから約一年後の九〇年初め、私たちは交渉を成立させ、ミシュランとユニロイヤル・グッドリッチは、実際に統合へと動き始めました。実はその時はもう景気が後退し始める直前でしたが、私たちはまだそのことを知りませんでした。タイミングは最悪でした。統合が始まろうとしたまさにその時に、市場は落ち込み始めていたのです。私は市場が足元で崩れ始めるその瞬間に、北米ミシュランの経営とユニロイヤル・グッドリッチの再建を引き受けることになったのです」

この買収以前、北米ミシュランの業績は好調とは言えないものの、悪くはなかった。

「北米ミシュランは危機に瀕していたわけではありません。しかし、本社はもっと業績をあげることを求めていました」

実際、北米市場で最大のシェアを誇る米国の巨大メーカー、グッドイヤーと比べると、ミシュランの規模は大きいとは言えなかった。また、その一方で、日本のメーカーも進出し始めていた。特にブリヂストンは、グローバル化の手始めとして、二〇世紀の初めから自動車産業の歴史に名を残してきたファイアストンを買収すると、北米での足場を固め、ミシュラン、グッドイヤーと並んで世界の三大タイヤ企業の地位を築きつつあった。ちなみに、ブリヂストンがファイアストンを買収しようとした時には、ミシュランは自らも買収の動きを見せ、巧みに値を競りあげると、ブリヂストンが巨額の買収金を支払わざるを得なくなるようにさせたこともあった。

ミシュランとユニロイヤル・グッドリッチ——双方の特色

タイヤ産業には二つの市場がある。ひとつは新車組立用品市場、つまり組立作業を終えた車やトラックに装着するために、自動車メーカーが買うタイヤの市場。もうひとつは、車の所有者が個人で買う交換タイヤの市場——すなわち、サービス部品市場である。

「北米ミシュランは、サービス部品市場よりも新車組立用品市場に強いという特色を持っていました。

その分野では、北米市場のおよそ一〇パーセントを占めていたはずです。一方、ユニロイヤル・グッドリッチは、総売上高では北米ミシュランとほとんど変わらないものの、サービス部品市場ではミシュランよりもずっと優位を占めていました」

もうひとつ、この二社の特色の違いと言えば、米国の特殊性を反映して、ユニロイヤル・グッドリッチがマルチ・ブランドの企業であったこと――つまり、いろいろなブランド名でタイヤを売っていたことだ（なかにはプライベート・ブランドもあった）。

「ユニロイヤル・グッドリッチは、いくつかの百貨店や、シアーズ・ローバック、サムズ・クラブなどの大手量販チェーン店、それに全国規模の自動車ディーラーと協力して、その店だけで売るためのタイヤを生産していました。プライベート・ブランドとか提携ブランドと呼ばれるものです。ところが、ミシュランは基本的に単一ブランドでタイヤを販売してきた企業です。そこで、二社が統合した結果、新たな販売戦略が必要になってきました。その結果、北米ミシュランはマルチ・ブランド企業としての戦略を推し進めていくことにしたのです」

第一の挑戦――コストの削減

ブリヂストンに買収されたファイアストン同様、ユニロイヤル・グッドリッチの生産設備は更新のための投資が行われておらず、決して最高の状態にあるとは言えなかった。

「ユニロイヤル・グッドリッチの生産設備は、かなり旧式のものでした。というのも、CD&R社をはじめとして、それまでの所有者たちが必要な投資をしてこなかったからです。いや、困難な状況にある企業というのはみなそうです。本当に投資すべきところではなく、投資しやすいところに投資するのです。そのうちに、最低限、必要なことさえしなくなってしまう……。ユニロイヤル・グッドリッチの場合も、設備を新しくしたり、統合したりすることが必要でした」

こうした考えから、ゴーンはユニロイヤル・グッドリッチの工場のうち、米国とカナダにある三工場の閉鎖を決めた。迷いはなかった。ゴーンは後に〝コストカッター〟と呼ばれることになるが、すでにその一面が顔を覗かせていたのだろうか？

「これには厳しい批判を浴びました。何か厳しい措置を取ると、はじめはいつも批判されるものです。ところが、それで成果があがると、みんな、『あれは素晴しかった』と絶賛する……。典型的なパターンです。けれども、特に米国では、ほとんどすべての企業がこのコスト削減という段階を通ってきました。コストの問題をおろそかにしてどうやって会社を経営できるのか、私には理解できません。『できる』などと言うのは幻想です。ゼネラル・エレクトリックの生きた伝説であるジャック・ウェルチは〝ニュートロン・ジャック〟と呼ばれました。フォードの元社長ジャック・ナッサーには〝ジャック・ザ・ナイフ〟というあだ名がつきました。コスト削減という点について、企業のトップには浮わついた人はほとんどいません。私たちは、もちろん利益をあげるための戦略を持っています。しかし、その一方で、ボトムライン（最終損益）にも大きな注意を払っています。コストに関しては幻想を抱いてはいけません。それでは企業を経営することなどできないからです。資産とコストの状況については常に明確にしておかなければなりません。そのためにはいつも注意を払って、コストを削減するために最大の努力を払わなければなりません。もっとも、それだけでほかに何もしないのであれば、結局はうまくいくとは思えませんが……」

第二の挑戦――人材の適正な配置

第二の挑戦は、ミシュランとユニロイヤル・グッドリッチから最良の人材を選んで経営執行委員会を組織することだった。

「私たちは、文化のまったく異なった二つの企業を統合しなければならなかったのです。北米ミシュランはきわめてフランス的、いや、オーベルニュ的とさえ言える企業でした。もちろん、幹部には米国人もいましたが、経営の根本を流れているものはフランス的なものだったのです。もともとミシュランは同族企業で、長期目標に基づいた経営を行い、何よりもまず製品とその品質、設備投資や企業戦略についてじっくりと考える会社です。これに対してユニロイヤル・グッドリッチのほうは、純然たる投資会社、つまり企業の買収と売却によって利益を得る会社であるCD&R社が所有していたこともあって、短期的な利益を目標に、ことさらマーケティングを重視し、投資効率に基づいて運営されていました。また、ミシュランが世界のいろいろな地域に進出していたのに対して、ユニロイヤル・グッドリッチは主に米国を市場にした、きわめて米国的な企業でした」

会社の統合とは、人の問題でもある。ミシュラン本社のフランス人、その影響を受けた北米ミシュランの米国人、生粋の米国人からなるユニロイヤル・グッドリッチの米国人。こういったなかで、社員の融合を図るのは難しかった。まさに錬金術的な腕前が必要とされたのだ。

「北米ミシュランの経営陣はそのまま残りました。私たちはユニロイヤル・グッドリッチの経営陣の一部をそこに組み入れましたが、なにしろ、ユニロイヤル・グッドリッチは規模の大きな会社です。人材が豊富にいるはずです。そこで、私たちはいくつかの〝ビジネス・ユニット〟を作り、それによって、今やミシュランの戦力となった優秀な人材を積極的に活用しようと考えました。ユニロイヤル・グッドリッチの社長は退任しました。しかし、副社長のひとりは乗用車や小型トラックの交換タイヤの市場を担当するビジネス・ユニットの責任者になりました。また、北米のグループの財務担当責任者はミシュランの人間でしたが、私たちはそれを補助する組織を作り、そちらの責任者にはユニロイヤル・グッドリッチの人間を充てました。つまり、こうして、ユニロイヤル・グッドリッチの昔からの社員とミシュランから来た有能な社員を交ぜ合わせようと試みたのです。要職はすべてミシュランの人間で占めるといった急激な変革は行いませんでした」

そういったやり方は、活動拠点の設置にも表れた。新会社の本部はサウスカロライナ州のグリーンビルにあるミシュランの事務所に置くことになっていた。しかし、だからといって、北米のタイヤ工業の中心地であり、ユニロイヤル・グッドリッチの拠点があったアクロンを放棄することはしなかった。アクロンには、ユニロイヤル・グッドリッチのビジネス・ユニットを置くことにしたのである。

経験を活かす

ゴーンからしてみれば、この北米での事業は、それまでの経験を実践で活かす場であったとも言える。クレベールの問題を分析した時に欧州で学んだこと、さまざまな国籍からなる経営チームのトップとしてブラジルで学んだこと、そういったことが、この米国で実を結ぼうとしていた。端的に言えば、それは二つの言葉に集約できる。クロス・マニュファクチュアリングとクロス・ファンクションである。クロス・マニュファクチュアリングとは、前述の通り、別のブランド名で販売する製品を同一の設備で製造するというものである。クロス・ファンクションというのは、エンジニアリング、製造、マーケティング、販売といった異なる部門の責任者たちを一堂に集め、ひとつの問題をさまざまな角度から検討して、その解決を目指すというものだ。

また、クレルモン・フェランの本社との間にお互いの権限を明確にした、いわば透明な関係を打ち立てたということも大きい。これはブラジルで得た教訓を活かしたのだ。

「本社にとって、北米はブラジルよりもはるかに重要でした。なにしろ、北米はミシュランの総売上高の三五～四〇パーセントを占めていたからです。そのため、本社は北米ミシュランに対して非常に大きな影響力を行使していました。つまり、現地の取引先と直接接触のある、財務部門や法務部門、宣伝部門、製造部門といった主要な部門の責任者を通じて介入してきたのです。もちろん、現地の取引先と本社との関係というのは大切です。しかし、現地の子会社としては、自分たちの自主性も大切にしてもらわなければなりません。そのバランスをどうとるか？　これは本社にとっても現地の我々にとっても難しいことでした。というのも、もし現地に自主性がなければ、責任の所在がはっきりしなくなって、管理などできなくなってしまいます。現地の人々は、『本社がこうしろと言ったので、その通りにやりました、結果は良くありませんが、私たちの責任ではありません』と言うでしょう。これでは組織自体が無責任なものとなってしまいます。反対に、現地に自主性を与えすぎると、グループの内部に、本社とはまったく異なった別のミシュランが育ちかねません。本社はもちろん、それを望みませんでした。本社の意向としては、自主性は持ってほしいが、その自主性というのは独立に類したものであってはならない。それが自主性を与える際の条件でした」

米国という市場

さて、北米では、企業を取り巻く環境は、ミシュランがブラジルで直面した状況とは異なっていた。北米で問題となるのは、政府の力ではなくて、市場である。

「ブラジルでは、ライバル企業よりも政府を相手に奮闘しているという感じがありました。私たちは、ライバル企業への対策よりも、はるかに多くの時間を政府のために費やしました。その反対に、北米は市場での競争が極度に激しいところでした。ベンチマーキングが企業の生命を握っていました。また、そこではマーケティングと販売の重要性を考慮しなければなりませんでした。それに加えて、取引先との交渉も簡単なものではありませんでした。メーカーにしろ、販売店にしろ、米国の取引先は、何よりも、品質と価格、納期を重視するからです」

半面、米国という国では商取引に関するルールがきちんと守られているということも言えた。

「米国の巨大メーカーとの関係は厳しいものでしたが、よその国に比べて、特別に厳しいということでもありませんでした。巨大メーカーと巨大サプライヤー（納入業者）として、取引はごく通常のルールに則って行われたのです。交渉の中心になるのは、タイヤの数量、品質――そして、特に問題になったのが価格のことでした。したがって、サプライヤーとしては、一方でコストの問題を考えながら、慎重に価格交渉に臨む必要がありました」

デトロイトとの関係

ところで、ユニロイヤル・グッドリッチを統合した北米ミシュランは、本当にマルチ・ブランド企業に生まれ変わることができたのだろうか？

「単一ブランドの戦略からマルチ・ブランドの戦略へと、わずかの期間で販売戦略を移行することがどれほど大変なものか、どうか想像してください。しかも、それが統合の結果としてもたらされたものであるとするなら……。その点を頭に入れて、私たちは採用する戦略がミシュランのためのものではなく、またユニロイヤル・グッドリッチのためのものでもなく、新会社にとって最良の戦略になるようにと、常に細心の注意を払っていました」

だが、幸いなことに、この統合は自動車業界第一位のＧＭをはじめとして、米国の巨大自動車メーカーに認められていた。ＧＭやフォードは、自分たちのサプライヤーでもあった米国企業が外国企業の手に渡ったとしても、そういったことは気にしなかったのである。

「ユニロイヤル・グッドリッチのおかげで、ミシュランはデトロイトに近づくことができましたが、それは非常に簡単な理由からでした。ユニロイヤル・グッドリッチは、ＧＭの新車組立用品市場でのいちばんのサプライヤーだったのです。二つの会社の間には、長い歴史のもとに築かれた緊密な関係がありました。しかし、それとは別に、ＧＭはミシュランがユニロイヤル・グッドリッチを統合したことで胸をなでおろしていました。なぜならば、メーカーというのは、自分のサプライヤーが悪い状況にあるのを決して喜ばないからです。したがって、ミシュランがユニロイヤル・ブランドを維持し、それを発展させる形で援助するようになったことは、大きな安堵をもって迎えられたのです。もし統合にあたってGMが反対していたなら、これは最初からうまくいかない話だったでしょう。私たちの統合には、基本的な条件として、GMの合意が不可欠だったのです」

もともとミシュランは、製品の質の高さと技術の素晴らしさで、北米においても高い評価を受けていた。したがって、サプライヤーの座を巡って、ライバル企業との競争に苦しむこともなかった。

「自動車メーカーはミシュランに対して敬意を抱いていました。ミシュランが長期的視野に基づいた経営を行い、財力もあり、技術力もある会社だということを知っていたからです。その結果、私たちは信用できるパートナーのひとつにしてもらうことができたのです」

戦略的な思考が人を導く

ミシュランがユニロイヤル・グッドリッチを傘下に収めてからの一〇年間、つまり二〇世紀最後の一〇年間の北米でのミシュランの歴史を見れば、大企業がグローバル化を成し遂げた過程と、北米市場がそこで果たした役割を見ることができる。

九〇年代の一〇年間、米国は外国直接投資（ＦＤＩ）の受け入れ先として、圧倒的な強さを示した。数千億ドルといった資金が、主に欧州、また東アジア、湾岸諸国から、米国に入ってきたのである。すなわち、繁栄している地域の貯蓄の余剰分がそのまま米国の市場に流れ込んできたのだ。米国は、これで容易に大幅な赤字を解消することができ、さらに自国の産業、特に〝旧来の経済《オールドエコノミー》〟と密接につながった産業の再編成を進めることができた。化学、薬品、銀行、セメント、タイヤ、そして最後は自動車業界さえも……。すると、それまで地元の市場に閉じこもっていた欧州の大企業も〝陽のあたる米国〟でひと旗揚げようという望みを抱くようになった。そして、米国という国は——これがこの国のいちばんの長所であるが——そういった企業をおおいに歓迎したのである。

こうして欧州からは大西洋を越えて、さまざまな企業が米国に進出していったが、どの企業もその胸に秘める思いはひとつだった。米国という世界最大の市場で成功しなければ、決して産業界をリードする重要な地位を占めることはできない——ミシュランもまた、そう思う企業のひとつであった。

「フランソワ・ミシュランが米国に進出したのは、戦略的な考えがあってのことでした。『自分は最初の数年は負債を負い、あまり成果はあげられないだろう』などという中途半端な気持ちからではありません。『もしここで米国に進出しなければ、ミシュランは決して強大にはなれないだろう。どんなことをしてでも、北米をミシュランの大きなマーケットのひとつにしなければならない』と、そう考えたのです。アジアに進出した時もそうでした。戦略的な思考が人を導くのです。戦略は、手元にある手段や、自由に動かせる人員に基づいて決定するのではありません。反対です。このことについて、フランソワ・ミシュランはこう言っています。『考えた末に、私はこう確信した。だから、それを実行するために、必要な準備を整えなければならない』と……」

その結果はどうだったたか？　確かに出だしは不調に見えた。米国から始まって九二年には欧州をも巻き込む不況によって、ミシュランは赤字に転落した。九〇年から九三年にかけてのグループの赤字総額は一八億五〇〇〇万ドルにものぼり、会社の存続の可能性を危ぶむ声さえあがったほどである。だが、株主からの圧力によって、フランソワ・ミシュランの経営権が脅かされることはなかった。これは一族の株の保有量が多かったこと、また、巨大グループ企業としては珍しく、ミシュランが株式合資会社という形態をとっていたためである。すなわち、株式合資会社であれば、経営の責任者である共同社主は、会社に損失が生じた場合、自分の資産を売って補塡しなければならない。その代わり、普通よりはずっと大きな権力を与えられているので、短期的な結果を気にせず、長期的な視野に立って、経営を行うことができるのだ。

「私がミシュランに入社した頃は、共同社主として経営のトップに立っていたのは、フランソワ・ミシュランとフランソワ・ロリエでした。ロリエはもう亡くなりましたが、担当は財政のほうで、財務や法務、そして株主との折衝など、戦略の実行に伴う財政上また法律上の問題を解決することが主な仕事でした。それはともかく、ミシュランの場合、どんな時でも大切なのは、長期的な目標、戦略に基づいて経営を行うことでした。そのためには、株式合資会社という形態がいちばんいい……。フランソワ・ミシュランはそう確信していたようです。会社内部でもその考えは共有されていました。というのも、この形態であれば、四半期ごとに毎回結果を出さなければならないという義務の重圧がありません。こうして、ミシュランは株主たちを我慢させておくことができたのです」

株主の我慢は、やがて報われることになる。

「総括的に見ると、九三年から九四年までは、私たちは困難な時期を経験しました。それが九五年から状態が良くなり始め、九六年と九七年には実りある成果がもたらされました。私たちは、景気が後退するという悪条件のなかで会社の統合を果たし、ユニロイヤル・グッドリッチを再建するという苦しい時期を乗り越えたあと、徐々に成功を収めていったのです。市場は回復し、統合はうまくいき始めました。ミシュランとユニロイヤル・グッドリッチというそれぞれ違った文化を持った二つの企業は、その文化に基づくお互いの習慣を検討し、うまく取り入れることによってひとつに融合したのです。その結果はまもなく出始めました。そういった意味からすると、私たちの努力が実を結び始めたのは、やはり九五年からだということになるでしょう。その後の数年間は、もはや心配することはありませんでした。会社の業績は拡大の一途をたどったのです」

経営者としての自己形成の時期

この米国での数年間は、ゴーンにとって収穫の多い時期であったが、同時に経営者としての自己を形成するうえでも最も重要な時期であった。

「私はその数年間で米国流の経営を学ぶことができたと思います。それはブラジルでのやり方とは違っていましたし、もっと言えば、欧州とさえも違っていました。私にとって、〝市場競争〟というものを身近に感じたのは、米国が初めてだったのです。北米での経験はきわめて内容の濃いものでした。市場や競争、さまざまな文化の違い、そういったものを踏まえて、ミシュランとユニロイヤル・グッドリッチという二つの会社をひとつの会社として再編成《リストラクチュアリング》すること……。その再編成は単にコストの削減という問題にとどまらず、新たな販売組織の設立というところにまで及びました。今、思い返してみても、米国では深く心に残るような経験をたくさんしました。取引先のこと、マーケティングのこと、コミュニケーションのこと――米国は、そういったことに関してすべてを実地に学べる学校でした。もしそこを学校と呼ぶのであれば、この学校は〝コストの重要性〟について特に厳しく教えてくれる学校でした。〝アフォーダビリティ〟といって、製品は一般の人々が購入できる手頃《アフォーダブル》な価格で売られなければならないという認識が浸透しているからです」

また、ミシュランが巨大サプライヤーであるということから、米国の伝説的産業である自動車業界を間近に観察できたことも、経営者としての自己形成に役立ったと思われる。この巨大な産業を支える従業員たち、強烈な個性を持った経営者たちに触れるのは、心が躍る経験だったに違いない。

「こうして、私は米国の自動車産業を間近に観察することができました。しかし、それだけではありません。トヨタやホンダ、日産、三菱といった日本の企業、それに欧州や韓国のメーカーなども見ることができたのです。米国に工場を持つ企業だけではありません。北米ミシュランは米国以外で車を生産する企業とも関わりを持っていました。例えば、米国に輸出されるBMWとメルセデスは、それぞれ特別の仕様で北米ミシュランが開発したタイヤをはいていたのです。そういったタイヤはいったんドイツの工場に送られ、そこで装着されると、また米国に戻ってきたのです」

サプライヤーの最高経営責任者（CEO）であるからには、メーカーの工場を訪れることも重要な仕事となる。ゴーンは北米ミシュランのトップとして、車や飛行機で頻繁に米国内を移動した。

「私は日産やホンダ、トヨタやフォードの工場を訪れました。ですから、日産のスマーナ工場には、すでにサプライヤーの立場で行っていたわけです。そうやって各社の工場を訪ねてみると、企業ごとの違いがよくわかりました。特に顕著だったのは、サプライヤーとの関係の仕方の違いでした。メーカーとサプライヤーの関係は、それによってメーカーの業績が左右される、大変重要なものです。また、その関係の仕方によって、サプライヤーに何を要求するかも違ってくる……。実際、私たちはG

M、フォード、クライスラー、それにトヨタ、ホンダ、日産から、同じような要求をされたことがありません。それぞれの企業には、それぞれ固有の性格があったのです。もちろん、米国人には米国人の特徴というものがあり、日本人には日本人の特徴というものがあります。しかし、米国の企業ならまったく同じか？　日本の企業ならまったく同じか？　と言えば、そんなことはありませんでした。ホンダと一緒に仕事をするのとまったく同じように、日産やトヨタと仕事をするということはあり得ません。そこには三つの異なった世界があったのです。三つの異なった技術があり、すべてが三通りになっていたのです。ただし、そのなかでひとつだけ、日本企業に共通した特徴を挙げるとすれば、それは〝サプライヤーの設備に興味を持つ〟ということです。日本企業は、サプライヤーにすべてを任せることはしません。サプライヤーがどうやっているのか、また問題が生じれば、原因は何なのか知りたがるのです。そういったことをはじめとして、サプライヤーとの関係においては、総じて細かい部分にこだわると言えるでしょう。けれども、共通しているのはそれくらいで、各社の文化はまったく異なっていました。この事情は、米国のメーカーにおいても同じです。GMと一緒に仕事をするのとまったく同じように、フォードやクライスラーと仕事をすることはありえません。したがって、〝一方には米国のメーカーがあって、もう一方に日本のメーカーがある〟と言うことはできないのです」

伝説的な人物たちとの出会い――アイアコッカとボブ・ルッツ

この北米時代、ゴーンは米国の自動車業界に君臨した伝説的な人物たちに出会った。

「当時、フォードでは、後に会長になるアレックス・トロットマンが北米事業の責任者をしていました。グループの社長はレッド・ポリンズでした。クライスラーはまだアイアコッカが会長で、ボブ・ルッツが社長を務めていました。GMはと言えば、数年の間に何人も経営者が代わったため、当時はまだ混乱した時期にありました。はじめにボブ・スミス、次に一年間だけ社長を務めたエンジニア出身のボブ・ステンプル、続いてジャック・スミスです」

このなかで、ゴーンの特に印象に残った人物はと言えば、やはりクライスラーのアイアコッカとボブ・ルッツだろう。クライスラーというのは興味深い会社で、創設者のウォルター・P・クライスラーによって一九二〇年代半ばに設立されて以来、波乱に富んだ歴史を生きてきた。三〇年代には、大恐慌にもかかわらず、GMに続く第二位の地位を、ほんの一時期ではあるが、フォードに代わって占めたこともある。だが、第二次世界大戦後は、時折回復の兆しは見せたものの、長期的に衰退する傾向にあった。といっても、六〇年代の初めにはまだビッグ・スリーの一角として、米国市場の一〇パーセントのシェアを占めていた。また、この六〇年代には、フランスでシムカを、英国でルーツを、スペインでバレイロスを買収、欧州への足がかりをつかもうとした。しかし、七〇年代に入ると、この欧州への投資は、ベレジナ川まで撤退したナポレオン軍並みの悲惨な失敗に終わることになる。そして、八〇年代になると、クライスラーの名はこの会社の危機を救った人物の名と切り離せないものとなる。その人物とは、言わずと知れたリー・アイアコッカである。

「私は八九年に米国にやってきました。当時、アイアコッカはまだクライスラーの会長を務めていました。しかし、その二年後、九一年には引退するので、私が見たのはアイアコッカの時代の最後のほうだったということになります。この時は、ボブ・ルッツが社長を務め、フランソワ・カスタングがエンジニアリング担当重役で、トム・ストールカンプが購買担当重役でした。つまり、クライスラーの再建を果たしたチームの全員が現役だったというわけです」

経営者としての在り方を学ぶ

クライスラーの人々との出会いによって、ゴーンはさまざまな意味で経営者としての在り方を学ぶ。

「ある日、私たちはボブ・ルッツを招いて、北米ミシュランの幹部のために講演をしてもらいました。私たちは毎年一度、研究会のようなものを行い、企業の重要人物を招いていたのです。ボブ・ルッツがクライスラーの問題について語ったとき、私はその話しぶりに感銘を受けました。ルッツはあけっぴろげで近づきやすい人でした。例えば、講演ではこんなふうに話していました。『ご存じのように、私たちの会社は危機に陥っていました。その時、口さがない連中はこう言ったものです。クライスラーの経営陣の知能指数は五〇以下だと……。ところが、業績が良くなってからは、その知能指数は一気に一五〇以上にまで跳ねあがりました。経営陣が交代したわけではないのに、です。その理由は、もちろん、私たちの製品が売れるようになったこと、魅力的になったことです。以前は、クライスラーの自動車を買う顧客がいることすら驚きでした。仮に買ったとしても、それはクライスラーの自動車が魅力的だからではなく、値段が安かったからです』。ルッツが経営を語る時に見せた、この肩肘張らず、謙虚で、人間味にあふれ、地に足が着いた態度に、私は強く心を打たれました。人に何かを話す時には、嘘を並べてみたところで何にもならない。物事をありのままに話すこと、とりわけ、聞き手全員が理解できるようにわかりやすく話すこと、それが大切なのです」

ルッツはデトロイトの伝説的人物で、売れ行きのいい製品、つまり客が買いたくなるような自動車がどんなものかわかるという天賦の才を持つことで知られていた（訳註：だが、クライスラーがダイムラー・ベンツと合併してからは、ダイムラー側の支配権の拡大に反発、会社を辞職する）。そして、二〇〇一年には、七〇歳にしてGMの副会長に就任、北米事業部の責任者として、この世界第一位の自動車メーカーを再活性化し、失われたシェアを回復する任務に就いている。

「ボブ・ルッツとの関連で、もうひとつ強い印象を受けたことがあります。それはクライスラーがデトロイトに建設したばかりの研究センターにサプライヤーを招いた時のことでした。そのレセプションの主な目的はアイアコッカの送別で、ミシュランではフランソワ・ミシュランがアイアコッカと同じテーブルにつき、私はルッツと同じテーブルについていました。この時、ルッツはこう言いました。『送別パーティーは、これで六度目のはずだ……』。私たちは笑って、その場の雰囲気はなごやかになりました。しかし、アイアコッカがスピーチをしている間、少々飲みすぎたルッツは居眠りを始めてしまいました。それを見て、私は思いました。アイアコッカは引退するのが遅すぎたのだと……。そうして見ると、会場は何やら全体が重苦しい雰囲気に包まれているのがわかりました。アイアコッカはもう二年早く引退すべきでした。引退すべき時を見誤るということは、任務を果たせなかったのと同じくらい痛ましいことです。いや、確かに任務を与えられた人間が失敗するのを見るのは悲しいことですが、会社のために重要な役割を果たした人物が引退の機を逸してしまったのを見るのはもっと悲しいことです。そこで、また私は思いました。引退を考える時には、その時期をよく選ばなければならない。頂点に上りつめたところで引退するのだと……。状況が自分でコントロールできなくなってしまってからでは遅すぎます。まわりの人たちから、『もう過去の人だ《ア・ハズ・ビーン》』と思われてからでは遅すぎるのです。それがまさにこの時、私がアイアコッカに対して抱いた印象でした」

自動車業界を揺るがした大事件

さて、ゴーンが米国にいた時に、世界の自動車産業史上、あまり類を見ない、非常に興味深い事件が起こった。ロペス事件である。

九二年、ＧＭの新たな国際事業部長として、スペインからひとりの男がやってきた。男の名前はイグナシオ・ロペス・デ・アリオルトゥア。九〇年代の初めに、自動車業界の〝異端審問官〟となった男である。ロペスが糾弾したのは、サプライヤーの生産システムの〝非効率性〟と、そこから発生する〝無駄なコスト〟であった。それを改善するために、ロペスはサプライヤーとの関係を根本から変革することにしたのであるが、この時に異端審問の聖書《バイブル》となったのがＰＩＣＯＳ（Purchased Input Concept Optimization with Suppliers＝対サプライヤー仕入最適化構想）と呼ばれるシステムである。このＰＩＣＯＳの教えでは、少なくとも理論的には、サプライヤーの生産工程が改革されて、部品の生産性や品質が高まり、価格が抑えられることになっていた。だが、現実に起こったことは、〝ＧＭの法外な要求に従って、サプライヤーが製品を非常に低い価格で提供する〟ということだけであった。

この結果、ロペスはまもなく〝異端審問官〟ならぬ〝利潤追求の法皇〟とあだ名されるようになる。

「ロペスは変革者だったのか、それとも夢想家だったのか……。いずれにしろ、自動車業界はロペスのやり方に震撼しました。ただ、私が言えるのは、そのやり方はGMそのものの方針ではなく、ロペスが独断で行ったものだろうということです。実際、ロペスと親しいスペイン人の取り巻き連中を別にすれば、GMのなかにロペスを支持する人はひとりもいませんでした。例えば私たちは、GMの工場を訪れると、いつも工場の人たちと最後に一杯やりながら食事をするのですが、ある時、GMの人たちはこんな打ち明け話をしてくれたのです。『まったく、ロペスのやることときたら……。あれは発作を起こしているとしか言いようがないね。最近、また突飛なことを考え出したんだが、そのばかばかしさといったら……。PICOSだって！　あんなものは嘘っぱちだね』。私たちは、これを他ならぬGMの人たちから聞いたのです。もろちん、私にはロペスの試みがうまくいかないことはわかっていました。でも、そんなことはめったなことでは口にしません。サプライヤーというものは、いわば学校の生徒のようなものです。自分たちの教師について意見がないわけではありませんが、表立っては言わないものなのです。今から考えると、GMの内部にはロペスと仲間のスペイン人たちに対する強い反感があったと思います。結局のところ、ロペスはスペインからはるばるショーを演じにやってきただけで、何の成果もあげられずにGMを去っていったわけです。現場で行われたことは、あの男が目指したと言われるものからは程遠い〝妥協の産物〟に過ぎませんでした。しかし、それでもGMとの関係で終始主導権を握っていたのはロペスのほうでした。GMではなく……。というのも、会社を辞めた時でさえ、ロペスはGMを動揺させたからです。とんでもない裏切り行為を働いて……」

その裏切り行為とは、GMの極秘資料をそっくり持ち出して、ほかの自動車メーカーに移籍したことである。ロペスの夢は、〝フラクタル・コンセプト〟または〝X工場〟と名づけられた、革命的な自動車工場を作ることだった。だが、この夢に対するGMの熱意のなさに失望し、九二年、荷物をまとめてフォルクスワーゲンに移っていった。その荷物のなかに、GMの極秘資料をすべりこませて……。結局、GMがロペスを民事裁判所に告訴したことによって、これは企業機密漏洩事件として、大きな反響を呼んだ。裁判の結果、ロペスは容疑を否定したものの、フォルクスワーゲンを辞職、フォルクスワーゲンにもペナルティが科せられた。こうして、ロペスはスペインでひっそりと暮らすことになるが、二〇〇〇年には今度は刑事告訴されて、米国の司法の追及を受けている。ちなみに、フォルクスワーゲンはロペスのフラクタル・コンセプトに基づいた中規模工場をブラジルに建設することになるが、それは実際には日本で編み出されたリーン生産方式と同じ内容のものであった。

「外から見るかぎりでは、ロペスがどの程度までGMに影響を及ぼしたのかはわかりません。しかし、このような〝離れ業〟には、サプライヤーとして看過できないものがありました。したがって、交渉の時には十分注意を払ったものです。また、実際、ロペスのやり方のおかげで、GMとはかなり深刻な対立も生じました。サプライヤーの立場からすると、ロペスのやり方からは何ひとつ得るものがありませんでした。ひとつも、です。ただ、GMとサプライヤーの関係が緊張しただけでした。もしロペスのやろうとしたことが、サプライヤーと今までの関係を保っておいて、それでいて要求だけを厳しくしようということなら、そこからは何も生まれません」

この教訓は、ゴーンにとって、決して忘れてはならないものとなった。

ハッピー・ライフ・イン・アメリカ

一方、私生活のほうで言うと、ゴーン夫妻にとって、この米国での数年は幸福な時代であった。

「私は米国の生活が気に入っていました。リオデジャネイロは大きくて素晴らしい街ですが、決して治安が良いとは言えないところです。多少荒っぽくて、強烈な色彩に満ちたエキゾチックな街、熱く燃えるような街です。ところが、そのリオからやってくると、私たちが米国で暮らしたサウスカロライナ州の小さな町、グリーンビルは、聖書地帯《バイブル・ベルト》（訳注：米国南部の信仰に厚い一帯。バプテスト派などキリスト教原理主義の人々が多い）と呼ばれる地域にあるだけに、まったく昼と夜ほどの違いがありました。広い並木道と大きな家、美しい庭、そこには静寂が満ちています。グリーンビルは静かで落ち着いた町なのです」

当時の米国では、『風とともに去りぬ』の古き良き南部が人々の注目を集めているところだった。太陽とよりよい生活を求め、企業は争って南部に移転してきた。もっとも、それには南部のほうが労働組合の力が弱いという理由もあった。

「南部に本拠地を置いた企業はたくさんありましたが、そういったなかでもミシュランは比較的早いほうだったでしょう。北部に比べれば、組合の影響は小さいですし、労働力も豊富にあります。ミシュランとしては、特に工場で働く人々が〝土〟に深く愛着を持っていることを素晴らしいことだと考えていました。つまり、労働者たちは工場で働くと同時に、自分たちで耕す小さな土地も持っているのです。ミシュランはその点を高く評価していました。というのも、それによって安定した労働力が確保できるからです。また、サウスカロライナ州にはチャールストンという輸出港があり、その点でもここに本拠を構える利点がありました」

いや、サウスカロライナ州は、拠点や工場を設立する企業に有利だというばかりではない。そこで暮らす人々にとっても豊かな環境を与えてくれる。夏の間は、チャールストンの近くで海水浴を楽しみ、冬になればアパラチア山脈のいただきに雪がかぶるのを見ることもできる。だが、それだけではない。この〝古き良き南部〟は、入ってきた人々を温かく迎えることでも知られている。もちろん、バイブル・ベルトの一角を占めるだけに宗教的なモラルには厳しい。また、キリスト教の原理主義を奉じる土地柄だけあって、自分たちの宗教の殻に閉じこもっているところもある（なにしろ、現代社会の危険な影響がもたらされないよう、テレビの番組が選別されるくらいなのだ）。しかし、その一方で、社会的には開かれた部分があって、とりわけさまざまなクラブや団体の活動が盛んである。そういったことから、新しく入ってきた人々には溶け込みやすいところなのだ。

「この町に到着すると、もうすぐにみんなにまわりを囲まれてしまいます。まったく、米国人の歓迎ぶりには素晴らしいものがあります。特にグリーンビルのような小さな町では……。また、この町ではさまざまなクラブや団体が組織されていました。教会や学校を中心とした組織、子供会、ブリッジの会、カントリークラブ……。親たちは子供を学校に行かせていればそれで十分だというのではなく、スポーツクラブに参加させることも求められました。そういった社会ですから、交友関係を作るのに、個人的な努力をする必要はありません。町にあるクラブや団体に参加すれば、自然に友人ができるのです。今、思っても、サウスカロライナの人々は、とても友好的で、また社交上手な人たちでした。しかも、親密になりたいと思えば、いくらでも親密になれるのです。私たちもあそこには多くの友人がいて、いまだにその関係を続けています」

そういった素晴らしい生活環境のなかで、ゴーンの一家は次第に家族を増やしていく。

「米国で暮らしていくうちに、少しずつ家族が増えてきました。そして、家族はみんな米国での生活が大好きでした。だから、フランスに戻ることが決まった時、米国からみんなを離れさせるのが大変だったくらいです。最初にグリーンビルにやってきた時は、家族は夫婦とブラジルで生まれた長女だけ。ほかの三人の子供たちは、みな米国で生まれました。もちろん、そのせいもあるでしょうが、子供たちは今でも強烈に米国にいた時のことを覚えています。まだ子供たちが小さい若い家族にとっては、〝アメリカン・ウエイ・オブ・ライフ〟というのがしっくりきたのでしょう。その意味では、私たちは素晴らしく幸福な時代を過ごしたと言えるでしょう」

最初の困難な時期を乗り越えたあとは、仕事のほうも順調だった。北米ミシュランは、世紀の変わり目を越えて続く長い米国の好景気のおかげで、さらに業績を伸ばしていた。

「仕事の面でも、私はとても満足していました。仕事をするのが面白くて面白くてしかたがなかったのです。もちろん、忙しいことは猛烈に忙しかったのですが、家があり、妻や子供と一緒に暮らすことで、またいっそう仕事に打ち込むことができました。ですから、本音を言えば、もうしばらく米国に住んでいたいと思っていました」

だが、情勢がそれとは違う決断をゴーンにさせることになる。

第6章　さらばミシュラン

グループの組織再編

ゴーンが米国に赴任してから六年後の一九九五年、ミシュランの経営責任者である共同社主たちは、グループの再編という大規模な作業に取り組んでいた。

「ちょうど砂粒がひとつ入り込んだために機械が動かなくなるようなもので、ミシュランという大きな機械はほんの小さな問題が起こっても円滑に作動しないことが多くなっていたのです。そして、その原因は地域をユニットにして行う経営の方法にあると考えられました。つまり、そのやり方が『ミシュランを本当の意味でのグローバル企業にしたい』と望む共同社主たちの方針と齟齬をきたしていたのです。そこで共同社主たちは、私も含めた社内の主だった幹部クラスを集め、どうすればミシュランが地域中心の経営法から脱却し、グローバル化を達成できるか、考えるよう要請してきました。どうしたら、全体のなかでシナジー（相乗作用）が生み出せるか。どうしたら規模の大きな現地企業間の運営がばらばらにならずにすむか、そういったことを考えてほしいと」

会社の規模を世界レベルにまで広げたうえで、さまざまな製品ラインや各種の業務、地域ごとの活動を有機的に連結させようとすると、必ず障害にぶつかる。これはミシュランだけの問題ではない。

「その結果、私たちはそれまでの地域別の経営法から、製品ライン別の経営法に切り替えることで、解決の道を探りました。すなわち北米、アジア、欧州といった地域別に事業を行うのではなく、乗用車・小型トラック用タイヤ部門、バス・大型トラック用タイヤ部門、農業機械用タイヤ部門、建設土木機械用タイヤ部門、地図・ガイドブック部門など、製品ラインをひとつの単位にして、その単位ごとに事業を行っていこうというのです。私たちは九五年末から九六年初頭にかけて、この方法を細かく検討し、その結果、ついに製品ライン別に事業を展開する経営方針が発表されました。この経営方針では、〝地理的な地域〟はそれまでの中心的な役割からはずれ、製品ラインをサポートする形で業務を行います。つまり、生産、管理、営業、販売などの部門が製品ラインを中心に戦略や計画を立て、それを地域ごとに実行に移していくわけです」

この製品ラインを中心とする事業部門のなかで、ゴーンはとりわけ重要な製品ラインである乗用車・小型トラック用タイヤの事業部門を任された。

「問題はそこでした。組織が再編されても、私はフランスに戻らず、米国にとどまっていましたが、それは会社側が大目に見てくれていたせいだということもわかっていました。なにしろ、乗用車・小型トラック用タイヤは、グループの総売上の四〇パーセントを占めるのです。その事業部門を米国から指揮するのは、やはり難しいと言えるでしょう。しかし、ミシュランという会社は非常に寛容な会社で、この点は珍しいと思います。私は『すぐに戻ってくるか、それとも職務を変わるか』などとは言われずに、こう言われたのです。『必要なだけ米国に残ればよい。だが、いずれクレルモン・フェランに戻ってもらわねばならないことはわかってくれ』と……」

もちろん、ゴーンにもいずれフランスに戻らなければならないことはわかっていた。そして、何よりもグリーンビルで幸せな生活を送っていた家族には、この転居の話はショックだった。また、それは将来に対する不安もかきたてた。

「大きな決断に至る過程というのは、非常に現実的なことから始まります。この場合は、どこに住むかという問題でした。リタは米国を離れる気はまったくありませんでしたし、離れることになったとしても、クレルモン・フェランで暮らしていく気はなおさらありませんでした。『やっぱり、クレルモン・フェランで暮らさなくてはいけなくなるのかしら』と、妻がよくそう言っていたことを今でも覚えています」

仕事の面でも、クレルモン・フェランの本社に戻ることは、あまり気が進まなかった。

「確かにグループの組織再編は、リスクはあってもやってみる価値のあることだと思っていました。しかし私個人にとっては問題がありました。というのも、北米ミシュランの責任者としての裁量権があったからこそ、私は自分なりのスタイルを通しながら任務を遂行できたのです。それがクレルモン・フェランに戻ってしまえば……。そこではよくある問題にぶつかるに決まっています。法皇のもとでローマの大司教になるより、ずっと村の司祭でいるほうがいいでしょう?」

エドワール・ミシュラン

この九六年、四二歳という大変な若さで、ゴーンはトップの近くまで上りつめていた。だが、問題はゴーン自身がよく承知していた通り、トップそのものには手が届かないということだ。前にも述べたように、ミシュランは同族企業である。そして、世襲制という一族の伝統に従って、フランソワ・ミシュランは自分の後継者、つまり最高責任者に末息子のエドワールを指名していたのだ。エドワールの共同社主への就任、そして米国での修業もその一環である。その修業については、話は三年前に遡る。

「九三年初め、フランソワ・ミシュランから電話がありました。『エドワールをしばらく米国にやって、北米ミシュランで働かせたいのだが……』と。以前から、フランソワ・ミシュランが息子のひとりを後継者にしようとしていることは、社内の誰もが知っていました。別に驚くことではありません。ミシュランでは当然のことです。いずれ息子のひとりが後継者となるための準備を始めることは周知のことだったのです」

また、そういった形でエドワールがやってくるという知らせは、グリーンビルでも歓迎された。

「誰もが口々にこう言っていました。『少なくとも、未来の最高責任者は米国の市場に詳しくなるだろう。そうなれば、将来、決断を下す場面でおおいに役に立つことになる』と……。この決定に異議を唱える者はいませんでした」

結局、ゴーンはフランソワ・ミシュランと話し合った末に、製造と販売という二つの分野のトップをエドワールに経験させることにする。

「エドワールはグリーンビルに来ると、米国にあるすべての工場の管理と、バス・大型トラック用タイヤの販売に関する指揮をとることになりました。というのも、北米ミシュランはいくつかのビジネス・ユニットに分かれていて、エドワールはそのうちのひとつの責任者になったのですが、そのユニットには、生産部門としては米国のすべての工場を統括するセクション、販売部門としてはバス・大型トラック用タイヤの販売セクションが含まれていたからです。これはもちろん、非常に重要な仕事です。というのも、このビジネス・ユニットは、そこだけでかなりの売上を占めていましたから」

ゴーンが若くして抜擢されたことでもわかるように、ミシュランという会社には若い才能を発掘し、重要な地位に就けていくという会社としての度量がある。また、エドワールは、エコール・ポリテクニーク（理工科学校）の陰のライバルと言われるグランド・ゼコールのひとつ、エコール・サントラル・ド・パリ（パリ中央工芸学校）の出身でもある。しかし、それを考えに入れたとしても、エドワール・ミシュランが出世階段を上っていく速度というのは、特別のものであった。

「ええ、エドワールの昇進の速度が、ミシュランの他の若い幹部に比べてもずば抜けて速かったことは確かだと思います。なにしろ、ミシュランは同族企業ですから……。同族企業では、少し特別な論理が働いているのです。トップになるためには、正統性があること、つまりミシュランという名前を持っていること、これがまず重要になります。それから、経営者として実際に仕事を進めていく能力。この二つを併せ持っていることが必要なのです。ですから、一族の人間とそうではない人間は、そもそも比較されることさえありません。そうではない人間は、トップに就くための正統性がないからです」

こういったなかで、フランソワ・ミシュランは息子に〝経営者としての経験〟を積ませようとした。だが、そこでエドワールを米国に派遣したのは、北米事業がグループのなかで最も重要な位置を占めているという理由からだけではない。そこにはゴーンに対する信頼があった。

「確かに、フランソワ・ミシュランが私に信頼を置いていなかったら、米国の、しかも重要な部署に息子を送り込んではこなかったでしょう。それは間違いありません。もっとも、私のことを信頼していなかったら、ブラジルのトップの座にも据えなかったでしょうし、米国での事業の指揮も任せなかったでしょう。ですから、私を信頼して、息子を預けてきたのです。『あの男なら、エドワールが将来経営者になるためにウォーミングアップするのを助けてくれる』。たぶん、そう考えたのだと思います」

しかし、ゴーンとエドワールの関係は、師弟の関係とは違っていた。

「エドワールが後継者になるための準備をしなければならないことを十分理解したうえで、私は一から一〇まで教え込むようなことはしませんでした。そのためにわざわざ〝教育する〟といったことは、いっさいなかったのです。私がしたことは、例えば本人の管轄外の会議にエドワールを参加させることでした。つまり、そういった形で未来の最高責任者の育成に協力していたのです。それが大切であることは、私たちも十分自覚していましたから……。その結果、エドワールが少しでも見聞を広められるように、北米ミシュランで起こったことは、すべて耳に入れるようにしていました。一方、エドワールのほうも、米国にいる間、きちんとルールに従って行動していました。常に自分の担当しているビジネス・ユニットの責任者としての職務を果たし、ほかの部門には口出しをしませんでした。いずれ、その時が来れば、ミシュランの最高責任者になることは、誰もが知っていたにもかかわらず、です。エドワールが米国にいた二年間は、すべてが順調に進みました」

こうして二年の月日が過ぎると、九五年の初め、エドワールはクレルモン・フェランに戻っていった。すでに米国に出発する前に、父のフランソワ・ミシュラン、そしてルネ・ザングラフと並んで共同社主になっている。あとは経営者として本格的に指揮をとるばかりであった。

妻の心配

一方、九六年に組織が再編されると、それに伴う異動で、ゴーンのほうは大西洋の上を行ったり来たりすることになった。リタはそんな状況をひどく心配した。

「そんな生活を続けているうちに、妻が将来についていろいろ質問をするようになってきました。『これからどうするつもり？　もう四二歳でしょう。このままずっとナンバー・ツーのままでいくの？』。妻は状況を非常に正確に分析していました。『あなたはエドワールのお父さんに取り立てられた人間よね。いつまでたっても、それは変わらないわ。ええ、しばらくはそれでいいでしょうよ。でも、お父さんが辞めて、エドワールがトップに就いたら……。それでおしまいよ。ミシュランでの将来はもう考えないほうがいいわ』。そう言うと、妻はそれに続けて、『統合は成功したのだし、米国での業績も伸びた。だから、あなたはこれ以上、がんばって、自分の力を証明してみせる必要はないわ』と指摘しました」

自動車業界では、企業のトップの座を一度も途切れることなく、創業者の一族が継承している例は珍しい。フォード家も、プジョー家も、フィアットのアニエッリ家も、トヨタの豊田家も、最近ではみんな一族以外のいわば〝経営のプロフェッショナル〟に会社の舵取りを任せている。もちろん、二〇〇一年の秋に創業者の曾孫であるウィリアム・クレイ・フォード・ジュニアが会社の経営権を取り戻したフォードの例もあるが、ミシュランのように一族が一度も経営権を手放していない企業はまずないと言ってよい。

「ミシュランの一族の人間でなければ決してナンバー・ワンにはなれません。それがわかっていても、私自身はそんなことは気にかけませんでした。同族企業には、そんなふうな形で〝正統性〟というものが生き残っています。フォードにだってそういうところはあるでしょう。フォードで起こってきたことを見てみればいい……。同族企業に入ったら、そんなことは驚くことではありません。嫌なら入社しなければいいのです……。反対に、それでも入社するなら、それなりの覚悟が必要です。例えば、あなたがプジョーに入ったとしましょう。そこでプジョー家のなかから有能な人間が出てくれば、あるいはその人間が有能だと一族の人々が認めれば、プジョーはその人間が率いていくことになります。決めるのは株主で、株の多くは一族が保有しているのですから……。あなたの経歴はそこでストップです。フォード家も表向きは、一〇年前に経営のバトンを外部に渡したと言っていました。しかし、二〇〇一年には、経営のトップにまた一族の人間が復帰しました。これは機会さえあればそうなると、最初から方程式に組み込まれているのです」

このように、ミシュランでの将来をどう受けとめるかについては、ゴーンとリタの間には微妙な違いがあった。そこで、夫婦は数か月の間、話し合いを続けることになる。そんなある日、一家の運命を変える電話がかかってくる。

一本の電話

思えば、七八年の早朝にかかってきた一本の電話がきっかけで、若きゴーンはタイヤ業界に進路を決めたのである。あれはエコール・デ・ミーヌ（高等鉱業学校）を卒業する間際のことであった。そして、今度の電話がかかってきたのは、九六年四月、ミシュランの組織の再編が始まってから四か月、ようやく新体制が落ち着いてきた頃のことである。

「まあ、ある意味では、グッド・タイミングでおあつらえむきの申し出が飛びこんできたのです。それはヘッドハンターからの電話でした。そのヘッドハンターは、ある国際的な事務所の共同経営者で、本人は主にフランスで仕事をしていました。私と同様、〝X《イクス》〟（エコール・ポリテクニークの卒業生）で、『同窓生年鑑を調べて、あのあとの経歴を知った』と言います。というのも、実は九四年にも私に電話をかけてきて、一度、顔を合わせていたことがあったからです。その時はヘッドハンティングの話ではなく、ただ私と近づきになりたいということだったのですが……」

〝X〟の人々の間では、友達言葉で話すのが決まりになっている。したがって、九四年に最初に電話がかかってきた時にも、会話はくだけた調子で行われた。

「最初の電話の時、ヘッドハンターは、自分も〝X〟だと出身を明かすと、こう言いました。『米国ではすごく実績をあげているみたいじゃないか。一度、一緒に食事をしよう』……。そして、その食事が終わったあと、別れ際にこう言ったのです。『じゃあ、またそのうちに電話させてもらうよ』」

それから二年後、二度目の電話がかかってきた。九六年にかかってきたその電話では、ヘッドハンターは言葉少なに話した。話の内容は秘密を要するもので、今度はまさしくヘッドハンティングの話だった。「自動車業界に興味はあるかい？」ヘッドハンターは尋ねた。これに対して、ゴーンのほうは、「決まっているじゃないか」笑いながら答えた。

「私は話の内容をもっと詳しく知ろうとしました。自動車業界であれば、可能性は限られています。ちょっと話を聞けば、その申し出がどんなものなのか、だいたいの見当がつくはずでした。しかし、ヘッドハンターは答えようとしませんでした。『すべては君に会ってからだ』と、そう言うのです」

フランスでは、大事な取引は食卓で、それもできるだけおいしい食事をとりながら行われる。パリでディナーをともにした時、ゴーンは自分の知りたかった答えを知った。「相手はルノーだ」。

「ヘッドハンターはこう言いました。『ルイ・シュヴァイツァーがナンバー・ツーを探している。いずれ、自分の後継者になれる力のある人間をね。今、何人かの候補者が挙がっているんだが、どうしても君をシュヴァイツァーに会わせたい。面接の段取りをしても構わないだろうか？』と……」

ゴーンはよく考えさせてくれと頼んだ。

「そのあと、私は米国に戻りました。そして、妻に話したらこう言われました。『迷うことなんてないじゃない』……。そこで、私はヘッドハンターに電話をして、了解したと告げました。すると、まもなく面接の段取りが行われました。その結果、シュヴァイツァーとの最初の対面は五月になりました。朝の八時、場所はブーローニュ・ビヤンクールにあるルノーのオフィスです。面接は一時間一五分に及びました。私たちは、二人でルノーについて語りました。シュヴァイツァーは自分が求めているものを話し、私にいろいろと質問をしました。それから『会ってもらいたい人がいる』と言って、フィリップ・グラという人をなかに通しました。グラはルノーのナンバー・ツーで、近く引退することになっていました。私はその人の後釜に座ることになるというのです。そして、一五分後、私たちは、『では、また』と挨拶をして別れました」

二日後、再び電話が鳴る。ヘッドハンターからだった。「先方はとても興味を持っている。本気だ。君は気に入られて、候補者のなかでもナンバー・ワンだ。話をもう少し実際的な段階に進めてもいいかな？」――こうして、交渉はすみやかに進んでいった。

「二度目にシュヴァイツァーと会った時、私たちは条件や移籍のタイミングについて話し合いました。シュヴァイツァーは時期についてこだわりました。私はどちらかと言えば九六年の末と考えていたのですが、『いや、もっと早くに来てほしい』と言うのです。私は七月に最終的な〝イエス〟の返事をし、すぐにミシュランにも知らせました」

ゴーンにとって、これはこのうえなく辛い時だった。一八年間のミシュランでの冒険に終止符を打ち、若い頃からほとんど息子同然に信頼してくれた人に別れを告げるのだ。

「あれは七月の末でした。ミシュランの最高経営委員会（CEG）の会議が開かれた時のことです。私はその折にシュヴァイツァーに連絡することになっていて、最終的な返事を伝えました。シュヴァイツァーは『OK』と言いました。そこで、会議が終わってから、私はフランソワ・ミシュランへ面会を願い出ました。もちろん、会社を辞めて、ルノーに行くことを伝えるためです。フランソワ・ミシュランはびっくりしたような顔をしたものの、落ち着いて、静かに話を聞いてくれました。そうして、話が終わると、『では、エドワールにもこのことを伝えるように』と、ただそれだけ言いました。

そこで、私はすぐにエドワールのところに行きました。しばらく差し向かいでじっくりと話すと、エドワールは心から賛成してくれました。『わかりました。自動車に関係する業界で仕事をしている人間なら、誰でも飛びつきたくなるような話です。でも、あなたの代わりをどうしたらいいのでしょう?』。こうして、エドワールとの会談はなごやかなうちに終わりました。ああ、しかし、その前にフランソワ・ミシュランと話した時には……。その時には、お互いに胸に迫る思いがありました。私がよくよく考えた末に、その決断を下したということは、フランソワ・ミシュランもおそらくわかってくれていただろうと思います。もしそうなら、私の決断を理解し、また認めてくれていたのでしょうか? それはわかりません。しかし、その時、私ははっきりと言ったのです。この先、ミシュランにとっても、そして、たぶん私にとってもそのほうがプラスになると……」

こうして、ゴーンは数々の思い出を胸に、自分を抜擢して貴重な経験をさせてくれたフランソワ・ミシュランのもとを去ることになった。

ミシュランの企業文化

「ミシュランが多国籍企業となったのは、フランソワ・ミシュランの個性によるところが大きい、私はそう思っています。その個性は会社の方針に影響を与え、会社をはっきりと特徴づけました。つまり、フランソワ・ミシュランが重要課題であると考えることが、そのままグループ全体の重要課題となったのです。いえ、私が言っているのは、特に企業文化の問題です。部下に対する配慮、製品やその品質の重要性、長期にわたるヴィジョン、タイヤを買ってくれる顧客、とりわけ取引先である大手メーカーのニーズを満たす義務があると考える誠実で謙虚な態度。ミシュランが持つそういった企業文化、そういったかなりはっきりした特徴は、すべてフランソワ・ミシュランから来ているのです。

もちろん、こういった価値観自体は、先代から受け継いだものだということもあるでしょう。しかし、それを会社の個性として具現化したのは、フランソワ・ミシュランなのです。つまり、こういった特徴をミシュランという会社が〝いわばオプションとして時に応じて採用する〟のではなく、企業の基礎となる骨組みとして定着させた……。文化というのはそういうことです。要するに、ミシュランがミシュランであるためには、顧客のニーズに対するきめ細かな配慮や技術に対するあくなき追求、またその優れた技術を製品に活かそうとする気持ちが必要で、それがなければ〝ミシュラン〟ではないのです。ついでに言えば、技術革新に対するフランソワ・ミシュランの考え方は、哲学的だと言っていいものでした。つまり、『大切なのは〝奇抜〟なことだ。奇抜であるということが、未来を開く鍵になる』というのですから……。しかし、考えてみれば、それは本当です。型を破るというのが、技術革新の源なのです。技術の進歩はいつもそこから始まっています。普通とは違ったおかしなこと、そのおかしなことを拡大して考えてみる。すると、新しい世界が発見できるというわけです。ただ、これはある意味で長期的なヴィジョンを持っていないとできないことです。大切なのは長い目で見ることです。フランソワ・ミシュランはいつもそう考えていました。その点で言えば、私がミシュランに入った当時は、特に日本企業が長期戦略の方針をとっていました。日本企業は外国の市場に参加してから、数年もの間、そこに定着するための費用をかけていたのです。そうやって、きちんと定着したあとに、しっかりと利益を回収し始めた……。それを目のあたりにすると、『こういった日本企業に対抗していくためには、製品力と品質をベースにした長期戦略を立てるしかない』とフランソワ・ミシュランは考えたようです。私がはじめてフランソワ・ミシュランと話をしたのは八一年のことですが、それ以来、何かことがあるたびに、『いちばん手強いライバルはブリヂストンだ』と言って、気にかけていました。フランソワ・ミシュランは、〝本当の競争相手は日本のメーカーだ〟と、最初からそう考えていたのです」

やがて、九六年の九月、ゴーンは最高経営委員会の会議の席上で、ミシュランに対して公式に辞意を表明する。

「私はひと言、話をしただけでした。フランソワ・ミシュランもそうでした。ええ、とてもあっさりしたものでした。それからずっと後になって、私たちは一度、ルノーで顔を合わせたことがあります。フランソワ・ミシュランは、ルイ・シュヴァイツァーを訪ねてきていたのですが、私のオフィスに寄ると、『うまくやっているか？』と訊いてくれました。そのあとも、何回か顔を合わせる機会はありましたが、ゆっくり話をする機会はありませんでした」

こうしてミシュランにおけるゴーンの経歴は終わった。しかし、一八年間にわたって続いてきたものが、すべて急になくなってしまうわけではない。

「ミシュランには多くの働く仲間がいました。また、多くの友人もいました。そういった友人たちとは、ミシュランを離れたあともつき合いを続けています。これは一般的に言って、ということですが、ミシュランで働いている人々は、総じて質が高いように思います。もちろん、最初からセレクトされて入社してきたということもあるでしょう。また、ミシュランの文化に染まったということもあるでしょう。ともかく、ミシュランで働く人々は、謙虚で、傲岸なところがなく、ちょっと保守的なところはありますが、それなりに開放的で、何よりもチームで働くことに熟練しています。また、社内の人間関係ということで言えば、これもやはり一般的に言うと、ミシュランは非常に風通しがよいことに特徴があります。これは何よりもフランソワ・ミシュランが組織に縛られた複雑な人間関係を嫌っていたからです。その結果、ミシュランでは、どんな地位にいるかということより、〝ボス〟にどれだけ自分の意見を伝えられるかということのほうが重要でした。また、最後にもう一度、企業文化について触れると、ミシュランには何よりも、〝謙虚の文化〟が根づいています。そして、その文化のシンボル的存在が、フランソワ・ミシュランその人だったのです」

米国との別れ

ルノーに移籍することになれば、一家はルノーの本社があるパリ近郊のブーローニュ・ビヤンクールに引っ越しをすることになる。そこはリタが「あまり気が進まない」と言っていたクレルモン・フエランではない。しかし、それでも米国を離れることには変わりない。

「米国を去るのはとても辛いことでした。特に妻にとってはそうだったと思います。いろいろなことで、とても大切な時期でしたから……」

また、四人の子供のうち、特に下の三人にとっては、祖国から離れることを意味する。

「子供たちにとって、米国はいちばん大切な国でした。下の三人はそこで生まれて米国の国籍を持っていたし、上の子も合わせると、四人とも学校に通っていました。そこには友達がいます。子供たちにとっても、私たちにとっても、米国は特別な場所、大切な思い出がたくさんある場所だったのです」

それでは、もう米国に戻ることはないのだろうか？

「長い人生を考えれば、『絶対にこうなる』とは絶対に言えないところがあります。しかし、仕事に関して言うなら、『これからまた米国で働く機会があるか』と訊かれれば、『それはないだろう』と答えるでしょう。これからリタイアするまでによっぽど長く働き続けるのであれば、話はまた別ですが、そうでなければもう米国で働くことはないでしょう。普通に考えたら、そうなります。しかし、米国に旅行することは何度もあるでしょう。米国は大切な市場ですし、そこには友人もいます。また、私は米国の自由なところ、企業家精神、そして顧客を大切にするやり方に共感を覚え、親しみを感じています。けれども、ごく普通に考えたら、私は職業人としての経歴をフランスか、日本で終えるのではないでしょうか?」

第7章　ルノー

自動車の魅力

「ルノーに惹かれた理由ですか？　まず、ルノーが自動車メーカーだからです。長年サプライヤーをしてきましたが、その間、自動車メーカーは雲の上の存在でした。といっても、この業界の人々がなぜ、これほど自動車に魅せられるのか、私にはよくわかります。それは自動車が普通の商品ではなく、〝理性〟と〝感情〟の両方に訴える商品だからです。この点は、買うほうにしてもそうでしょう。車を選ぶ時には、もちろん品質、価格、納期といったことを考えます。これは理性に関する部分です。しかし、それと同時に、その車から受けるイメージやデザイン、フィーリングも大切です。これは感情に関する部分です。つまり、頭で考えながら、好き嫌いも大切になる。自動車というのは、そういう商品なのです」

確かに、これだけ物の溢れる時代にありながら、自動車ほど情熱をかき立てる商品も珍しい。モーターショーは世界各地で開かれ、自動車専門の刊行物も山ほどある。また、クラシックカーのオークションや自動車博物館の存在、あるいは小説や映画のなかで自動車がどれほど重要な役割を果たすか、そういったものを見れば、自動車が単なる移動の道具ではないことがわかるだろう。また、作り手のほうからすれば、大量生産にもかかわらず、複雑な要素が残っていて、製造にも販売にも多大のノウハウが要求される。メーカーの人間が自動車に魅せられるのも無理はない。

「自動車の製造はそもそも建築のようなもので、さまざまな専門家の手を必要とします。まずはエンジニアですが、そのなかにも機械、電子、化学、材料など、実に多くの専門家がいます。また、ボディひとつをとってみても、形、色、外装とそれぞれに取り組むチームがいるのです。そうして、ひとたび製品ができあがれば、財務やマーケティング、そして販売部門が重要になってきます」

そうなれば、当然、社会とのつながりも大きくなってくる。現代社会において、今や自動車は生活必需品なのだから……。その結果、自動車産業は、主要産業のなかでもとりわけ〝社会〟に対して開かれた産業になっているのだ。

「実際、社会とのつながりで言えば、自動車メーカーは非常に発達した〝社会とのインターフェース〟を持っています。そういったなかで、たくさんの従業員がさまざまな職場で自分の仕事を果たしている……。この従業員たちの働きが何よりも大切です。そういった人たちをすべて合わせると、大手各社はそれぞれ何万、いや何十万という人々に支えられているのです」

だが、その一方で自動車メーカーの浮沈は激しい。最初に自動車が誕生してから百有余年――すなわち、自動車産業は二〇世紀を通じて発展してきたことになるが、その歴史は〝輝かしい栄光〟と〝無残な挫折〟に満ちている。この一〇〇年の間に、いったいどれだけのブランドが消え去り、あるいは巨大メーカーに吸収されて、そのカタログの片隅に収録されるだけの存在になり果てたことか。

「なすべきことは山ほどありますし、いくらがんばっても、これでよしということにはなりません。

なにしろ、顧客はさまざまな部分を見て判断するのですから……。したがって、私たちは、ブランドイメージにも、外観にも、内装にも気を配り、宣伝にも知恵を絞らなければなりません。もちろん品質のほうも最高のものを目指し、三か月経っても、三年経っても、五年経っても、買った時と同じ品質が保たれるようにする必要があります。また、納期もおろそかにできません。価格設定も難しく、最適な価格帯にぴたりと収める必要があります。これだけ目配りしなければならない項目が多岐にわたり、しかも、その隙をついて、ライバル会社が攻勢をかけてくるのですから、競争力を保つのは容易なことではありません。一瞬でも警戒態勢を緩めたらおしまいなのです」

業界の歴史が〝浮沈の歴史〟であるのは、まさにそのためである。

「この業界では逆転劇や、あっと驚く出来事が次々に起こりますが、それもこういった複雑な要素がありすぎるからでしょう。逆に言えば、この市場で優位に立ちたいなら、あらゆる面で優れていなければならないのです。しかし、それは一時的には可能でも、持続するとなると至難の業です。ですから、経営陣が代わったり、経営方針を変更したりすることには大きなリスクが伴います。もちろん、そのリスクはどうしても冒さなければならないこともあるのですが……。これは難しい問題です。実際、せっかく業界のトップに上りつめたのに、そこで経営陣を代えたり、経営方針を変更したりしたせいで、その二年後には存続の危機を迎えたという企業もあるくらいですから……。しかし、反対から言うと、この業界は複雑だからこそ魅力があるとも言えます。どちらの方向に行ったとしても、挑戦すべきことがいくらでもあるのです……」

ルノーという会社

では、ルノーとはいったいどんな会社であったのか。ここで簡単に歴史を振り返ってみよう。ルノーは一九世紀の末、ルイ・ルノーがパリ郊外のブーローニュ・ビヤンクールで小さな工場から始めた会社である。最初のうちは大きく業績を伸ばしたが、そのあとはまさしく波乱の典型とも言える道をたどる。なかでも大きな出来事は、創業者であるルイ・ルノーが戦時中、占領軍であるドイツ軍に協力した罰として、第二次世界大戦後に国有化されたことである(この時に名前はルノー公団となった)。

しかし、欧州全体が復興に立ちあがるなか、ルノー公団は4CVを生産、それが自動車の大衆化の波に乗って、フランス国内で成功、ルノーはたちまち、国を挙げて産業復興に邁進するフランスの旗印に祭りあげられた。ちなみに、この4CVは国外でも成功を収め、日本ではライセンス製造されてタクシーとして活躍した。公団はその後も、ドーフィンを発表、この車は米国で、短期間とはいえ驚異的な人気を博した。また、世界的にもベストセラーとなった4Lは、それこそ田舎の農夫からパリの学生まで、すべてのフランス人を魅了した。そして、それに続くR5は斬新な広告キャンペーンをひっさげて登場し、小型車の概念を塗り替えてみせた。

しかし、こういった躍進にもかかわらず、株主であるフランス政府は労使関係を優先して収益をないがしろにしたため、やがて業績は下り坂になり、八四年には一二五億フランという巨額の損失を補塡しなくてはならなくなった。一年でこれほどの損失を出した企業はフランスではほかに例がない。その結果、公団を救うために凄腕の経営者が招聘された。まずジョルジュ・ベッス、次いでレイモン・レヴィである。二人は強引に会社を方向転換させた。公団は部分的に民営化されてルノー株式会社となり、立て直しはいったん成功した。しかし、まだ体質は脆弱で、製品は粗悪、生産設備は旧式、労働者は高齢で能力不足、という状態だった。結局、九六年、ルノーは再び赤字に転落する。

チャレンジの魅力

「ルノーに決めたもうひとつの理由は、チャレンジです。困難に立ち向かっている会社があって、自分がそこで何か手伝いができるかもしれない、状況を変えられるかもしれないのですから、やりがいがあります。健全な企業よりも、窮地に陥っている企業に入るほうがチャンスは大きいのです。もしそこで再建に貢献できれば、実力が認められるからです。実績によって認めてもらうことができます」（訳註：しかも、今回は同族会社ではないので、昇進の壁にぶつかることもない）。

「ルノーには、いわば制限枠《いい》がありませんでした。私の将来はここまでという天井はなかったのです。しかも、シュヴァイツァー自身の口から、私がその後を継ぐことになるかもしれないとさえ言われたのです。『君が来てくれて、すべてがうまくいけば、私の後を継いでもらう可能性も十分にある』と……。シュヴァイツァーは九二年に会長になっていますから、その時点で三年あまり経っていたわけですが、私にはその後を狙おうなどという気持ちはまったくありませんでした。私がルノーに移ったのは四二歳のときです。その年齢では『すぐにトップになってみせる』とはあまり考えません。私はむしろ、〝この機会に成長したい〟〝新しいことをたくさん学びたい〟という気持ちのほうがずっと強かったのです。ところが、実際にはトップに上がる可能性まで示されていた……。これは新鮮でした」

チャレンジをするには時期もよかった。というのも、ゴーンが入社したこの九六年は、ボルボとの提携破談など、一連の苦い経験からようやくルノーが抜け出したあとで、心機一転、もう一度世界に目を向けようとしていた時期でもあったからだ。

「ルノーは南米に進出しようとしていました。それもブラジルです。海外展開の第一歩としてメルコスル市場（南米南部共同市場）に目が向けられていたのです。南米なら私には馴染みも人脈もある市場ですから、それもまたこの誘いの魅力となりました」

さらに、ルノーは民営化への道を着々と歩んでおり、いずれフランス政府の完全撤退も予測できた。

「私が入った時、ルノーはすでに民営化され始めていました。国営企業のままだったら行きませんでした。問題外です」

シュヴァイツァーという人間に惹かれる

そして、最後の決め手は、やはり人間だった。ルノーの会長、ルイ・シュヴァイツァーの魅力である。シュヴァイツァーは、エコール・ナシオナル・ダドミニストラシオン（ENA＝国立行政学院、グランド・ゼコールのひとつ）を卒業し、高級官僚から出発したという経歴を持つ。八六年に財務担当重役としてルノーに入社、その後、九二年にレヴィの後を継いで会長になった。官僚時代は時の大蔵大臣で、後に史上最年少の首相となったロラン・ファビウスの側近として知られていた。この典型的な官僚あがりのシュヴァイツァーが、フランス屈指の企業グループのトップに据えられたことには疑問の声もあがり、またお決まりの悪口も囁かれた。だが、ルノーは、強い精神力と繊細なユーモアを兼ね備えたこの〝E・T〟（訳註：スピルバーグの映画からとったシュヴァイツァーのあだ名）を、短期間で受け入れたのである。

「ルイ・シュヴァイツァーは聞いていた通り、まっすぐな性格で、尊敬できる人物でした。そのうえ、この人になら自分の未来を託せると思える相手でした。言ったことは必ず行う人。何でも口にするわけではないが、口にしたことは必ず実行する人です。誰かの下で働く時に、相手を信頼できるかどうかは大きな決め手になります。口先ばかりの相手に自分を預ける気にはなれません」

ルノーの問題点——クロス・ファンクショナル・チームの必要

だが、経営者のひとりとして新規に入社するということは、決して簡単なことではない。受け入れ側から拒否反応が出ることもある。長い伝統と、特徴ある文化を持った企業の場合はなおさらだ。

「ルノーに行くことは大変な危険を冒すことだ、と人には言われました。『外からやってきた重役がいつもうまくいっていたわけではないから』と……。それに、私はまるで〝火星から直接やってきた〟ように受け取られていました。というのも、それまで私が仕事をしてきたのは米国であり、フランスで働いたことがあったとしても、それはパリではなかったからです。また、属していたのはミシュランという私企業です。これに対して、ルノーという会社はパリにどっかりと腰を据えて、そこで中央集権化していましたし、体質的にはまだ政府の庇護のもとを離れたばかり——しかも、経営陣のなかには官僚出身の人々がたくさんいる。つまり、私は白い羊の群れに紛れこんだ黒い羊のようなものだったのです。それに、もともと私はブラジルで生まれ、レバノンとフランスで教育を受けるという多文化の環境のなかで育ちました。こういった経歴は、ルノーでは異質でした。でも、その意味では、私は例外的にうまく受け入れられたと言っていいでしょう。私はルノーの人々に歓迎されました。また、その歓迎は昔ながらのルノーの伝統を守っている人々のところに行くと、いっそう熱烈なものとなりました。それに気づくと、私はこの会社の懐の深さを感じ、またこの会社が持っている潜在的な可能性の大きさを感じました」

こうして九六年の一〇月半ばにルノーに入社すると、ゴーンはまずは会社全体を見てまわった。そして、わずか二か月の間にルノーの問題点を把握する。

「第一の問題点は、社内が煙突を何本も立てたような構造になっていたことでした。そして、煙突の上――つまり各部門の管理職のトップ――には、だいたい〝大御所〟が腰を据えていました。再建のためにはクロス・ファンクショナルな動きが不可欠だという時に、この構造は厄介です。社内をクロス・ファンクショナルにするということは、各部門が長年培ってきた慣行にメスを入れることになります。これは大仕事になりそうでした。しかし、クロス・ファンクショナリティこそ、経営における私の信念でしたし、この点についてはシュヴァイツァーも後押しをしてくれました。大切なのは、部門間の分厚い壁を打ち壊し、風通しを良くし、皆が一緒に問題解決に当たれるようにすること……。それができないなら再建など論外です。私たちはそう考えました」

第二の問題点――落ちていた士気

第二の問題点は社員の士気であった。

「ルノーは少し前に国際的な戦略に失敗していて、その傷跡がまだ社内に残っていました。まずは北米の件、そしてボルボの件です」

当時、国際的な規模を持つ欧州企業は、いずれも北米進出の夢を抱きながら、それを実現できずに四苦八苦していた。一時的な売上増にはつなげられる。しかし、日本企業がやり遂げたようにそこに根を張るとなると、成功したのはフォルクスワーゲンだけだった。そういった状況であったから、七〇年代の末に、北米四位の自動車メーカーＡＭＣ（アメリカン・モーターズ）を買収した時（といっても、ビッグ・スリーにだいぶ水をあけられた四位ではあったが）、当時ルノーを率いていたベルナール・アンノは、これで北米市場への足がかりをつかんだと思っただろう。しかし、名高いジープを除けば、ＡＭＣにはたいしたものは残っていなかった。ルノーは欧州仕様の中型セダンを米国風にアレンジした車種で勝負に出たが、大失敗に終わる。その結果、赤字がどんどん膨らんでいくのを見ると、やむなく北米から撤退する決意をした。アンノはすでに会社を辞め、レイモン・レヴィがＣＥＯをしていた。ＡＭＣはクライスラーに売却されることになったが、クライスラーはこれをただ同然の値で買い取った。そのなかにはルノーが開発に携わった〝チェロキー〟を有するジープ・コーポレーションも含まれていた。その後、チェロキー・シリーズが大当たりすることになるが、それは言っても始まらない。いずれにせよ、ルノーにとっては屈辱的な敗退となったのである。

その数年後、スウェーデンのボルボとの合併話が持ちあがり、ルノーは再び希望とやる気を取り戻す。この合併はうまくいきそうだった。というのも、ボルボの乗用車部門は特徴はあるが、規模が小さすぎる。そこで、「このままでは生き延びられない」と、ボルボのカリスマ的な経営者であったペール・ユーレンハンマーが判断して、ルノーとの交渉を受け入れたからである。この組み合わせは新聞紙上を沸かせた。スカンディナヴィアの堅実な車とラテンのチャーミングな車、欧州の北部と南部、ドイツ車にも引けをとらない大型セダンと小気味のいい小型車、まさに似合いのカップルだったからだ。ところがどちらも手際が悪く、愚図ぐずしている間に、双方の国民感情を煽ってしまい、とりわけフランス政府の腰の重さが足を引っぱって、夢のカップルは破談に終わる。

「ルノーは二つのパンチを食らいました。それもたて続けに、です。そのために社員は自信を失い、後ろ向きになっていました。どうせこの会社は大きなビジネスなどできないのだと悲観的になっていたのです。ですから、私はまず社員たちに自信を取り戻させなければなりませんでした。『二度失敗したからといって、もう成功できないと決まったわけではない』と……」

議論好きと中央集権組織、そして隠された長所

ルノーの幹部と会議を重ねたゴーンは、いささかの戸惑いを禁じえなかった。そこにはミシュランの会議にあった明確さもなく、米国式プラグマティズムのかけらもなかったからだ。

「ルノーではさかんに会議が行われて、人々は熱心に議論します。これはラテン気質の表れでしょう。ただ、その会議はどれも延々と続き、いつまで経っても終わらないのです。しかも、あらゆることが議題にのぼるのに、実際には何も決まらない。つまらない細部にこだわり、優先順位の感覚がなく、また実行しようという意志が見られませんでした。行動や具体化よりも、理論や知識が尊重されるのです。しかし、経営というのは実行こそがすべてです。苛酷な自動車業界に長年身を置きながら、こんな基本的なことにも気づいていない人々を見て、私は驚きました。こういった傾向は、上層部に行

くほど顕著でした。そこではまず実践的な行動よりも、自分の知識や考えを披露することに力が注がれるのです。これでは知識に関する一種のスノビズムではありませんか。どの材質は何度で融解するかといったことを語ってみせたり、それに関心を示したりするといった議論を行うことを得意に感じるところがあり、何をなすべきかについては考えようともしないのです。これは私にはショックでした。なにしろ米国から戻ったばかりでしたし、ミシュランの社風はもっと実践的でしたから……」

そして、もうひとつフランス的だったのは、極端な中央集権組織である。

「ルノーの社員は本来反骨精神の持ち主なのですが、しかし会社自体は中央集権的で、そのすべての動きは〝ボス〟である会長の言いなりでした。会長がひとこと言えば、たとえそれに反対でも、みんなすぐに従います。必要な論議を十分に尽くして納得しようとはせず、それでいて後から文句を言う。これは大変悪いパターンです。部門ごとに断ち切られた組織構造の壁が厚いことも問題でした。社員に訊くと、ほかの部門とも協力しながらやっていると言うのですが、実際にやらせてみると、ほんの日常業務でさえすぐにらみ合いになってしまいます。もうひとつ驚いたのは、何か問題が起きると、とにかくまず言い訳を見つけようとすることです。解決策を考えるのは後回しなのです」

このように全体としては悲観的な状況だったが、それでも雲間の陽光のごとく希望の持てる強みもあった。それは〝集中力がある〟という強みである。

「ルノーは状況によっては、一気にその力を結集できる会社です。これは強みです。根は太っ腹で、つまりフランス人特有のおおようさを備えています。これはガリア人の性格からきたものでしょうか、厚かましいと同時におおらかです。官僚的な集団ですが、大事な時を迎えると熱くなれる人々です。

逆に言えば、いつでも何かに魅了され、情熱をかきたてられていないとだめなのです。ですから、日常業務は苦手です。日常とは違った大冒険――ルノーの社員を動かすのはこれです。ルノーは賭けに出ること、その情熱を行動に変え、攻めに出ることのできる会社です。そして、現にそうしてきた歴史があります。ルノーには、〝攻めに必要な大胆さ〟が、〝創造力〟が、〝革新性〟があります。それこそがルノーの長所であり、ルノーを護ってくれる天使たちだと言えるでしょう」

まずは結果を出すこと

ゴーンは他社から、それも経営方式のまったく異なる会社から来た人間である。また、購買、研究開発、エンジニアリング、製造担当の副社長という重職に就いた、ルノー始まって以来の〝生粋のフランス人ではない〟人間だった。しかも当時、ルノーが置かれた厳しい状況を考えると、自分の立場を固めるのに時間をかけている余裕はなかった。

「ルノーのように個性の強い会社に入るとなると、はっきり拒絶されるか、大歓迎されるかのどちらかです。うまく溶け込もうと思ったら、一刻も早く結果を出す以外に方法はありません。それもまわりの人々にわかりやすい結果が必要です。私は九六年の一二月に正式に副社長に就任すると、会社の方針に従って、すぐさま行動に着手しました」

その行動とは、コストの削減である。当時、ルノーはすでに製品の質を高めることに成功していたが、その一方で深刻なコストの増大に苦しんでいた。実際、九六年の初めにシュヴァイツァーはこう言っている。「私たちの車は高すぎる」……。その結果、ゴーンを採用することになった時、経営陣はすでにコストを削減するという方針で、ひとつの目標を掲げていた。それは製品の工場出荷価格を一台平均三〇〇〇フラン(約四六〇ユーロ、五万円)、下げることである。

「私が入社した時、〝三〇〇〇フラン計画〟はすでに準備されていました。もちろん、その計画は素晴らしいものだと思いましたが、『それよりも、もっと大胆な方策を実行してはどうか』とシュヴァイツァーに提言しました。つまり、技術を高めたり、品質を維持したりするのに必要な投資はしたうえで、より積極的にコストを削減していくべきではないか、と……。そうして、それから三か月後の九七年三月、〝三〇〇〇フラン計画〟を拡張した〝二〇〇億フラン削減計画〟が発表されました。これはすなわち〝ルノーの再建計画〟でもありました。私は責任者としてこの計画をどんどん進めていき、決して責任から逃げることなく、次々と行動を起こしていきました。計画日程も遵守しました。それを見ると、まわりでは『今度来たやつは会社を引っ掻きまわすつもりらしい』と言っていたようです」

シュバイツァーの選択によって、ひやりとさせられた人がいたり、希望をうち砕かれた人がいたであろうことは想像に難くない。だが、表面的に波風が立つことはなかった。

「私が覚えているかぎりでは、人間関係の軋轢はありませんでした。私はいわゆる戦闘的な人間ではありませんから……。人との間に緊張した部分があれば、それをほぐすように努力しました。もろちん、喧嘩ごしで臨んだり、人を非難したりするようなことはしません。こうと決めたことは譲りませんでしたが、対立を強めるようなこともしませんでした。だいたい、いきなり外からやってきて重職に就いた者が、周囲の好意を当てにするのは、とうてい無理な話です。少しでもミスをすれば、全員にそっぽを向かれることぐらい覚悟しなければなりません。しかし、私の場合、相手に刀を抜く機会は与えずにすんだようです。おそらく、私の就任に賛否両論があったことは確かでしょう。自動車業界を知らず、サプライヤーから、それも米国から来たナンバー・ツーを、誰もが受け入れてくれたわけではないと思います。おまけに、私の場合、どこの国の人間なのか、それすらもよくわからないのですから……。また、私は経営者として場数を踏んできたので、それを不愉快に感じた人も多かっただろうと思います。しかし、スタート時点でまわりが懐疑的だったことは、逆にメリットになりました。『いったい新参者が何をしでかすのか』と、みんなが高みの見物に回り、あえて私を止めようとしなかったのです。やがて、削減計画が形を取り、結果が少しずつ出始めると、懐疑的だった人たちもその意見を引っ込めてしまいました。そして、こう言い始めたのです。『おい、結果が出てきたじゃないか。これなら、今までできなかったことがやれそうだぞ』」

コスト削減計画のチーム作り

〝二〇〇億フラン削減計画〟を実行に移す時、ゴーンはブラジルと北米で成功したやり方をルノーにも持ち込んだ。チームを作り、部門間の壁を崩し、数値目標を掲げ、日程を組み、それを遵守するというやり方である。

「まずチーム作りに関して言うと、〝二〇〇億フラン削減計画〟チームのメンバーを選ぶ時、私はルノーでの経験が豊かな、つまりルノーという会社を深く知っている幹部に声をかけました。例えば、今はもう辞めてしまいましたが、エンジニアリング部門の責任者であったフィリップ・ショヴェルやフィリップ・ヴァント。また、そういった人たちだけではなく、生産部門の管理職をしていたもっと若い人々にも声をかけました。この若い人たちはルノーという会社を愛する一方、そのやり方には批判を辞さない、という部分を持っていました。社内から素晴らしい人々を集めてチームができあがると、このチームは精力的に計画に取りかかりました。それはルノーに巣食う古い習慣を問い直すという大事業です。その結果、当然のことながら、社内には対立が起こりました。しかし、それは社内を分断するといった破局的なものではありませんでした」

「まず始めたのはごく単純なことです。チームができあがると、私たちは毎月全員が集まり、すべての問題を一緒に検討しました。そうやってチーム精神を育てていきながら、削減計画について語り合ったのです。それから、実施の準備を行い、それを実行に移したら、今度はその結果について、ブレーン・ストーミングをしました。また、違う部門の社員同士がうまく協力できないのはわかっていましたから、クロス・ファンクショナル・チーム（ＣＦＴ）も作りました。これは基本的には私の管轄内で作りましたが、課題によっては他部門にも協力を依頼しました。研究、開発、エンジニアリング、製造、購買部門のプロジェクト・マネジャーたちは全員私の指揮下にあり、問題はありませんでした。しかし、他部門から参加したマネジャーたちは初めのうちは遠慮がちでした。なにしろ、それぞれトップに大御所が控えていて、『ＣＦＴなるものが何をするのか？』と、不信の目を向けていたのですから……。こうして、他部門のマネジャーたちが慎重に様子を窺うばかりでなかなか積極的にならないので、私はシュヴァイツァーの力も借りて、さまざまな方面の説得に努めなければなりませんでした。シュヴァイツァーは社内で深刻な対立を引き起こすようなことはしませんでしたが、そのぎりぎりのところまで私の後押しをしてくれました」

そうしたこともあって、やがてシュヴァイツァーは経営陣の再編成を行う。といっても、基本的には既存メンバーの配置転換にとどめたのではあるが……。こうして、ゴーンの指揮のもとに練りあげられた〝二〇〇億フラン削減計画〟が、いよいよグループ全体の目標として実行に移されていく——

そういった体制ができあがったのである。だが、それに至る道のりは簡単なものではなかった。

バンコ！

「入社してまもなく、私は重役会議で、『コストについては二〇〇億フランの削減が可能だと思います』と言いました。ええ、その時のことはよく覚えています。こう言った人がいたのです。『ゼロをひとつ、間違えてやしないか。二〇〇億じゃなくて、二〇億だろう』と……。私が提示した数字は途方もないと思われたようです。当時のルノーの年間販売台数は二一〇万から二二〇万台でしたから、二〇〇億フランということは一台当たり九〇〇〇フランから一万フランのコストダウンに相当したのです。それを私は三年で実現すると言ったわけです。出席者の間からは、こう囁く声も聞こえてきました。『馬鹿げている。それじゃ失敗するぞ。目標はなるべく無難に抑えて、確実に達成するのがこの会社のやり方なのに……』。それに対して、私はこう説明しました。『何かを手に入れようと思ったら、まずは望むことです。目標をあまり低く設定すると、結局はそこまでしか行きません。十分な検討は必要ですが、そのうえでならば高い目標を掲げることで、より良い結果を得られる可能性がありますす』。しかし、その言葉を聞いても、大部分の人々は、『それは事情を知らない人の言うことだ』と考えたようです。『失敗して、痛い思いをするのが関の山だ』と……。重役会だけではありません。二〇〇億フラン、コストを削減するという話については、社内のどのレベルでも疑問視する声が高く、私を支持してくれている人のなかにも、『もっと慎重になったほうがよかったのに』と考えている人が多かったようです」

だが、この話をシュヴァイツァーのところに持っていくと、あっさりと認めてくれた。

「この話を持っていくと、私はまずこう言われました。『君は自分が何をしようとしているのか、わかっているのかね?』。そこで、私が、『わかっています。二〇〇億フランのコストの削減をするのです』と答えると、シュヴァイツァーはこう言いました。『八〇パーセント達成したところで話にはならんぞ。やるからには一〇〇パーセントだ』。そして、私がもちろんそのつもりだと答えると、『よし、わかった《バンコ》!』と言ってくれました」

サプライヤーの反応

〝二〇〇億フラン削減計画〟は、購買はもちろん、工場、研究開発、そして一般管理販売費から情報システム経費まで、あらゆる部門を対象にしていた。

「私たちはすべての経費を徹底的に見直しました。なかでも大きな比重を占めていたのが部品の調達コストで、その削減が急務でした。これは私の担当でした。というのも、シュヴァイツァーは削減項目ごとに責任者を指名していたからです。ということで、九七年の三月に〝二〇〇億フラン削減計画〟が発表されると、その翌月、私はすべてのサプライヤーを集めて会議を開き、ルノーの工場サイドでも経費削減を行う予定だとして、その概要を説明すると、こう言いました。『以上が我々工場サイドで技術開発に関してやろうと予定していることです。皆さんだけに努力をお願いしているのではありません』と……」

ゴーン自身がサプライヤー出身だったため、その発言にはおおいに説得力があった。

「サプライヤーたちはこう言っていました。『あの男は一八年も我々の側で働いてきた男だ。だから、我々サプライヤーとの関係をよくわかったうえで、ああ言っているんだ』と……。一方、私たちのほうは、部品のスペックを単純化し、いくつか異なっていた規格を合わせました。また、この削減計画に協力し、ルノーとともに戦うと言ってくれたサプライヤーにはできるかぎりの支援をしました。つまり、部品の単価を下げても、数量増などによって利益を出せるように手を打ったのです。その結果、十分な協力を得ることができました。混乱はありませんでした。サプライヤーは私たちを信頼してくれて、この計画を受け入れてくれたのです」

ビルボールド工場

しかし、世論のほうはそれほど簡単には受け入れてくれなかった。というのも、この計画には、その一環として、従業員三〇〇〇人以上を抱えるベルギーのビルボールド工場の閉鎖が含まれており、九七年二月二七日にそのことが発表されると、フランスやベルギーだけではなく、ほかの欧州諸国でも大問題になったのである。

「ルノーの生産力を調査して分析したところ、少なくとも工場ひとつ分の余剰があることがわかりました。いいですか、『少なくとも』です。ということは、もっと厳しく洗い出せば、余剰はひとつ分どころではないということです。また、ビルボールド工場については、この調査の途中で出てきた古い報告書にもすでに〝問題あり〟と指摘されていたのです。そこで、私は重役会で、工場の設備や工具を標準化するとともに、もっと工場の稼働率を上げることが必要だと説明しました。つまり、二交代あるいは三交代制の導入によって工場を効率的に使用すべきだと言ったのです。これは工場に対するルノーの概念を根本的に覆す考え方でした。しかし、もちろん、それによって生産活動は合理化され、コストが削減されるわけです。そして、私はこの合理化案に二つの指針を設けました。ひとつは拠点ごとの生産効率を上げて拠点数を減らすこと――つまり工場を減らすこと。もうひとつは、工場ごとのプラットフォームを絞り込むことです。こういったことを具体的に考えていくと、ビルボールド工場の閉鎖は当然の帰結でした。それは強引な策などではなく、きわめて理性的な判断に基づいたものでした。ルノーのコスト競争力を高めるために必要な、ビジネスの理にかなった決断だったのです」

しかし、この〝創造のための破壊〟の論理、すなわち、全体の成長のために傷んだ枝や枯れた枝は切り落とすといった考え方は、フランスではなかなか受け入れられない。しかし、だからといって、必要な時に必要な決断をせずにそのままにしておくと、致命的な結果を招くことになる。長く苦しんだあげく、ついには破綻に至ったムリネックス社（訳註：フランスの大手家電メーカー。競争激化から経営が悪化、リストラ策を進めていたが、大株主が追加出資を拒否したため二〇〇一年九月、破綻に追い込まれた）がそのいい例だ。だが、フランスの社会にはそういった理解が欠けていた。このビルボールド工場の場合も、閉鎖が発表されると、まずはベルギーで、続いてフランスでも抗議の声があがり、それがストライキやデモへと発展した。各紙はこの件を大々的に取り上げ、それを合図に政界からも社会全体からも非難の嵐が巻き起こった。

「ビルボールドについては、発表があまりにも唐突だったので激しい拒否反応が出たのだと言う人もいます。『うまくいっているように思えたのに、いきなり工場閉鎖などとは、まさに青天の霹靂だ』と言うのです。確かに、ルノーは経営が行き詰まっていることをそれまで外部には出してきませんでした。人々はビルボールドの件で初めて〝ルノーには問題がある〟と知ったのです。いや、もちろん、工場閉鎖の件が〝二〇〇億フラン削減計画〟よりも先に発表されたことも問題だったのですが、それには次のような事情がありました。シュヴァイツァーはまずベルギー政府に知らせるべきだと考え、首相にルノーとしての決定を伝えたのです。すると、首相は『冗談ではない！』と激昂し、すぐさまこの件を公表しました。ですから、ルノーには問題があるという説明がきちんとなされないうちに、工場閉鎖が世間の知るところとなってしまったのです。ある企業について悪いニュースが続いたうえでこうした発表があれば、人々も徐々に事情を呑みこんでいますから、それなりに納得します。日産の場合がそうです。ルノーと日産の再建の大きな違いはそこにあります。ルノーの場合、再建計画を打ち出した時、それが世間には驚きだったのです。九五年度は黒字でしたし、九六年度分についてはまだ決算報告前で、大幅な赤字転落は知られていませんでした。この例からもわかるように、事前の地ならしはとても重要です。情報を操作するためではなく、純粋に事実を知らせておくという意味で重要なのです」

ルノーの魂

だが、ビルボールド工場の閉鎖がこれほどの問題になったのは、おそらく発表が唐突だったということだけではあるまい。工場の閉鎖は、ルノーという名が世間に思い起こさせる、いわば〝ルノーの魂〟を直撃したのである。すでに八〇年代半ばから民営化が進み、ほかにも大きな変革を行ってきたにもかかわらず、ルノーの名前にはまだ国営企業としての会社の在り方が、分かちがたく結びついていたのだ。ゴーンはつくづく考えさせられた。

「私はその時、フランスに来て五か月、副社長に就任して三か月でした。ですから、工場の閉鎖が発表されたあとに起こった出来事を通じて、ルノーという会社をあらためて発見する思いでした。私はこう感じたのです。『これは実に興味深い。この会社の本質が少し見えてきそうだ。それにフランスの本質も……。今回の騒ぎを見ていると、ルノーは単なるフランスの一企業ではなく、どうも特別な存在らしい。そんなルノーが工場閉鎖を決めたものだから、多くの人が社会への挑戦か何かのように受け取っているのだ』と……」

国有化されてから何十年もの間、ルノー公団は利益を生むための企業というよりも、むしろ〝新しい社会を築くための実験の場〟だと思われてきた。実際、四七年の激しい労使紛争から六八年のゼネストまでの間、ビヤンクール工場は〝労働者の砦〟としてフランス社会の神話的存在だった。ルノーはまず何よりも労働者のための企業だったのである。その結果、民営化の動きは、大きな悲劇をもたらすことにさえなった。というのも、初めてルノーの大変革に着手し、普通の企業に生まれ変わらせようとした社長のジョルジュ・ベッスが、八六年、左翼のテロリスト集団アクシオン・ディレクトによって殺害されたのだ。また、ルノーは長くフランス共産党の拠点のひとつであり、特にその傘下の労働総同盟（ＣＧＴ）の牙城だった。そうした背景から、自動車の技術革新よりも、有給休暇を三週間、次いで四週間、五週間と獲得するといった社会的な革新をもたらすことがルノーの使命と考えられてきた。ルノーの社風にはこの歴史が深く根を下ろしているのである。

「私が入った時、〝労働者の砦〟はまだ残っていました。もちろん労働組合があるのは当然ですから、『残っていた』というのは『労働組合があった』という意味ではありません。昔そうであったような〝会社が労働組合のためにある〟という考え方が、ほんの少しにせよ、まだ残っていたという意味です。私はルノー・グループのほとんどの工場を見て回りましたが、その際に驚いたことがありました。工場長が労働環境や、安全衛生労働条件委員会の報告書についてはやたらに詳しいのに、実質的な製造単価や一台当たりの生産性といったことになると、まるで把握していなかったのです。要するに工場の効率をいかに高めるかよりも、労働問題をどのようにさばくかに頭が向いていたのです。これも今ではだいぶ変わりましたが……」

結局、ビルボールド工場の閉鎖によって、国営企業として持っていた〝ルノーの魂〟は死んだ。ルノーにとっては、八〇年代にジョルジュ・ベッスとレイモン・レヴィによって始められた大変革が、この〝二〇〇億フラン削減計画〟によってようやく成就されたというわけである。確かにビルボールドの件は物議をかもしたが、むしろそのおかげで削減計画の意味は明確になったと言って良い。政治的な圧力にも屈せず、ルイ・シュヴァイツァーが実行したこのビルボールド工場の閉鎖は、単にひとつの工場を閉鎖したということではなかった。ルノーの体質を変えるというそれ以上の意味を持っていたのである。

新しい体質への転換

「それまでのルノーの工場は、生産性が高くありませんでした。潜在的な能力が低いのではなく、生産性という観点が抜け落ちていたからです。たぶん、労働問題への対応と生産性の追求は相反するものだという思い込みがどこかにあったからでしょう。しかし、この二つは実際には十分に両立させられます。現にあのコスト削減の後、ルノーの工場は立派に機能しています。私たちは日産のサンダーランド工場を目標に掲げました。サンダーランドは当時——そして今でもそうですが、欧州で最も生産性の高い工場です。欧州の自動車工場をいろいろ比べてみて、サンダーランドが飛び抜けていることに気づいた私たちは、ルノーもこれに近づけようと各工場と一緒になって努力しました。その結果、生産性を大幅に高めることができたのです。これは大きな喜びでした。一部の工場だけではありません。どこも明らかに改善されたのです。それもストライキや労使間の軋轢などなく達成されたのです。目的がはっきりしていて、そこに向かって何をどうすればいいのかがわかれば——そして、会社側が給与カットといった挑発的な方法に訴えなければ、社員たちは決してノーとは言いません。ビルボールドでも、その後、騒ぎは収まり、工場は無事閉鎖されました。私たちは解雇された人々への対応や配慮を怠りませんでした」

ビルボールドについては手厚い補償がなされ、結局言われていたほどの大混乱にはならなかった。

無論数字を見ただけではどんな傷跡が残されたのか、失業した人々がどういう苦労をしたのかはわからないが、参考として挙げるなら、三二〇〇人の解雇者のうち三〇〇〇人以上が二年後までに再就職しているという数字は紹介することができる。

さて、〝二〇〇億フラン削減計画〟によって、ビルボールドの工場が閉鎖されたのを見て、人々はおおいに驚いた。だが、もうひとつ驚いたことがある。それはルノーの立ち直りの早さである。

「九七年は早くも業績回復の年となり、九八年にはそれがより確かなものとなりました。九九年にも数字は伸び続けました。売行きが伸びたこともありますが、コスト削減もおおいに寄与しています。私は信頼を得ることができ、ルノーの一員として認められました。ルノーの再生に貢献したとわかってもらえたのです」

第8章　アジアへ

自動車業界に走った衝撃

「ことの始まりはダイムラー・クライスラーでした」

一九九八年五月七日、ダイムラー・ベンツの社長ユルゲン・シュレンプとクライスラー会長ロバート・イートンがロンドンで国際記者会見を開き、対等合併を発表した。自動車業界に新たな巨人が生まれた瞬間である。双方合わせて従業員四四万人、売上高一五五〇億ドル、三四か国に工場を持ち、メルセデスからジープまで名だたるブランドを世界中で販売し、株式の時価総額が一〇〇〇億ドルにもなろうというダイムラー・クライスラーは、これによって一気にGM、フォードと肩を並べる世界のトップ・スリーに躍り出た。

「ダイムラー・ベンツとクライスラーが合併すると聞いて、『これは大変なことになったぞ』と誰もが感じました。まさに衝撃的なニュースでした。あの二社が一緒になったら、ルノーなどどうなってしまうことかと思われたのです」

といっても、ルノーは順調だった。しかも、以前よりははるかに強くなっていた。だが、この巨人を前にした途端、自分たちはあまりにも小さいと自覚せざるをえなかったのだ。経済アナリストたちはさっそくこの新しい状況のもとに試算を行い、「今後、自動車業界で生き残れるのは、年間生産台数が四〇〇万台以上の総合メーカーだけだろう」と予測した。この数字は、ルノーの生産台数とはかけ離れたものだった。

パートナーを探せ

「そのあと、役員会の席上でルイ・シュヴァイツァーが言ったのです。『他社との統合を真剣に考えなければならない時が来た』と……」

統合――すなわち、提携である。

「まずは第一段階の絞り込みをしました。ルノーはある程度バランスのとれた提携を望んでいましたから、GMとフォードは大きすぎて話になりません。フランス国内の競合相手であるプジョーではいくらなんでもナンセンスなので、取りあげられもしませんでした。『もう一度、ボルボにアプローチしてはどうか』という声もありましたが、これも今さらということで、誰も気乗りがしませんでした。イタリアのフィアット――これもピンときません。ローバーはというと、すでにBMWの支配下に置かれていて、しかも調子がよくありませんでした。結局候補に残ったのは日本企業、それも日産か三菱、そして韓国企業だけだったのです」

そこで、ジョルジュ・ドゥアン率いる国際事業部門が、極東メーカーの詳細分析を行うことになった。

「当初から私はこう主張していました。どういう形態をとろうとも他社との提携には大変な労力がかかる。相手の規模が小さかろうが大きかろうが、苦労は同じだ。だからどうせ提携するなら望みを高くし、大きな企業を狙ったほうがいい。つまり、私の頭にあったのは日産でした」

九八年七月、シュヴァイツァーは重役会で提携先の候補の名前を挙げ、この提携に当たってどんなアプローチをしていったらよいか、重役たちに諮った。

「私は、まず日本語の先生を呼んで勉強を始めましょう、と提案しました。みんなには笑われましたがね。それでも私は、チャレンジする価値があるのは日産だけだと主張しました。韓国メーカーと提携してうまくいくかどうかには、確信が持てなかったのです。北米ミシュラン時代に何社かと仕事をしましたが、あまりいい思い出がありませんでしたから……。自信過剰で、大きなことを口にしながら実行しないという傾向が見られました。私には日本メーカーのほうがずっと信頼できると思えたのです」

といっても、実を言うと、この時点で韓国メーカーは、候補になりたくてもなりえない状態だった。韓国は九七年から九八年のアジア通貨危機のあおりを受けて、対外債務の支払い不能に陥り、IMF（国際通貨基金）や世界銀行の支援を受けるほどの事態に直面していた。海外提携どころではなかったのである。

一方、日本では、業界二位の日産が一位のトヨタに「これ以上引き離されまい」ともがき続けたあげく、ここにきてとうとう息を切らせていた。日本経済の退潮と歩調を合わせるかのように、日産もまた九〇年代に入ると「失われた一〇年」に突入し、九六年を唯一の例外として毎年赤字を計上し続けていた。だが、韓国企業と違って、日産のほうは海外企業との提携を模索していた。日産社長の塙義一は救世主を求め、世界の主だった自動車メーカーを精力的に回っていた。フォードは否定的だった。ダイムラー・クライスラーは本音が見えない。だが、ルノーだけは違った。ルイ・シュヴァイツァーの指揮のもと、ルノーの経営陣は、自分たちの提携相手として、いよいよ日産に的を絞っていたのである。こうして九八年秋から、ルノーは日産との話し合いに入った。トップ会談、および技術者同士によるディスカッションが重ねられ、どちらも良い感触をつかんでいった。とはいえ、日産の第一希望はルノーではなかった。

「九九年一月から二月にかけて、ルノーは日産を巡ってダイムラー・クライスラーと競り合っていました。しかし、ダイムラー・クライスラーがいったん腹を決めれば、その時点で向こうの勝ちだろうということは、我々にもよくわかっていました。あちらはまだ前年に合併したばかりで、新聞各社が、業界の勢力地図を塗り替える画期的な大英断だと褒めそやしていた頃です。それもそのはず、なにしろこの合併によって、数々のブランド、世界を網羅する拠点、そして豊富な資金を手にしていたのですから……。それだけでも勝ち目はないのに、日本人のメルセデスびいきということもあります。つまり、この競争は、どう考えても我々のほうが不利だったのです。もう勝負は決まったようなもの……誰もがそう思っていました。それでも日産との提携にはシナジー（相乗作用）効果や補完性がおおいに期待できましたから、我々は根気よく粘りました。それに、交渉の過程で日産の人々とのコミュニケーションもうまくいっていたので、あきらめずに続ける価値はあると思われました」

結局、あきらめずに交渉を続けたことが実を結ぶ。九九年三月一〇日、ダイムラー・クライスラー会長ユルゲン・シュレンプが、この一か月間で四度目となる来日で日産を訪れ、塙社長および日産の幹部に、「ダイムラー・クライスラーはこの件から手を引く」と直接伝えたのである。

「その知らせを受けたのは、九九年三月初旬にジュネーブで開かれていたモーターショーの時でした。私があちこちのブースを見てまわっていると、同僚が探しに来て、『ダイムラー・クライスラーが降りたぞ』と言ったのです。みぞおちに一撃を食らったような感じでした。なんと、土俵に残っているのは我々だけじゃないか、というわけです。とても無理だと思い込んでいたものがいきなり現実になったのです。しばらく実感がわかなかったほどでした。それはおそらく私だけではなかったでしょう。その後三週間で、ルノーは日産との合意に達することになるわけですが、しかしその三月初めの時点では、心構えなどひとつもできていませんでした。なにしろ、ダイムラー・クライスラーの撤退宣言は、まさに青天の霹靂で、それまではみんな、『自分たちは挑戦者だ。それもほとんど勝ち目のない挑戦者だ』と考えていたのですから……。というわけで、私たちが提携に向けて本当に気持ちの準備をしたのは、三月初旬から月末までのごく短い期間だけです。実は正直なところを言うと、それまではルノーの社内でも、この提携への関心はあまり高くありませんでした。提携のための交渉チームにはかなりの人数が参加していましたが、その当人たちにしても、まさか提携の話が本当になるとは思っていなかったようです。それはやっぱり、競争の相手がダイムラー・クライスラーだったということと。それから、北米やボルボの失敗を思い、『また、がっかりするのは嫌だ』と過度の期待を抱かないようにしていたこともあるでしょう」

一方、これを日産の側から見ると、ダイムラー・クライスラーとの話が比較的順調に進んでいた間も、ルノーとの交渉を中断せず、可能性を残しておいたということが功を奏した。

クロス・カンパニー・チーム

さて、まだルノーと日産が提携交渉の話し合いを進めている間、ゴーンはその中心にはいなかったものの、何度か手助けをしたことがある。

「日産との交渉が進み始めた頃、私はシュヴァイツァーに、『いざという時には協力させてほしい』と、そう言ってありました。おそらく、その言葉を覚えていたものでしょう。九八年一一月に、シュヴァイツァーは私を呼ぶと、こう言いました。『日産の幹部に、〝二〇〇億フラン削減計画〟を説明してくれ』。つまり、交渉にとっては、あの時期がひとつの山場だったということです」

こうして九八年一一月一一日、ゴーンは塙と六人の日産幹部を前に、ルノーで行った再建策について、黒板を駆使しながら三時間以上もしゃべり続けた。のちに塙は、この時の要領を得たプレゼンテーションを見て、「もし提携が成立したら、カルロス・ゴーンを日本に送ってくれるようシュヴァイツァーに頼もうと思った」と語っている。

その一方で、九八年の九月から一二月にかけて行われていたルノー・日産の提携交渉チームの話し合いには、双方合わせて一二〇名が参加、技術から戦略まで多岐にわたる分野でさまざまな意見が交換された。といっても、この話し合いでは出資額や経営権の問題は持ち出されず、双方はただ自動車にかける情熱を共通の言語として語り合っただけである。だが、その結果、市場についても技術についても、またノウハウなどについても、双方が補完し合う関係にあることが明らかにされた。ここまでくればあとは提携の形態を決めるだけである。少なくとも、ルノーの側はそう思った。

「交渉に当たっていたルノーのメンバーは、ジョイント・ベンチャー、つまり合弁会社の設立に話を持っていこうとしていました。けれども、日産側はそういった話には乗り気ではありませんでした。そこで、私はこの問題に口を挟み、『法的な枠組みなどは脇に置いて、まずはもっと動きやすい形から始めてはどうか』と提案しました。つまり、両社を横断するチーム、クロス・カンパニー・チーム（CCT）を作るという方法です。結局、私が九八年一二月に再び東京へ飛び、このCCTの趣旨とやり方を日産側に説明することになりました。私が直接、交渉に関わったのはこの二回だけです」

ダイムラー・クライスラーが手を引いたことで、日産の選択肢は一気に単純化されてしまった。ルノーか破産か、もうそれしかないのだ。しかし、ルイ・シュヴァイツァーは賢明にも、相手の足元を見て提携条件をルノーに有利なものに変えようなどとはしなかった。ルノー側の提示条件は以前と変わらず、約五〇億ドルを出資して日産株の三六・八パーセントを取得し、双方のアイデンティティとブランドを尊重するアライアンス（提携関係）を結ぶというものだった。

妻の理解

「ダイムラー・クライスラーが降りた直後に、私はシュヴァイツァーに呼ばれ、内密の相談を持ちかけられました。そして、『もうわかっていると思うが、日本に送る人間はひとりしか考えられない。それは君だ』と言われたのです。驚いたかと訊かれれば、答えはノーです。私の職歴を考えれば、むしろ当然のことだと思いました。もし日産との話が決まれば、誰かが日本へ行くことになる——それは、以前から私の頭にもありました。そして、客観的に考えて、もし私がルイ・シュヴァイツァーなら、カルロス・ゴーンを指名するだろうと思っていたのです。この任務の場合、海外で暮らしたことがあり、事業再建の経験もあって、異文化にも溶け込めると証明済みの人間が適任です。そうした〝条件〟を私はすべて備えていました。とはいえ、実際にはそこまで真剣に考えていたわけではありません。本当に東京へ行くことになりそうだと思ったのは、やはりダイムラー・クライスラーの撤退発表があった日です。ある意味では、最初からはっきりと日産を推したのも、なぜ日産なのかという主張を繰り広げたのも、結局は誰よりも自分がこの挑戦を受けて立つべき立場にいるとわかっていて、またそうなることを望んでいたからかもしれません。こうなったら自分で筋を通すべきだと思いました」

一方、シュヴァイツァーは後に、「もし、カルロス・ゴーンが断れば、この提携はやめるつもりだった」と述べている。

「シュヴァイツァーはきわめて単刀直入にこう続けました。『この仕事には君しか考えられない。もし君が行ってくれないなら、契約は結ばない』と……。私は、『わかりました。ですが、これは私だけではなく、家族の問題でもあります』と答えました。私には妻と四人の子供がいて、しかもほんの二年前に米国からフランスへ引っ越してきたばかりでした。見知らぬ国に移り住むというのがどういうことか、これは申し上げるまでもありません。仕事の上では、私自身はもちろん行くと決めていました。ルノーには私以上の適任者はいませんでしたから……。決して思い上がりから言っているのではありません。実は、『ルノーに来たのは、まさにこのためだったのではないか』と思えたくらいです。『これまでの経験はすべてこのためなのだ』と……。ですから、私には断ることなど考えられませんでした。しかし、まず妻にわかってもらわなければなりません。ところが話をしてみると、まったく問題ありませんでした。これは単なる転勤話ではないのだと、彼女はわかってくれました。女性にはよく見られることですが、妻も勘が鋭いほうで、あの時、こう言ったのです。『これは稀に見るチャンスだわ。あなたならやり遂げるだろうけど、そうしたらきっと、これまでに考えもしなかったような世界が開かれるに違いないわ』と。妻は落ち着き払っていました。そして『たしかに大変なことだろうけど、これこそあなたが進むべき道だと思う』と言ってくれたのです。実際、私のほうがむしろ戸惑っていたくらいでした。なにしろ家を買って、その改装を終えたばかりだったのです。住み始めてやっと三か月だというのに、さあ今度は日本だということになったわけですから、これはやはり、家族には辛かったと思います」

シュヴァイツァーの勇気——人生最大の決断

ルノーの会長、ルイ・シュヴァイツァーは、おそらく人生最大の決断をしたと思われる。

「日産との提携は、ひとえにルイ・シュヴァイツァーの決断によるものでした。その決心は固く、たとえ幹部のなかに強力な反対意見があったとしても、結果は同じことだったでしょう。この問題に結論を出す時、満場一致かどうかは問題にされませんでした。投票もなく、ひとりずつ意見を求められたわけでもありません。賛成か反対かは議論のなかで表明されたに過ぎません。そして、ある段階に至ってシュヴァイツァーが決断したのです。『日産だ』と……。こうした場合にそれが何を意味するかは、全員がわかっていました。シュヴァイツァーが断固として決めたということは、それが最終的な結論であり、〝リスクは自分が負う〟ということでした。もちろん、そこに至るまでには、何人もの意見に耳を傾けたことだろうと思います。そのなかで、私の意見に信頼を置いてくれたのも確かです。しかし、最終的に決断したのはほかの誰でもありません。シュヴァイツァーなのです」

こうして経営陣の方針が決定すると、次は大株主であるフランス政府の承認が必要だった。政府はまだ株の四四パーセントを保有していたのだ。公企業や一部民営化された企業に対する国の出資金を管理しているのは大蔵省の国庫局だが、その上層部はこの冒険に乗り気だった。当時の国庫局長ジャン・ルミエールは、後に筆者（訳註：リエス）にこう語っている。「私たちは賛成しました。国の栄誉のためにね。フランスの小さな企業が日本第二位の自動車メーカーに出資するなんて、なんとも愉快な話じゃありませんか」。とはいえ、最終的にゴーサインを出したのは首相のリオネル・ジョスパンである。この時、ルイ・シュヴァイツァーがジョスパン首相とじかに話のできる間柄であったこともおおいに助けになった。こうして、政府はこの件を承認し、その後は舞台裏から静かに見守ることになる。これはボルボとの提携交渉失敗の経験から得た貴重な教訓を活かしたのだと言えよう。ボルボの件では、政府が下手に表に出てきたために話が壊れていた。だから、今回はその轍を踏まないようにしたのである。

いったん話が決まると、そのあとは慌ただしかった。九八年一二月二二日、ルノーと日産はレター・オブ・インテント（予備的合意書）を交わし、三か月にわたるデューデリジェンス（相手先の資産や負債を調査し、株式買収の価格などを決めていく作業）に入ったのだ。その間、会計帳簿などの精査と並行して、経理上や組織面の詳細も話し合われた。だが、それをしたからといって、日産の交渉先はルノーに絞られたわけではなく、塙はその後もフォードおよびダイムラー・クライスラーとの接触を続けていた。そして、ダイムラー・クライスラーが最終的に否といった直後の三月半ばに、ルノーと日産の話が正式にまとまったのである。

人々の反応

九九年三月二七日、東京の経団連会館で行われた国際記者会見でルノーと日産の提携が発表されると、その翌日には、驚きから反感までさまざまな反応が各紙を賑わせた。だが、そこに共通していたのは「はたして、この提携はうまくいくのだろうか」とか、「どうせうまくいくはずがない」という懐疑や皮肉な調子で、それがさまざまな度合いで表れたに過ぎない。日本の報道陣も、米国大手紙の記者たちも、ルノーとはいったいどれほどの会社なのか量りかねたのだ。ニューヨークの大手日刊紙などはルノーのことを「あの赤字のフランスメーカー」という言葉で書きたてた。だが、実際には、ルノーが赤字を計上したのは過去一〇年間で九六年だけである。確かにルノーは金持ちではない。ダイムラー・クライスラーなどと比べたらその足元にも及ばない。しかし、負債はなかった。それにもかかわらず、この提携は、日産にとって、「わけもわからない相手に身を委ねるようなものだ」と解釈されたのだ。

一方、ルノーからしても、この提携は決して不安のないものではなかった。

「ルノーにとって、これが賭けであることはわかっていました。『必ず成功する』などとは言えませんでした。しかし、たとえ危険な賭けであろうとも、それがルノーの進むべき道だったのです。たしかにリスクはありましたが、会社にとっても私自身にとっても、重要なのはそのリスクを上回る大きなメリットがあったということです。実は交渉がほぼまとまったあと、ルイ・シュヴァイツァーから、『君はどのくらいの確率で成功すると見ているのかね？』と聞かれたことがあります。私は『フィフティー・フィフティーです』と答えました。もう調印間近の頃です。私が『社長は？』と聞き返すと、数字こそ挙げませんでしたが、こう答えました。『君が成功の確率をそんなに低く見ていると知っていたら、この話は進めなかったよ。フィフティー・フィフティーの確率なら、私は社運を賭けることはできない』。つまり、シュヴァイツァーは私よりも楽観的だったということです」

このルノーの決断に対しては、自動車メーカー各社の反応も一様に懐疑的だった。フランス国内でさえ、いつものように〝ガリアの雄鶏〟（訳註：フランスの象徴）がこの快挙を称えて、威勢よくひと鳴きしたあとは、業界の冷ややかな反応が待っていた。毒舌家で、また日本の自動車業界通としても知られるPSAプジョー・シトロエン・グループの前会長ジャック・カルベはこう言ったものだ。

「私だったらこんな危険な賭けはお断りだね。期待できる効果に比べて、リスクが大きすぎる。資金上のリスクはもちろんのこと、商品ラインも補完し合うより競合する部分のほうが大きいし、何よりも、これだけかけ離れた文化を持つフランス人と日本人を一緒に働かせるなんて、並大抵のことじゃない」――異文化問題こそ最大の難関だと指摘してみせたところはさすがにジャック・カルベである。二つの文化、二つのアイデンティティ、二つの社風、これをどう共存させ、一緒に仕事を進めるか、それこそが実際にもキーポイントとなった。

「ダイムラー・クライスラーは貴重なチャンスを逃したと皆さんは言われましたが、私は必ずしもそうは思いません。違う文化を持ったチームをまとめあげるのは、なまやさしいことではありませんから……」

当時、自動車業界では、ゴーンの名はまだそれほど知られていなかった。だが、ゴーンを知り、その能力を評価する人々でさえ、結果は見るまでもないと思っていた。口達者で有名な前クライスラー社長、ボブ・ルッツなどは九九年に、「日産と提携するなんて、五〇億ドルをコンテナに詰め込んで大海原に捨てるようなものだ」と言い切った。だが、「オートモティブ・ニュース」紙が伝えるところによれば、その二年後に日産が驚異的な復活を成し遂げた時、記者たちがその発言を持ち出すと、ルッツはこう答えたという。「あれはカルロス・ゴーンを考慮に入れるのを忘れていたのだ」

「こんなふうに褒められるのは、この提携がいかに特別なものだったか、わかってもらえた証拠だと思っています。これはやはり、運命の導きで、私が自分の使命に出会ったということでしょう。私をこういった人間に育てた環境、文化、教育、そして、そのなかで私が身につけた感覚や考え方、そういったものがなければ、この仕事は成し遂げられなかったでしょうから……」

第9章　日本で

家族の来日

「日本にはコマツを訪問する目的で一九八四年に一度来ています。二日たらずの滞在でした」

米国のキャタピラー社に次ぐ世界第二位の建設機械メーカーであるコマツは、ミシュランの取引先で、建設・土木機械用大型タイヤの買い手だった。その八四年当時、ゴーンはミシュランの研究開発センターで、大型タイヤ部門の責任者を務めていたことから、コマツを訪問したのである。だが、二日間という短い滞在では、日本がどういう国なのか、はっきりとした考えを持つことはできなかった。

その後、ルノーと日産の提携交渉や、契約締結の際にも訪れてはいたが、いずれも滞在日数が短く、やはりはっきりとした考えを持つには至らなかった。したがって、本当の意味での日本との触れ合いが始まるのは、九九年に家族ぐるみで来日した時からだということになる。これは外国で暮らした経験のある者なら誰でも知っていることだろうが、「祖国から遠く離れた、まったく文化の異なる国で、任務を成功させられるかどうかは、家族でその国に同化できるかにかかっている」と言っても過言ではない。まずは文化の違いが問題なのである。

「妻はこう言いました。『何も準備をしないで、いきなり日本に行くわけにはいかないわ。だって、私はアジアには一度も足を踏み入れたことがないのだから……。一度、家や学校を見に行かなくてはね。でも、あなたが自分の行きたいところは日本だと確信している以上、私の結論は決まっているわ。あなたについていきます』。そこで、私は家族全員に日本に来るように頼んだのです。提携が決まると、私のほうは日本とフランスの間を何度も行ったり来たりしていましたが、妻や子供たちはまだ日本に来たことがありませんでした。そこで、私は来日の予定を調整すると、フランスの学校の休暇に合わせて、五月に家族を連れてきたのです」

子供たちの喜び

春というのは巨大な日本の首都を初めて知るにはなかなかよい季節である。成田空港に着陸する前に飛行機の窓から見える〝コンクリートの林〟だけが東京ではない。世界的な他の大都市に比べればまだ緑地が少ないとはいえ、ここ二〇年の間に東京の緑は増えてきた。園芸が大好きな東京の住人たちは、たとえ植物には不似合いな場所であってもほんの小さな片隅にも鉢植えや盆栽をそっと飾っている。高速道路が上に走る大通りの裏には住宅地が隠れている。そこには個人の家、狭い路地、手入れの行き届いた小さな庭、花で飾られたベランダが隠れている。春の初めに束の間、街を魔法にかける桜が散ってしまうと、もっと長く人を楽しませてくれる色鮮やかなつつじがいたるところに咲き出す。五月の空気は軽く、気候は穏やかで、日没から寝るまでの時間は少し長い。ゴーンの家族がやってきたのは、そんな時節のことであった。

「この時には、ルノーの社員たちがいろいろと面倒をみてくれました。例えば、人事部のフィリップ・ルコントは日本通のセルジュ・エロディと連絡を取ってくれました。日本人であるエロディの元の奥さんが案内してくれました。おかげで、私が仕事をしている間、子供たちはいろいろな所を見てまわることができました。彼女は子供たちを大変かわいがってくれました。印象に残っているのは、その一週間、子供たちが大変満足していたということです。これは驚きでした。日本に来るというのは、子供たちにとっても一種の冒険でしたから……。どんな反応を示すかわからなかったのです」

八〇年代半ばまで、日本ではまだ外国人は好奇の目で見られていた。地下鉄で西洋人を見つけると、子供たちは「ガイジンがいる」と口にした。当時、日本で暮らしていて、その言葉を日常的に耳にしなかった西洋人はほとんどいないだろう。〝ガイジン〟はまだそれほど珍しかったのだ。だが、ゴーンが日本に赴任した九〇年代の末になると、さすがにそういった傾向は少なくなった。その代わり、最近の日本人は、外国人の子供を見ると「カワイイ」という言葉を発せずにはいられない。

「九九年、私の息子は五歳で、娘たちはもう少し上の年でした。日本人は声をそろえて『カワイイ！』と言いました。それで、おそらく子供たちは、日本人の大人たちから、存在を認められたという印象を持ったのでしょう。そのため、しばらくすると、日本語の単語をいくつか覚え始めたのです。ホテルのスタッフはどこでもみな親切でした。週末は田舎の小さなホテルで過ごしましたが、そこでは、子供たちのために特別な料理を用意してくれました。だから、子供たちは日本人のやさしさと礼儀正しさを強く感じたのでしょう。子供はそういうことにとても敏感です。一週間の滞在のあと、四人の子供たちが『ねえ、パパ、日本には今度はいつ来られるの？』と言って帰途に着いたことに、私は大変励まされました。本当にほっとしました」

妻の憂鬱

だが、ゴーンの妻、リタにとっては、状況はそれほど簡単ではなかった。

「子供たちに比べると、妻はあまり楽観的な気分にはなれない様子でした。看板の文字も、人の話も、まったく理解できないのです。家や学校はどうしよう、東京ではどうやって運転したらいいのだろう、と考えていました。要するに、どうやって家庭生活を築いていけばいいのか、それにはどれくらい時間がかかるのか、ということを心配していたのです。とても忙しい私をあまり当てにできないことは妻にもわかっていました。妻は外国生活の経験もあり、順応性も高いほうだと思います。しかし、それでも心配の種は尽きませんでした。実際のところ、私たちはそれまでに見た何軒かの家に満足できませんでしたし、見学した学校にも『ここなら大丈夫だ』と思えるところがなかったのです」

それだけではない。たとえ短期滞在であっても、初めて日本に来た外国人がスーパーマーケットを覗いてみれば、まず例外なくカルチャーショックを受ける。

「もうひとつ、妻が心配していたことは物価の高さです。米国やブラジルでの生活のあとで東京にやって来た人間にとって、トマトが一個売りで売られていることや、メロンが五〇ドルもすることは衝撃です。ブラジルでは同じ値段でトラックの積み荷一台分、買うことができるのですから」

言葉の壁もある。どういうわけか、日本にまだ行ったことのない人々は、日本人が英語を話せると信じている節があるが、日本人は日本語しか話さない。英語を話す人はほとんどいない。たしかに、地下鉄、駅、通りの名前、道路の掲示板など、英語での情報表示を増やそうと努力をしている。しかし、買い物をしようと店に入れば、すべてが漢字、ひらがな、かたかなの交じった複雑な表記法を持つ日本語で書かれている。はたして外国人に、棚の上にある柔軟剤と漂白剤を区別できるだろうか。

「私たちには、『言っていることを理解できない』、そして、『言いたいことを理解してもらえない』という言葉の障壁もありました。つまり、ブラジルでも米国でもフランスでも経験しなかった〝依存〟という新しい状態に置かれたのです。例えば、ある場所に行くのに行き方がわからなかった場合、あるいは運転する時の交通規則がわからなかった場合、それまで私たちはポルトガル語でも英語でもフランス語でも、その国の言葉で尋ねることができました。しかし、私たちは日本語を話せません。そんな状態で日本に来れば、誰だって息苦しいと感じるでしょう。自分たちだけでは何もできず、何をするにも誰かに頼らなければならないのです。話すためには通訳が必要になります。移動するには運転手が必要になります。自分たちでなんとかしようと思っても、だいたい、もともとの文化が違います。習慣も違います。というわけで、たちまち〝依存〟の状態に置かれてしまうわけです。日本で暮らす場合、子供よりも大人のほうが困難を感じるのはそのためです。子供というのは、はじめから依存状態に慣れているものです。優しく微笑みかけてもらって、いろいろと世話をしてもらえば安心します。しかし、大人は〝依存〟の状態に置かれてしまうと、自分が退行したような気になります」

日本の良さを発見

だが、日本に引っ越してきて、そこで暮らし始めるようになると、誰もが日本の良さを発見し、また生きていくのに必要ないくつかの単語も覚えるようになる。東京は今でも非常に安全で清潔な大都市である。公共交通システムの効率のよさは世界でも屈指のものであり、車、自転車、歩行者が驚くほど調和を保って共存している。それに、日本の人々は親切である。例えば、道がわからなくて困っている時、日本の人たちは進んで手助けをしてくれようとする。

「今、私の子供たちは日本での暮らしを心から楽しんでいます。友達もできました。また、治安の良さも素晴らしいことだと実感しているようです。なにしろ、夜に外出できるのですから……。それから妻も、今ではたくさんの知り合いができ、日本の良さを理解したようです。妻は今、ブリッジのクラブを主宰しています。テニスもしています。日本人やフランス人、米国人の友達もいます。ここまで来るにはずいぶん時間がかかりましたが、今ではとても満足しているようです。確かにまだ言葉の問題はありますが、それを除けば大きな問題はありません。私たちは日本の文化を自分の一部だと感じ始めているのです。今まで経験してきたどこの文化とも違う文化ですが、それが自分たちのもののように感じられるのです。例えば、東京を離れて外国に行ったとしたら、おそらく私たちは、そこの国の人々を英語で言うルード（粗暴）な人々だと思うでしょう。通りは汚く、人々は攻撃的だと思うでしょう。これは、私たちの基準が変化したからです。つまり、日本の影響を受けて、私たちの感じ方、考え方は変わりつつあるのです」

仕事を通して見てきた日本の人々

といっても、もちろん、ゴーンはそのキャリアを通じて、何人かの日本人と出会ってきている。とりわけ、北米ミシュランの最高経営責任者を務めていた時代には、比較的多くの日本人ビジネスマンと関わったと言えるだろう。

「確かに北米ミシュランにいた頃は、日本のビジネスマンに会いました。しかし、正直言って、日産に来る前は日本の人たちのことをあまりわかっていなかったかもしれません。まあ、それでも、何がしかの感想といったものは持っていました。ミシュランは日本のメーカーに新車組立用のタイヤを売っていたのです。その時に思ったことは、日本のメーカーをひとまとめにして理解することはできないということでした。トヨタとホンダと日産のやり方にははっきりと区別できる違いがありました。日本のメーカーには共通した特徴がないということではありませんが、実際の仕事のやり方はそれぞれがまったく違っていて、私たちのほうもそれぞれに合わせたやり方をしていたのです」

三社の違い

「ホンダの特徴はまず何よりも技術を大切にする会社であるということだと思います。したがって、ミシュランのタイヤもいち早く採用していました。北米で生産されるホンダの新車は、そのほとんどがミシュランのタイヤをはいていました。これはトヨタとは対照的です。トヨタの場合、ミシュランのタイヤが採用されるまでに一〇年はかかりました。それはともかく、ある時、ホンダが私たちのところに試作車を持ってきたことがありました。それで、どんなタイヤをはかせればよいか、一緒に相談することになったのです。ホンダの技術者とミシュランの技術者の間で議論が行われました。しかし、なかなか結論が出ません。すると、ホンダは日本からある自動車ライターを呼んで、『どのタイヤがいいか、決めてほしい』と頼みました。そのライターはサーキットにやってくると、タイヤそのものは見もしないで、試作車にいろいろな種類のタイヤをはかせ、実際に運転してみたあとに、『このタイヤがいい』と言いました。これで議論は終わりです。深い専門性と鑑定眼に裏打ちされた実用主義……。これがホンダの特徴です。このように、ホンダの人たちは良いものであれば、タイヤのブランドにはこだわりませんでした。しかし、価格については妥協を許しませんでした」

これに対して、トヨタはまるで〝別世界〟という印象を与える。

「トヨタにはとっつきにくい人が多かったように思います。どこか力を見せつけるようなところがありました。自分たちの世界と外の世界がはっきりと二つに分かれている、そんな感じでした」

では、日産はどうだろう？　海外進出ということでは、銀座に本拠を置くこの企業はパイオニア的な役割を果たした。まずはダットサンというブランドのもとに、米国市場に対して、地味ではあるが頑丈な車を売り込んだ。やがて、テネシー州スマーナに工場を建設、欧州では英国北東部サンダーランドの工場で生産を開始した。

「ホンダやトヨタに比べて、日産のイメージはあまりはっきりしませんでした。日産は技術力のある会社でした。私はアメリカでシーマを運転していたのですが、この車からは強烈な印象を受けました。300ZX（フェアレディZ）に試乗したこともあります。素晴らしい車でした。しかし、その一方で、会社としては、頭もなければ尻尾もないような不思議な物体を見るような思いでした。深い考えもなければ、戦略もない。何かこう、いろいろな要素を寄せ集めただけの個性のはっきりしない会社だったわけです。まあ、そういうわけで、当時から私は、〝日本の企業をひとまとめにして論ずる〟というやり方がどうしても理解できませんでした」

だが、共通する特徴はあった。それは技術に対する志向性の強さ、品質に対する要求水準の高さ、そして、製造過程に対する興味の深さである。

「日本人はとても綿密で、細かいところまで詳しく知りたがります。例えば、私たちが製造過程で事故を起こしたと知ると、どの機械で、またどんな状況で事故が起きたのかを矢継ぎ早に尋ねてきます。何が起きたのか、詳しく知ろうとするのです。どのようにゴムを圧延したのか、加熱の時の温度はどのくらいだったのか、そういった質問をしながら、実際に機械のところまで見に行って、何が事故の原因であるのか探ろうとする。米国の購買担当者はそんなことはしません。そもそも、そんなことをしようなどという考えさえ、思い浮かばないでしょう」

典型的な〝日本株式会社〟

さて、九九年の四月、提携の成立後、初めて日産本社の門をくぐった時、ゴーンはまだ完全な〝アウトサイダー〟だった。日本という国も知らなければ、習慣も知らない。人々がどんなふうに考えるのか、どんなことをしてはいけないのか、それも知らない。人とのつながりもなかった。

日産はまさしく東京の企業である。歴史的に見ても、政治との関わりが深く、本社ビルも銀座という、東京のなかでもひときわ東京的な場所にある。近くには東京のシャン・ゼリゼとも言うべき銀座通りが走り、会社をはさんでその反対側にはこれまた有名な築地の魚市場がある。本社ビルは建築様式としては決して目新しいとは言えない二棟の建物からなっているが、経営陣が仕事をする新館の建物には有名な劇場――新橋演舞場が同居しているという、少し変わった環境にある。

「初出社に備えて、私はあらかじめ、会社のなかでその日のうちに訪ねたい部署、会いたい社員のリストを作って、送っておきました。そして、当日、日産に行くと、そのための準備はすっかりできていました。当時、私はまだホテル住まいでしたが、その日の朝は運転手が迎えに来てくれました。しかし、そのほかには誰もいなかったので、いわば、まあ、ひとりで行ったようなものです。オフィスのほうは、現在私が使っている部屋はまだ塙会長が使っていたので、同じ階の広い会議室を簡単に改装した部屋に落ち着きました。持ち物は小さなかばんひとつ……。つまり、私はほとんど何も持たず、日産を再建するためにやってきたのです」

なかに入ると、部屋は殺風景だった。広いスペースの真ん中にぽつんと置かれたデスク。コンピューターが一台。壁ぎわにはレースのカバーで覆われた、クッションのきいた肘掛け椅子が並べてある。あまりセンスが良いとは言えない、だが高価そうな陶磁器の置物。少し色あせたベージュの壁には日本画がかかっている。どこから見ても、典型的な〝日本株式会社〟の重役の部屋だ。

「最初に会ったのは秘書課の誰かだったと思います。徽章のこと電話番号のことなど、事務的なことを教えてもらったのです。それからすぐに、高橋美由紀さんという女性がやってきました。そのあと長い間、私のアシスタントを務めてくれた人です。彼女は聡明できぱきとした飾らない女性で、日産のことをよくわかっていました。オランダで生活した経験があり、本社では北米課で働いていました。幹部のアシスタントをするのはそれがはじめてだということでしたが、私をよく助けてくれました。こうして、私のまわりでは少しずつ仕事をするための態勢が整っていきました。少しずつではありますが、そのスピードは思ったより速く、また自然な形でした」

だが、それでも文化の壁は大きい。その壁を如実に示すエピソードがある。日産の幹部たちは上の階にある自分の部屋へ行くために特別なエレベーターを使用する。そのエレベーターはご丁寧にも玄関ホールの壁のうしろに隠されているのだが、ある日、ゴーンは高橋と一緒にそのエレベーターを利用しようとした。しかし、高橋は扉が閉じる直前にそっと姿を消した。普通の社員はそのエレベーターを使えないのだ。日本の企業における平等主義とはそういったものだ。そのような出来事は、その後も繰り返し起こった。

社員たちの反応

一方、ゴーンは日産の社員たちにどのように迎えられたのだろうか？

「最初の反応は何よりも好奇心でした。社員たちは私に関する新聞記事をたくさん読んで、情報を仕入れていたのです。その意味では、マスコミが作りあげた『コストカッター』という評判が、私よりも先に日本に到着していました。ですが、それも含めて社員たちの反応を要約するとすれば、それはやっぱり好奇心でした。『カルロス・ゴーンとはどんな人だろう？』『私たちに何をもたらしてくれるのだろう？』『どんなことをするのだろう？』『何から始めるのだろう？』……」

レバノンやフランス、そして米国でもそうであったように、ゴーンはこの日本でもまた〝新参者〟であった。しかし、どんなふうに行動すべきかはよくわかっていた。

「私には溶け込もうという強い意志がありました。それまで、さまざまな国で生活し、まったく異なる文化を経験していましたが、どこにいた時にも、常にその国に同化したいと思っていました。どこに行っても、私は単なる〝旅行者〟でいようとは思いませんでした。〝入植者〟でもなければ、〝移民〟でもない。その国の人になろうとしたのです。ですから、今度の場合も、私は日本に同化しようと思いました。そうして、『日本での暮らしは私の人生の一部になるのだ』『日本は私の一部になり、日産も私の一部になるのだ』と、自分に言い聞かせました。つまり、それが〝その国の人になる〟〝同化する〟の意味です。したがって、同化するということは個性を失うということではありません。フランスでも、米国でも、そしてこの日本でも、いずれにしろ、私は普通とは異なった人間なわけです。それは自分でもよくわかっていました。ですから、日本との違いを無理に強調するようなことはしませんが、どんな場合にも、私は私でいようと思っていました。そのうえで、ごく自然な形で日本の社会に溶け込めれば、同化できれば、と思ったのです。もちろん妥協はしません。そのかわり、無理に違いを強調するようなこともしません。そうやって、ともかく自分は異なった人間だとわかったうえで、相手に手を差し出したのです。すると、私がとったその姿勢のおかげで、日本の人たちは心を開いてくれました。つまり、私が想像もつかないところから、わけのわからない計画を携えてやってきた人間ではなく、最終的には話せばわかる人間だと理解してくれたのです。もちろん、プレッシャーを感じたことはあります。緊張が高まったことも、疲れたと思ったこともあります。けれども、どんな状況においても、自制心を失ったり、怒りをあらわにしたりしたことはなかったと思います。まわりの人から見たら、もしかしたら、私の苛立ちは表にあらわれていたかもしれません。しかし、たとえそうでも、ともかく相手に対して心を開いて、積極的にコミュニケーションを図ったことで、仕事はずいぶんやりやすくなったと思います」

日本という社会

これには、極度に対立を嫌う日本の社会の性格も影響しているだろう。といっても、日本の社会が昔からそうだったというわけではない。歴史を見れば、他国との戦争もあれば、内乱もあった。だが、学生運動などが起こった六〇年代の終わりとともに、日本は世界でも稀に見る社会的な平和を享受している。それはおそらく、高度成長による経済的な繁栄のおかげだろう。これによって、日本には大量の中産階級が生み出された。その結果、ストライキはほとんどなく、デモもおとなしい。

また、いわゆる〝日本式コンセンサス〟というのも、少し強調されすぎているきらいがあって、決して本当のこととは言えない。社会においても、企業においても、日本はそんな曖昧な基準だけではなく、もっとはっきりした〝力の論理〟で動いているのだ。そういったなかで、日本自体もまた変わりつつある。例えば、集団のなかでなるべくその規範に従おうとする体制順応主義。この集団主義は、個人主義の徹底した西洋社会ではなかなか受け入れられない考え方であるが、それが第二次世界大戦後の日本の発展の原動力であったことも事実である。ところが、日本経済がかつての勢いを失った今、多くの経済アナリストたちは、この集団主義、順応主義を創造性や企業家精神を妨げるものとみなしている。世界第二位の経済大国が活力を取り戻すためには、その創造性と企業家精神こそが必要なのだ、と言って……。そして、日本自体も、そういった点で新しく生まれ変わろうと努力している。しかし、それでも全体的に見ると、日本はやはり社会の調和を大切にしている。「和を重んじる」という伝統は変わらないのである。

「日本人はとても礼儀正しい人たちで、他の人の気持ちを考えます。相手を不快にさせるようなことは言いません。あまりよく思っていない人の前では黙っています。でも、好意を持っている人には好意を持っていることを伝えます。私が日産に来た時、社員のなかに、『この提携は成功しない』とか『ゴーンは何も結果を出せない』とか考えていた人は大勢いたでしょう。しかし、たとえそう思ったとしても、きわめて洗練された文明的な態度――つまり、日本の人たちが持つ礼儀正しさから、そのことは口に出さないのです。おかげで、私は必要以上にとげとげしくならなくてすみました。『ルノーが日産に何を教えに来たんだ？』とか、『あんたはそれほど偉いっていうのか？』とか、そういった言葉は、覚悟はしていたものの、あまり聞きたくはありませんでした。ところが、いざ日産に来てみると、そんな言葉はひとつも聞かれませんでした。日産の人たちは、むしろ寡黙な人々だったのです。ただし、面と向かって否定的な意見は言わないにしろ、『うまくいくと思っているかどうか』というのはまた別の話です。人々の沈黙を、私はよくて中立の意見、悪ければ否定的な意見を持っているということだと解釈していました。この提携がうまくいくか、私が日産を再建できるかどうかについて、肯定的な意見を持っている人は、最初はほとんどいませんでしたから……。私たちは否定的とまでは言わないにしても、懐疑的な意見に取り囲まれていたわけです。しかし、さっきも言ったように、日本の人たちの礼儀正しい態度のおかげで、特に最初の数か月の間は、皮肉な批評や否定的なコメントを面と向かって言われずにすみました。これはありがたいことでした」

ライバルたちの反応

この提携を日産の主なライバルであるトヨタとホンダはどう見ていたのだろう？　おそらく、内心は興味津々だったということは間違いないが、少なくとも表面的には無関心を装っていた。

「私の感じたところでは、トヨタやホンダはこの提携をそれほど脅威だとは感じていないようでした。自分たちの縄張りに猛獣が入ってきたという感じではなく、『蚊が入ってきた』と思ったくらいでしょうか。入ってきたのが蚊であれば、確かに不愉快ではありますが、別に命の危険が迫っているというわけではありません。刺されても痒みが残るくらいで、それでおしまいですから……。それと同じで、日産がルノーと提携しても、うっとうしいとか、目障りだとか、うるさいとかは感じたでしょうが、深刻な問題だとは捉えていなかったように思います。実際、私が受けた報告でも、ライバル会社のコメントは、『この提携を重大に受けとめてはいない』ということを指し示すものでした。提携が成功して、日産が再生するとは思ってもいなかったのです。だいたい、こうして日産が再生した今でも、ライバル会社のなかには『あれは決算の数字をごまかしているんだ』と言う人がいます。当時と現在の数字を比較すれば、そう思いたくなるのも無理はないのかもしれません。いずれにしろ、当時はまだそんな状態だったわけですから、私たちはほとんど害のない存在——あっても蚊くらいの存在としかみなされていなかったわけです」

助言者たち

さて、（ルノーが日産と提携すると知ると）日本の国内では在日のフランス企業、フランス人ビジネスマンなど、いろいろな形で協力を申し出てくる人があとを絶たなかった。というのも、ルノーが日産に資金援助を行い、再建のために経営陣を送り込んだことによって、日仏間のビジネス関係には根本的な変化が訪れたからである（実際、ルノーの資金援助によって、この年、フランスは米国を抜いて日本に対する最大の投資国となった）。したがって、フランス企業が日本におけるビジネスの基盤を確立するためにも、カルロス・ゴーンとルノーのチームには成功してほしい――そういった願いが強かったのだ。それまで、日本の人々にとって、フランスとは〝モードの国〟〝高級ブランドの国〟〝グルメの国〟に過ぎなかった。そのイメージがようやく変わり始めたのだ。在日のフランス企業やフランス人ビジネスマンが色めきだったのも無理はない。

後に日産のショールームである日産銀座ギャラリーと、日産本社ギャラリーが新装オープンした時、招待された在日フランス商工会議所のメンバーたちを前にゴーンはこう語ったものである。二〇〇一年六月のことである。

「二年前に私たちが日本にやってきた時、ここにいらっしゃる在日フランス商工会議所の皆さんのうち、たくさんの方々が私のところに来て、助言をくださり、また励ましてくださいました。『あなたがこの日産との提携を成功させてくれれば、私たちも鼻が高い。しかし、それが失敗に終われば、あなた同様、私たちも惨めな思いをすることでしょう』と……」

だが、なかにはそれほど役に立たない助言もあった。特に在日経験の長い人たちからの助言だ。

「外部の人とは、こちらからお願いしてというよりは、先方から要請があった時に会いました。内部のことであまりにも忙しかったので、私のほうは外に出かける時間もなかったし、また、出かけようという気にもなれなかったのです。『時間があったら夕食でもどうですか』、あるいは『一緒に一杯飲みましょう』などと声をかけてきた人たちもいました。ええ、日本の人たちです。ただ、それはサプライヤーだったり、経営コンサルタントだったり、仕事がらみの話をしたかったからのようです。一方、フランス人からは、日本でできることとできないことについて、また日本では忍耐が必要だということについて、助言を受けました。私はその助言を聞きはしましたが、それでも自分のやることは変わらないだろうと思っていました。日産の状態はかなり深刻で、私が見出さなければならない解決策は、まず何よりも内部にあったのです。外からの助言でどうにかなるようなものではありませんでした。ですから、私たち、日産を再建しようとするチームは、その内部を変えるための指針をいくつか設けて、それに従おうとしました。もちろん、私が外部から受けた助言は興味深いものでしたが、この危機に対応するには説得力に欠けていたのです。『時間をかけて』『穏便に』『あまり高望みをせずに』……。そういった助言を聞いた瞬間、『進むべき方向はこちらではない』ということが私には直感的にわかったのです。当時の日産が置かれた状況では、計画的に再建の道筋を示すことで、もう一度会社にヴィジョンを与え、仕事に対するやる気と情熱を蘇らせ、仕事に躍動感を与えて勢いをつける――それが大切だったのです。つまり、燃えさかる炎が、まばゆい光が必要だったのです」

第10章　ルノーの人々

日本行きメンバー

「シュヴァイツァーは私にこう言いました。『メンバーは君が選んでくれ。これはとても大切なことだ。連れていくのは、君が信頼できる人々でなければならない。だから、人選は君に任せよう。その代わり、メンバーがスムーズに今の職場を離れて日本に行けるよう、その点は私のほうで手配しよう』」

一九九九年三月末、日産との提携が正式に決まった直後の話である。こうして、ルノーでは、その時から七月初旬にかけての四半期の間に、ゴーンとともに日本に行くメンバーの人選が行われることになった。やがて、最初に日本に行く一七人の管理職が確定した。しかし、その後もメンバーの数は増えていき、最終的には三〇人にまで達した。そして、この三〇人が従業員一四万八〇〇〇人を抱える国際的な大企業の進路を変えるために、日本に行くことになったのである。ことは急を要していた。だが、失敗は許されなかった。

それにしても、なぜ三〇人なのか？　これは決して両社の力関係で決まった数字ではない。日産の経営を分析した結果明らかになった弱点を早急に改善するために必要とはじき出された数字である。また、この提携では日産からもルノーに人員が派遣されることになっていて、それも考慮に入れられた。ちなみに役員のほうは、日産はすでに取締役会を一〇名にまで縮小、そのうちの三名（最高執行責任者および財務担当役員、商品企画担当役員）は、ルノーから迎えることに決まっていた。

「前年から続いていた提携交渉の話し合いを通じて、日産のなかで〝これはうまくいっていない〟と明らかにわかる部門がいくつかありました。そこで、私たちは、ルノーと日産で共同して分析チームを作り、三月から七月にかけて、ルノーから日産に人員を派遣するにはどの部門にどのくらい必要か、そして日産からルノーに人員を派遣するにはどの部門にどのくらい必要かと、細かく検討して最終的な結論を出したのです」

そうしてできあがったリストを見ると、そこにはエンジニアリング（技術・開発）部門と生産部門を除いたほとんどの部門に、日産に派遣される人々の名前が記されてあった。要するに、日産が弱点を持つと診断された部門は、それだけ多岐にわたったということである。だが、これはおそらく、日産だけが持っていた弱点ではない。

日本の企業の弱点

『フォーリン・アフェアーズ』誌（九九年五―六月号）に掲載された共同執筆論文「日本モデルの限界と再生への道筋」のなかで、ハーバード大学のマイケル・ポーターと一橋大学の竹内弘高は、日本経済について次のような診断を下している。「日本の相対的な弱さは、計画、管理、金融、先端物流管理、販売、受注加工、消費者情報、アフタサービスなどの、生産以外の領域で顕著だった」。そうして、日本のほとんどの企業は、それまでオペレーション効率（作業効率）だけで世界を相手に競争していたのだが（もちろん、そのなかには例外の企業もあったが）、そんなことをしているうちに米国や欧州のライバル企業に追いつかれてしまったのだとして、次のように指摘している。「オペレーション効率は、企業が優れたパフォーマンスを実現するための二つある方法のひとつであるにすぎない。もうひとつは、ユニークな製品やサービスによって競争をするための〝戦略〟である」。すなわち、優れたパフォーマンスを残すためには、オペレーション効率と戦略の二つが必要なのであるが、「日本企業は、オペレーション効率面での競争に必要とされる改善を積み重ねていく面では優っているが、より広範で革新的な戦略は持っていない企業が多い」というのである。だが、日本企業全般について、ひとまずそう論じたうえで、ポーターと竹内は先ほども述べた「例外の企業」を挙げ、こう書いている。「ホンダが勝利を収めたのは、カンバン方式や総合品質管理に優れていたからでも、トヨタのやり方を真似たからでもない。その理由は、卓越した戦略がユニークな車を誕生させ、加えてユニークなマーケティング方法をとったからである」

この議論を今回の場合に当てはめてみれば、日産はやはり典型的な日本の企業の弱さを持っていたということになる。したがって、日産が生き残るためには、こういった部分での弱点を補強する必要があったのだが、その意味で言えば、ルノーとの提携はまさにうってつけであったと言える。というのも、ルノーは企業活動の上流から下流までのさまざまな部門――すなわち、市場調査、財務、商品企画、人事、購買、そして、マーケティング、広告宣伝、営業といった部門で、特に優れた力を持っていると評判の企業だったからだ。そのすべてが、日本に派遣された三〇人の〝コマンド部隊〟だった。

選ばれた人々

「私が最初に名前を挙げたのは、パトリック・ペラタでした（日産では副社長、商品企画、デザイン部門担当）。ペラタは技術畑を歩いてきた男で、日産との提携が決まる数か月前にルノーでエンジニアリング部門の大再編が行われた時、私が車両開発の責任者に抜擢したというつながりがありました。どうしてこの男を選んだのかというと、それは実際に仕事を進めていく時、日本側の質問に対して明確な受け答えができる、しっかりした教育を受けたエンジニアが必要だと考えたからです。日産は技術部門では定評のある会社でしたから、私たちのチームにも技術に関して高度な知識を持った人物を何人か入れておく必要がある、そう考えたのです。ペラタは物作りが好きで、年齢もまだ若く、行動も積極的です。これこそ、うってつけの人物だと思いました」

次は財務に関係する人間である。借金で倒産寸前まで追い込まれた企業にとって、（巨額の金を扱うことになるこの部門の立て直しは）絶対に避けて通れない課題である。そこでゴーンが選んだのは、フランス大蔵省の国庫局で切磋琢磨してきた経歴を持つ財務の専門家、ティエリー・ムロンゲであった（日産には常務、次席財務責任者として赴任）。ムロンゲの行動は素早かった。というのも、自動車業界では、投資、購買、原料取引、キャッシュフローの管理、為替担保、販売金融といった具合に、絶えず巨額の金が動いており、企業の存亡は財務管理の良し悪しにかかっている。ところが、歴史的な経緯や構造的な問題もあって、それまで日本の大企業では財務部門はあまり重視されていなかった。そこで、ムロンゲは日本に行くことが決まると、株主総会の承認を得て正式な肩書きが決まる以前に、早々と事実上の監査に取りかかったのだ。

「日本に来た三〇人のなかには、どうしてもはずすことのできない人々がいました。もちろん、全員が重要なのですが、なかでも何人かこのプロジェクトの成功の鍵を握る人物、キーパーソンがいたのです。ペラタとムロンゲはごくごく初期の段階で決まりました。また、フィリップ・クラン、ベルナール・ロン、バーナード・レイ、ドミニク・トルマンも絶対に欠かせない人物でした。日産での役割は、ペラタとムロンゲがそれぞれ取締役として商品企画と財務を担当、クランは私の直接的な補佐役、レイは購買、トルマンは投資家向けの広報、そして、ロンは国際的な人材開発と部長クラスの統括という、企業が成功するためにはきわめて重要な部署を担当することになりました」

ルノーの長所が前面に！

ルノーにおける勤続年数が短かったゴーンにとっては、日本行きのメンバーを選び出すことは、決して容易なものではなかっただろう。しかし、創業から一〇〇年を迎えたばかりのこの企業は、自分から進んで冒険に乗り出していくという気概にあふれていた。

「私が東京で行っていた分析が進み、それに対するルノー本社の反応――つまり、『それならこんな人材はどうだろう』とか、『私が行きたい』とか、そういった反応が出てくるにつれて、日本行きのメンバーは少しずつ固まっていきました。そうして、三月から七月という短い期間に集中的に、また効果的に人選が行われ、最終的なメンバーが決まったのです。この時、ルノーという企業は、完全に自分の持ち味を発揮したと言っていいでしょう。これはルノーの強みでもあり、また長所であると外部から評価を受けていることでもありますが、ルノーには、何か大きな出来事、挑戦すべき出来事があると、会社がひとつにまとまって、ものすごい集中力を発揮するところがあります。ですから、今度の場合も、ルノーの社員は、それこそひとりの例外もなく、この提携を〝日産から贈られたとてつもない好機〟と捉えたのです。私にはルノーの社員のひとりひとりが、『さあ、私たちも腕まくりして、ゴーンとそのチームを助けようじゃないか』という声が聞こえたように思いました。ルノーの幹部たちには、〝自分たちはどんな犠牲を払っても、日本で必要とされる人材を提供しなければならない〟ということがよくわかっていたのです。そして、また、これには会長であるルイ・シュヴァイツァーの意向も影響していました。シュヴァイツァーは、『企業戦略として考えると、ルノーにとっては日産との提携が最優先の事項である』と明言していたからです。そういったことで、ルノーの幹部たちは、ひとつには〝会社のためにはそうしたほうがいい〟という確信から、そして、もうひとつには〝トップの意向に従う〟という服従の気持ちから、メンバーの決定に協力してくれました。ルノーの人々は、日本での私たちの成功に会社の存亡がかかっていることを知っていました。ですから、全員が自分たちのするべきことをしたのです。確かにそれは、ルノーにとっては実際に血を流すような痛みを伴うものでしたが、それだけの価値があることも、また明白でした」

選択の基準

人選は二つの形で行われた。まずはゴーンが直接選ぶ。それから、各部署からの推薦、あるいは自ら名乗り出てきた人のなかから、ゴーンが面接をして選ぶという形である。

「(選択の基準の) ひとつは情熱です。当然のことですが、自分から名乗りをあげてくる人にはこの情熱がありました。この人たちは、このプロジェクトに大きな熱意を持っていて、『自分こそがこのチームにふさわしい』と言うために、あるいは『君こそがこのチームに必要だ』と私に言わせるために、面接を受けに来たのです。この情熱というのは、何よりもこの人々の切り札でした。というのも、この時の私は何よりも情熱のある人、熱意のある人を望んでいたのです……。ですから、面接をしていて、迷いがあると見ると、私はただちに候補からはずしました。日本での仕事が厳しい任務になることと、そのため、メンバーには多大の負担がかかることがわかっていたからです。もうひとつの基準は、開かれた精神の持ち主であるということでした。いかに能力があり、熱意があったとしても、文化的に閉ざされた精神の持ち主であるとわかった場合は、メンバーには入れませんでした。日本に行った時にまるで植民地に来たような行動をとりそうな人――そういったことがちらっとでもある人は、この任務にはふさわしくないからです。ということで、私は有能で、熱意があって、しかも開かれた精神を持った人々が欲しかったのです。つまり、本当の意味での〝対話〟ができる人々が……」

ところで、このメンバーの人選には、大前提となるひとつの基準があった。それは、〝メンバーはルノーの社員のなかから選ばれる〟というものである。したがって、社外的な募集は行わなかったが、それでも人材に不足するということはなかった。それまでの一〇年間に、ルノーは管理職層の若返りと強化に成功していたからである。

「私にとって、日産へ出向く人々が自分たちの会社、つまり、ルノーを熟知しているというのは必須条件でした。両社の間に最初の関係を打ち立てようという時に、ルノーのことをよく知らない人々を送り込んでいたとしたら、それは失敗に終わっていたでしょう。メンバーとして私が最初に選んだ一七人の管理職は、ルノーという会社をよく知っていました。また、そうでなければなりませんでした。ルノーという会社に能力と熱意を認められて、開かれた精神を持っている人々、そして、本当に日本に行きたいと思っている人々、このプロジェクトにはそういった人々が参加するべきだと考えていたのです。社外から誰かを引っ張ってこようとは、一度も考えたことはありませんでした」

ただし、このように企業が外国に派遣する人材を探そうとする時に、必ずと言っていいほど持ちあがるのが家族の問題である。それによって、せっかく条件に適合しながらも、幾人かの候補は涙を呑んで、フランスにとどまることになった。

問題を解決する人々

さて、選ばれた人々は日本という未知の国に旅立つために、それ相応の準備をする必要が出てくる。そこで、ルノーの経営陣は、メンバーのうち、日本語が話せて、日本のことをよく知っている四人を中心に研修会を開くことにした。その四人とは、五年前からルノー連絡事務所を率いてきたナタリ・ジガンデ、その前任者のクロード・コンテ、そして、フィリップ・クランとアラン・レマンである。

時間は限られていた。そのため、メンバーたちは、わずか二日間の研修で、フランスからは遠く離れた、まったく文化の違う——そして、西洋から見ると、そう簡単には入り込むことができないと考えられている神秘の国、日本について学ぶことになったのである。

「チームのメンバーは、お互いにもっと良く知り合うために、パリで二日間、一緒に過ごしました。この時には、日本の滞在歴が長いセルジュ・エロディにも来てもらいました。エロディは、自分が見たままの日本について話してくれました。もちろん、日本ではこうしなければならないといった教訓を語ったわけではありません。ただ、自分の体験を話しただけです。しかし、それが非常に面白く、また十分に有益でもありました。その後、私はいかにも教師然とした人たちと会い、日本に着いたらやらなければならないことをあれこれと教えられたのですが、エロディには、そんなところがまったくありませんでした」

この研修会は、たとえて言うなら、試合の直前にロッカールームで行われる最後のミーティングのようなものであった。

「研修の間、私はずっとこう言い続けていました。『日本では楽しいパーティーが待っているわけではないのだから、しっかりとしたモチベーションを持つ必要がある』。大切なのはモチベーションです。『君たちのなかで、誰ひとりとして、偶然、日本に行く者はいない。君たちが日本に行くのは、君たちが必要とされているからだ。また、日本に行ったら困難が待っているのはわかっているのだから、一〇〇パーセントを超えるモチベーションを持たなければならない』。これが日本に行くことに決まった人々に対する私のメッセージでした。そして、また、私はこうも伝えました。『日本に行くのには、〝横柄な植民者〟も、〝博学の教授〟もいらない。私が必要としているのは、〝コーチ〟だ。つまり、日本の人々の手助けをして、一緒になって問題を解決する人々だ』と……。必要なのは、教師のように問題を出して、『さあ、これを解いてごらん』と言う人ではありませんでした。そんな時間はなかったからです。必要なのは、〝問題を解決する人々《プロブレム・ソルバース》〟でした」

その後、メンバーはいよいよ日本へ向けて九九年の夏の間に断続的に出発していく。

「最初に日本に来たのは私でした。私の場合は、すでにルノーと日産が提携契約に調印した時から、日本とフランスの間を何度も往復するという形で、日本での仕事が始まっていたのです。とはいっても、その頃、私はまだルノーの副社長でしたから、そちらのほうの仕事もありました。ちなみに、ルノーの私の後任にはSEAT（フォルクスワーゲンのスペインの子会社）からピエール＝アラン・ド・スメットが移籍してくる予定になっていましたが、ド・スメットは九月にならないと来られないということでした。そんなこともあって、九九年の六月に正式に日産の最高執行責任者に任命されるまでは、私は東京で一週間過ごしてはフランスに帰り、また東京に戻って来るといったことを繰り返していたのです。もちろん、最高責任者に任命された時点で、完全に日産の仕事に専念するようになりましたが……。したがって、逆にルノーの副社長としての職務という点から言えば、ド・スメットにじかに仕事を引き継ぐこともできませんでした。ド・スメットとは、ルノーで顔を合わせたり、電話で話したりといったことはありましたが、ともに副社長の座に就いていた期間というのはなかったのです。ということで、話を日産に戻すと、私はもうかなり早い時期から日本で仕事を始めていたわけです。しかし、ほとんどのメンバーの来日は八月の終わりから九月の初めにかけての頃でした」

日本での生活

こうして日本へ派遣された人々は、この時から日本企業に所属するサラリーマンとなり、少なくとも日常生活の面では、日産から手厚い待遇を受けることになる。用意された住居は、広くて快適な外国人向けの高級賃貸マンションで、その多くが市ヶ谷の住宅街に位置していた。というのも、市ヶ谷にはフランス人子弟のための学校であるリセ・フランコ・ジャポネがあるからだ。

一方、仕事場の環境となると、フランスとの違いにかなり戸惑ったことだろうと思われる。一般に、日本の企業というのは、職場の環境にそれほどの注意を払ってはいない。なかでも、それまでの数年間、赤字が続いていた日産では、施設の維持管理費が年々削減される傾向にあり、本社はすっかり古びて見すぼらしくなっていた。これに対して、ルノーのほうはパリ郊外のビヤンクールという街に、まさに未来型の施設とも言うべき〝ルノー・テクノセンター〟を有している。したがって、そういったところからやってきた人々がフランスとの落差に肝をつぶしたということは十分に想像できる。なにしろ、そこでは施設が古いばかりではなく、大勢の社員たちが大部屋で仕事をしているのだ。

「フランスから来た人たちは、みごとに自己コントロールを行ったと思います。おそらく、大変な苦労があったでしょう。というのも、実情のわからない日本の組織にいきなり放り込まれて、個室も与えられず、言葉も話せず、どうしたらいいのかまったく見当がつかないという状態で仕事を始めなければならなかったわけです。もちろん、日産の人々は好意的に迎えてくれましたが、それでもショックだったはずです。なかにはまだその辛さと闘っている人たちもいるでしょう。しかし、それがわかったからといって、私はこのプロジェクトをあきらめようとは思いませんでした。日本の人たちとの間に〝関係を打ち立てる〟のには、それなりに時間がかかることもわかっていたからです」

だが、もちろん、こういった状態であれば、メンバーの間に鬱積した気分が漂うようになったとしても、決して不思議ではない。もともとゴーンの命令によって、メンバーたちは、日産の社内でひとまとまりになってグループを形成することを固く禁じられていた。そうであれば、なおさら不満が高まってくるのは当然であろう。そんな時、ゴーンはなるべく人目につかない場所——例えば恵比寿の日仏会館のようなところにメンバーたちを集めて、その気持ちを支えた。

「といっても、この種の会合が開かれるのは稀で、せいぜい一年に一回か二回といった程度です。私はルノーから来た人々が〝徒党を組んでいる〟と見られることだけは避けたかったのです。もし、私が〝自分の一派を率いてやってきた〟とみなされたら、あとは何をやっても通用しません。私はたちまち信用を失うことになります。たしかにフランスから来た人々は目覚ましい働きをしました。また、当然のことながら、私もこの人々を支えました。しかし、私がこの人々を支えたのは、あくまでも日産のため——日産の利益のためなのです。ただ、そうは言っても、私はこのフランスから来た人々の功績に感謝しています。その努力に敬意を払い、この人たちがこれまで大変な苦労をしてきたこと、また今もしていることを理解しています。たしかに会社の再建のためには、日産の人々が大きな役割を果たしましたし、私はその人々にもかぎりない信頼を寄せています。しかし、それと同時に、このフランスから来た人々が中核となってやってくれなかったら、はたしてどうなっていただろう？　と、そんなふうにも思うのです。彼らは互いに連絡を取り合って、集中力を発揮し、必要とあらば疑問を差し挟み、解決策を提案しながら、重要な仕事を成し遂げました。そうして、その過程でそれぞれが日産という会社のなかに散らばり、そこで自分の居場所を見つけていったのです。彼らは有能で、開かれた精神を持ち、また熱意に燃えていました。もし、彼らがいなかったら、私たちがこれまでにやってきたものは、そのほとんどが実現しなかったかもしれません。私はそう思います」

日産を救うのは日産である

ゴーンが人目につかない場所にフランスから来た人々を集めた時、その目的は、各人に胸中のわだかまりを吐き出させ、それに耳を傾けることにあったことは間違いない。しかし、たとえそうであったとしても、ゴーンが伝えるべき、いちばん重要なメッセージは変わらなかった。それは、「日産を救うのは日産である」ということだ。「ルノーの人たちは、日産が自分の道を見出す手助けをするために、ここにいるのだ」。

「日産の社風を変えようとしても、おそらく変えることはできなかったでしょう。だいたい、変えようとするなどということは、はなはだしく人間の本性にもとることです。すでに存在する一つの組織に別の組織を押しつけようとすれば、結果はそれを破壊することにしかつながりません。もちろん、その目的が相手を征服して占領することにあるならば、そういう戦略もいいでしょう。しかし、それは中性子爆弾を投下するようなものです。そんなことをしたら、ハードウェアは無事かもしれないが、ソフトウェアは破壊されてしまいます。日産というソフトウェアは……。いえ、それは私たちの戦略ではありませんでした。だいたい、その戦略でいくのなら、誰が選ばれてもよかったのです。少なくとも、私である必要はまったくなかった……。私はそれとは正反対の考えを持っているのですから……。日産を変えるのは内側からでなければなりません。内部組織を転換させるのです。だから、フランス人として日本に行っても、組織の改革に成功するチャンスはまったくありません。一パーセントの可能性もない、正真正銘のゼロです。これは私の心の奥底にある深い確信に基づいた意見です。まずはいくつかの組織を率いてきた職業人としての、そしてさまざまな大陸で生活してきたひとりの人間としての確信に基づいた意見です。私はこの確信を日本行きのメンバーにわかりやすく伝えるために、研修会の時にこんな話をしました。『君たちは宣教師ではない。日本を変えるためにではなく、日産の人々と一緒に日産を再建するために、日本に行くことになったのだ。したがって、私たちは、日産の人々から受け入れられるのであって、日産の人々を受け入れるのではない。日産を再生させるのは、日産の人々だ。私たちはただ、その手伝いをするだけだ』。こうして、すべてがこの戦略に沿って動き始めました。もちろん、ルノーのなかには、『もっとことを急いで、こちらのやり方で仕事を推し進めるべきだ』と言う人もいましたが、そんなことをしていたら、決してうまくはいかなかったでしょう。そのやり方は絶対に駄目です。レッドカードです。また、『相手が言うことをきかないなら、ドンとテーブルを叩いて、ガツンと言ってやったらどうだ』と言う人もいましたが、そんなことをしても、絶対に問題は解決しません。それは私たちがやってきたことの結果を見てもわかるのではないでしょうか？　私は今、この結果によって、〝私たちがやってきたやり方は決して見当はずれのものではなかった〟ということが理解してもらえればよいと思っています。そのやり方とは、合理的であると同時に人の気持ちを理解し、両社を結ぶさまざまな架け橋を建設していくことによって、組織の再編と業績の向上を目指す――そういったやり方です。私たちは日産での仕事をルノーのためにやっているわけではありません。ルノーとの提携によって、日産が豊かな富を生み出すと思うからこそやっているのです。ひとつの企業を再生へと導き、豊かな富を生み出し、そこで働く人々に誇りを持ってもらう……。私たちが目指したのはそういったやり方です。これはたしかに息の長い、根気のいるやり方でしょう。しかし、これほど人間的なやり方も、ほかにないと思います」

新しい上司はフランス人

ところで、ゴーンは、イエズス会系の学校で教育を受けたあとで、エコール・ポリテクニーク（理工科学校）、エコール・デ・ミーヌ（高等鉱業学校）へと進んだだけあって、フランスやフランス人のことを冷静にも見つめている。

「フランスは〝寛大な精神〟と〝果敢な飛躍の精神〟に満ちた国です。そこから、あのように祖国も友も家族も捨ててアフリカやアジアへ出かけていき、その地でフランス語を教えていたイエズス会士たちのような人々が現れました。また、フランスは対立する二つの面を持った国でもあります。つまり、一方には〝何事にも冷笑的で、自分のことしか考えない〟側面があり、もう一方には〝革新を目指して、困難に向かっていく〟側面があります。そういったフランス人の特徴を考えて、私は冷笑的な面や自己中心的な面が抑えられて、困難に向かっていく気持ちが前に出るようにしました。そして、本人たちの努力によって、結果としてはその〝困難に向かっていく〟ほうの気持ちが強く前に出てくるようになったのです」

こうして時間の経過とともに、ルノーから来た人々は徐々に日本の組織に溶け込み、とりわけ最初の成果が出始めてからは、それほど困難を感じなくなっていった。もちろん、言葉の壁もあって（日本の人々との意見交換は一般に英語で行われている）、そこにはまだ取り違えや誤解がないとは言えなかった。だが、それでも両者の間には会話が生まれていたのだ。いや、これまでは主にフランスから来た人々の側から話を進めてきたが、それを迎え入れる日本の人々の間にも、おそらく大きな戸惑いがあったろう。ルノーの人々が来日してしばらく経った頃、日本で流行った歌が、その戸惑いを象徴的に示している。「新しい上司はフランス人、ボディーランゲージも通用しない」（缶コーヒージョージアCMソング「明日があるさ、ジョージアでいきましょう」篇より）。そもそも、フランス人と日本人では挨拶の仕方さえ違う。フランス人が握手をして肩を抱き合うのに対して、日本人は海老のように身を丸めてお辞儀をするのだ。お互いに慣れるまでに、時間がかかるのは当然のことだ。それでも、ルノーと日産の提携の成功を導いたのは、こういった異質の人間同士がひとつに融合したのがいちばん重要な鍵だったのだろう。

「日産にやって来たルノーの人々は、この提携の成果そのものだと言えます。というのも、これによって、両社には日産のこともルノーのこともよく知っている人々が生まれたのですから……。また、ルノーに行った日産の人々は、これから実りをもたらす、この提携の子供だと言えます。そして、ルノーから来た人々、そしてルノーに行った人々を合わせて、彼らが両社にとって、将来貴重な存在になるでしょう」

第11章　聴診、そして診断へ

数字の裏にあるものを見つけたい

「私は日産の状況を数字で把握していたのか？　答えは『ノー』でしょう。もちろん、会計調査などのさまざまな報告書を見ることで、数字的に日産がどのような状況にあるかは知っていました。しかし、現実とは切り離された、資料だけで読んだ数字を、私は重視するということはありませんでした。数字を見れば、会社の状況が深刻であることはわかりました。しかし、私はそういった数字の裏に隠されているものを、内側から発見したかったのです」

日産への資金投入を決定するまでに、当然のことながら、ルノーは必要な調査を行っていた。予想外の負債はないか、提携後に困った事態を引き寄せる時限爆弾は含まれていないか、いわゆるデューデリジェンスと言われる作業を通じて、日産の状況は徹底的に調査されていたのである。また、一九九八年の夏から八か月続いた提携交渉の話し合いによって、ルノーの人々は日産のさまざまな側面について、それなりの印象を持ち、また知識も蓄積していた。

「九九年三月の時点で、日産の業績が非常に悪いことはわかっていました。私は会計報告書も見ましたし、過去と現在の業績も、税引き後の実質利益も見ました。子会社の業績も、マーケットシェアも見ました。その結果、そこから見えてくる日産の姿というのは、決して望ましいとは言えないものでした。ただ、それをどんなふうに受け取るかは別問題でした。また、それまでの八か月の交渉を通じて、ルノーの内部には日産の人々との話し合いに参加し、そこから日産に対する印象をふくらませた人々がたくさんいましたが、そういった人々から聞いた話も、あまり役に立ったとは言えません。というのも、それは単なる印象の寄せ集めであって、事実に基づいたきちんとした分析ではなかったからです。そこから浮かびあがってくる日産の姿というのは、非常に曖昧なものでしかなかったのです。したがって、私はそういったものに大きな信頼を寄せることはできませんでした。

もう一度、繰り返しますが、この段階で、私は財政的な数字にも、業績的な数字にも、それほど重きを置いて考えませんでした。というのも、そういった数字はデータに基づいて会社の姿を映し出していることは確かですが、現実そのものからすればやはりずれがあります。つまり、『会社は本当に、その数字から見えるだけの姿なのだろうか』と考えると、疑問がわきます。もし数字だけを重視するなら――つまり、その数字が本当に日産の状況を明らかにしているのだと考えるのであれば、私たちはもっとひどい事態になることを予想していたでしょう。しかし、私は数字だけを重視して、日産に対するイメージを固めないようにしていたのです。会社が衰退していたのは間違いありません。しかし、その衰退の原因はまだわからないものとして考えていたのです。そうして見ると、日産のイメージ――特に衰退の原因に対するイメージはまだぼんやりとしたものでした。マネジメントや戦略、行動方針の曖昧さ、そういったものに問題があるのではないかと思いましたが、せいぜいそれくらいでした」

実際、数字だけを見れば、この時の日産は絶望的な状況にあった。国内シェアは、二六年前から絶えず下降線をたどっている。九九年当時、販売台数はトヨタの半分以下にまで落ち込んでいたし、この年にはとうとう売上高でホンダに二位の座を奪われ、日本のマスコミにこんなジョークを飛ばさせることにもなる。「ニッサン、ニ→サン（二位から三位）」。工場の稼働率も悪く、九九年度の見込み生産能力と見込み生産台数からすると、稼働率は五〇パーセントをわずかに超えるものにしかならなかった。業績のほうは、ここ八年の会計年度のうち、七回赤字に陥っている。その結果、販売金融を除いた負債は二兆一〇〇〇億円に達していた。また、何よりも発売する自動車そのものに魅力がなかった。日産は技術の面では相変わらず高い評価を得ていたものの、面白みのないデザインがユーザーに敬遠されていた。

リバイバル・プランの揺籃

ゴーンは数字だけを見なかった。その代わり、どうして会社がそんなふうになってしまったのか、どうしてそういった数字が表れるに至ったのかを理解するために、九九年の春を使って、全国行脚、いや、世界行脚の旅に出る。行く先は、日産の営業所、工場、テクニカルセンター。その途中で、ディーラー、サプライヤー、そしてユーザーとも話をした。世界中の日産に関係する施設をまわり、また人々から話を聞くことによって、日産の状態をいわば〝聴診〟したのである。すると、まだ日産の正式な役員にもなっていないのに、精力的に働くこのゴーンの姿を見て、日産の人々は〝セブン・イレブン〟というあだ名をつけた。すなわち、日産にやってくるとゴーンは、コンビニさながらに、朝から晩まで休まずに働き続けたのだ。

「セブン・イレブンの日々は、九九年の四月からすぐに始まりました。あとから考えると、この期間は日産の状況を集中的に分析し、またその結果を総合して、〝日産リバイバル・プラン〟のアウトラインを作る、貴重な期間だったと思います。この間、私はたくさんの人と話したり、工場を視察したり、サプライヤーを訪問することに時間を費やしました。全体の状況を頭に入れるために、日本国内だけではなく、メキシコや米国、欧州、タイやほかの東南アジアの国々にまで出かけていったのです。その間に、ルノーにも何度か戻りました。まあ、ウォーミングアップの時期だったと言えるでしょう。訪問の予定はきちんと組まれていたので、私はさまざまな役職のさまざまな人々に会うことができました。そうして、何がうまくいっているのか、何がうまくいっていないのか、状況を説明してもらうことができたのです。また、どうすればもっと良くなるか、などについても話を聞くことができました。つまり、私は単なる数字の上の分析ではなく、会社の業績をあげるためにはどうすればよいか、その方策がはっきりするような、具体的な状況の分析がしたかったのです。ですから、この時期、私はこれから取り組まなければならない数多くの状況について、詳しく話を聞いてメモを取り、また状況ごとに正確な数字で裏づけられた資料を持ち帰りました。そうして、その状況を分析し、その結果をひとつにまとめていったのです。結局、その三か月の間に、私は数百の施設を訪問し、数千もの人に会いました。そして、その間に少しずつ日産のイメージを作っていったのです。そのイメージは、その後、少しずつ修正は加えていきましたが、それでもこの最初のイメージはその当時の日産にかなり近いものだったと思います。私の行った分析が正しかったかどうかは、中長期の業績の結果を待つことになりますが、少なくとも、私が日産に対して抱いたこの最初のイメージについては、当時の日産の現実から、そうはずれていなかったような気がします」

サプライヤーと工場の訪問

この間、ゴーンはサプライヤーのところをよく訪問した。というのも、かつては自分自身も自動車メーカーのサプライヤーであったという経験から、この人々の意見がいちばん鋭く、また貴重だということをよくわかっていたからだ。

「私が出会ったサプライヤーたちは、みなとてもオープンで、積極的に話をしてくれました。私にはそれが印象的でした。彼らは誰かに話したがっていたのです。日産との関係を誰かに聞いてもらいたがっていたのです。というのも彼らも日産のことを心配していたからです。日産の状況を心配し、日産が立ち直ってくれることを心から願っていました。その気持ちがあまりにも切実なものだったので、私はサプライヤーの人たちと話すのに、なんの不都合も感じませんでした。つまり、相手が経営者の立場にいる人であろうと、現場で働いている人であろうと、心おきなく日産の問題について話し合えました。例えば、メキシコに行った時のことです。日産の工場のすぐ近くにはサプライヤーたちの拠点が集まっていたのですが、ある時、一緒に集まって話をすると、その人たちは何が問題なのか、包み隠さず話してくれました。それによると、例えば、発注があまりに細かすぎる、あるいは、いつ、どのくらい商品を納入すればよいのか、予想が立たないことが問題だと言うのです。また、話をしているうちに、一年の生産台数が二〇万台しかないのに、タイヤのサプライヤー六社と取引しているといったこともわかりました。なんと六社です！　そのほかのところでも、私は日産のヴィジョンや戦略が伝わっておらず、日産が何をいちばん重要な課題として考えているか、サプライヤーが理解していないことに気がつきました。サプライヤーの人たちは、『日産の目標に沿って仕事を進めようとすると、三か月後にはその目標が変わっている』と不満を口にしていました。そうやって、どれほど日産という会社がうまく機能していないか、具体的な例を挙げて、ナマの声を聞かせてくれたのです。『発注が細かいというのは、私たちの提案を聞いてくれないせいです。というのも、納入部品のスペック（仕様）は、業界の標準ではなく、日産の決めたものでやってほしいというのですから……。ええ、品質の問題から、どうしてもそうでなければならない時以外でもそうなのです。また、日本ではこの業者、米国ではこの業者、欧州ではこの業者というように、地域ごとにサプライヤーが違うというのがこの問題に拍車をかけています。つまり、日産のシステムは非効率的なのです。こんなやり方をしていたら、それに見合ったレベルのサプライヤーしか持てなくなるでしょう』。こういった話をしてくれたのは、たいていは日本のサプライヤーで、その多くは日産の子会社でした。おそらく、日頃からよほど不満がたまっていたのでしょう、メーカーとサプライヤーという最初の壁を壊してやれば、本音を聞き出して率直な話し合いをするのにまったく苦労はありませんでした」

日本では訪問者の接待は非常に体系化されたシステムに従って儀礼的に行われる。会社には必ず応接室があって、部屋の様子は日本中どこに行っても変わらない。レースのカバーをかけた大きなソファ、低いテーブル……。そこで担当者と話をしていると、制服を着た〝ＯＬ〟が静かにお茶を運んできて、また静かに立ち去っていく。それは工場でも同じだ。

「工場長に出迎えられて応接室に案内されると、すぐにお茶が出されます。そこで、私たちはまず天気の話などをするわけです。ただ、そのままだと話がそれで終わってしまいますので、私のほうから話を始めて、気詰まりな雰囲気を壊していきます。『素晴らしいおもてなし、ありがとう。あなたとはざっくばらんにお話しできそうですね。ということで、会社のことなんですが、どうもうまくいっていないところがあるみたいなんですよ。つまり、日産はいくつかの問題を抱えている……』。そんなふうに言うと、工場長たちは、私が気さくな人間で、〝何がうまくいっていないのかを本当に理解したいのだ〟とわかってくれて、心中を正直に打ち明けてくれました。その結果、私は非常に興味深い議論の時間を持つことができました。また、それと同時に、工場長たちがこれほど率直に話してくれるのは、日産の状況を心の底から心配している証拠だと思いました。もちろん、正直に話すのは勇気も必要だったでしょう。しかし、彼らはそうしてくれたのです」

組合は味方だった

ゴーンにとって最も重要なもののひとつとなったのは、労働組合との会合だろう。

「労働組合の人々とは、七月に会いました。私が日産の最高執行責任者として株主総会で承認されて、役員に名前を連ねた直後のこと、労働組合の幹部がそろって私に面会を求めてきたのです。話し合いは円滑に行われました。日産の労働組合については、かねてからいろいろなことを聞かされていたので、私はかなり心配していたのですが、会合が終わった時には、私は組合に対して非常に好印象を持ちました。というのも、私たちは率直に心を開いて話し合うことができたからです。例えば、会が終わりに近くなった時、ひとりがこう言いました。『私たちはもう〝計画〟にはうんざりしています。特に成功しない〝計画〟には……。過去に会社側が提案してきた〝計画〟はすべてそうだったのです！　日産は血を流しています。そして、従業員はそのことを心配しています。今はなんとしてでも、日産をこの苦境から救わなければなりません。ゴーンさん、あなたが私たちの意見を聞いてくださり、建設的にことを進めていくかぎり、私たちは再建のプロセスに反対するものではありません』。この組合との最初の会合に、私はずいぶん勇気づけられました。組合の人たちははっきりと意見を言いましたが、それは組合としては当然のことで、その内容は基本的なところでは非常に建設的なものでした。私はおおいに安心して、また力が湧いてくる思いでした。日産を再生させるためには、組合の信頼を得なければなりません。それはよくわかっていました。そういった状態で、思いがけなく、組合のほうが同意する姿勢を見せてくれたのです。私の前にいるのは、私の足を引っ張ろうとしている人たちではありませんでした。そうではなく、心から会社のことを心配し、もし私が日産の再建のために真剣に尽くすのであれば、それに協力しようという、そういう人々だったのです。これはほかの国の労働組合とはまったく違います。私はびっくりすると同時に好感を持ちました。

私はこれまで組合との交渉を一度も軽く考えたことはありません。組合は、もしそれが会社に存在するなら、大切なものです。経営者は組合の話を聞き、自分が何をしようとしているのか、率直に説明しなければなりません。ただ、日産の組合については前からいろいろ聞かされていたこともあって、はたしてそれができるだろうか、と心配していたのです。ところが、実際に会って話してみると……。私はほっと大きく息をつきました。そうして、これなら日産の再生のために、一緒にやっていけるだろうと、そう思ったのです」

取締役の人選

この最初の数か月の間、ゴーンは本社の一五階にいる役員たちと過ごすより、はるかに多くの時間を日産の現場の人々と過ごすことになる。日産はこの緊急事態にもかかわらず、役員人事を決定する日程を変更しようとはしなかった。そこで、ゴーンとティエリー・ムロンゲ、パトリック・ペラタのルノーから来た三人の役員は、新体制の取締役として仕事を始めるのに六月末の株主総会まで待たなければならなかったのである。（すなわち、提携後、最初に日本にやってきた四月の初めから）この時期まで、ゴーンは未来の最高執行責任者というだけで、正式にはまだなんの肩書きもないまま、日産での活動をしていたのだ。

「私が四月に来日した時、日産にはまだ旧取締役会と、そのメンバーによる旧執行役員会がありました。私はそこで開かれる会議にはまったく出席しませんでした。というのも、まだ正式な役職がなかったからです。もちろん、塙さんとは時折コンタクトをとっていました。塙さんは、『取締役会を変革することで、シュヴァイツァーと合意に達した』と私に説明してくれました。また、その時に、未来の取締役と執行役員の構成について、私に意見を求めました。しかし、私は何も意見を言いませんでした。というのは、非常に単純な理由からで、私は日産の役員を誰ひとりとして知らなかったからです。『あなたを信頼してお任せします』、私はそう塙さんに言いました」

提携の効果はまずは役員体制の刷新という形で表れた。日産は取締役会を大幅に縮小したのである。

九九年四月二八日に発表された新役員体制を見ると、取締役の人数はそれまでの三七人から一〇人に——つまり四分の一にまで減らされている。

「これは就任してからのことですが、上のほうの人々と話して経営方針をまとめていくのには時間がかかりました。というのも、そのなかで英語をマスターしている人はあまりいなかったからです。また経営に関して、日産にはルノーと非常に異なった文化がありました。私たちからすると、それはまったく不思議な文化でした。しかし、日産のように、二〇年以上も前から少しずつマーケットシェアを失い、膨大な借金を積み重ね、利益を出すのに苦労している企業を前にしたら、問題の本質を特定することはさほど難しいことではありません。私はそこから出発することにしました」

経営の意思決定機関である〝エグゼクティブ・コミッティ〟の構成、ゴーンは、その点にこだわった。

「私はメンバーの人選ではなく、メンバーのそれぞれがどんな業務を担当するのか、それについては口をはさんで調整を行いました。そのなかでも、私が重視したのは購買部門の担当でした。というのも、この部門の職務というのは、ほかの部門とはまったく異なっているからです。そこで、塙さんが選任した取締役の経歴を調べた結果、まだ個人的な面識はなかったものの、購買部門の担当は小枝至にしてもらうべきだと思い、それを主張しました。塙さんは、そういったことに関する私の意見を尊重してくれました……先ほどから言っているように、メンバーを選任したのは私ではなく、塙さんだったのです。私のほうは、まだ日産の役員をまったく知らなかったので、お任せするよりなかったのです。ただ、そのあとかなり経ってから、私はエグゼクティブ・コミッティのメンバーを二人代えました。私を除く九人のうち二人ですから、〝粛清〟だなどとは言えません。逆に言えば、それだけ最初の人選が当を射ていたということです」

聴診から診断へ

こうして九九年六月の末、まだいくつか夏の間に現場を視察する予定は残っていたが、ゴーンは日産に対する〝聴診〟の段階をほとんど終えていた。だが、その時点ではまだきちんとした分析のもとに日産の姿が見えていたわけではない。ただ、薄明かりのなかにぼんやりとした姿が見え始めていただけだ。そして――そのぼんやりとした姿を見ただけでも、日産の状態は暗澹たるものであることがわかった。

「この時点における日産のイメージというのは、ともかく〝すべてがバラバラで、混乱している〟というものでした。視察を通じて、私は出会った人たちがみんな混乱していると感じました。人々はいったい何が起こっているのか、よく理解できていませんでした。誰もが自分のまわりに小さな囲いを作って、そのなかに閉じこもっていました。ヴィジョンもなければ、戦略もない。優先順位もなければ、そもそも何が大切なのかを決める尺度も持たない。あるのは縄張り意識だけで、組織としてはバラバラでまとまりがなく、段階を踏んでいくことができない。そういった状態だったのです。たしかにエンジニアたちは車のことをよく知っていて、しっかりした技術を持っていました。しかし、それだけでは十分ではありません。エンジニアの技術や能力といったものは、〝自動車業界で何が求められているのか？〟〝だから何をしていくのか？〟という、そういったヴィジョンに基づいて活かされなければならないからです。自動車メーカーで何が大切か？　それはまず何よりもヴィジョンです。日産にはそれがありませんでした。だから、〝優先順位は何か？〟〝誰が何をするのか？〟、そういったことがわかりにくく、曖昧だったのです。したがって、私は社員のそれぞれが、〝自分は何をすればよいのか〟はっきりとわかるようにあちこちに光を灯さなければならないと思いました。あるいは、そうするために、問題を明らかにしてくれる人々を私のまわりに集める必要があると……」

聴診のあとは診断だ。

日産といえば、日本の花形企業のひとつで、創造性にあふれた、優れた技術やデザインで評判をとったという偉大な過去を持つ。「技術の日産」という言葉はあまりにも有名である。その日産がどうしてこんなていたらくになってしまったのか？　いや、誰であろうと、そこで的確な診断を下すのは難しい。例えば九〇年代に入ってバブル景気がはじけたあと、日産もまた日本経済の衰退に足を取られたのだという説明は、それだけでは事態を正確に言い当ててはいない。というのも、同じようにその時期を経験しながら、ライバルであるトヨタとホンダは危機を巧みに切り抜けたからである。もしそうなら、おそらく「日産が衰退した原因は、その歴史のなかにある」ということになるのであろう。だが、ゴーンをはじめとしてルノーから来た人々は考古学者ではない。今さら歴史を掘り返しにきたわけではないのだ。しかし、そうかといって、その衰退に手を貸してきた日産の経営陣にその原因を尋ねたとしても、きちんとした答えを期待できるはずがなかった。

「正直に言って、日産がどうしてこうなってしまったのか、きちんと分析して説明できる人に、社内で一度も会ったことがありませんでした。それは、会社の状態についてはっきりと物を言える場がどこにもなかったからでしょう。何が問題なのか、重要な順番に仕分けしてみせてくれる人はひとりもいませんでした。経営に関しては、〝混沌〟そのものが日産を支配していました。会社にさまざまな問題が起こってくるのは、もちろん、それが根本の原因であるわけです。経営が方向を見失っていたら、まだ業績が悪化していないとしても、遠からずそうなることは当たりまえのことだからです」

最初の診断――収益性志向の低さ

「日産をこんな状態にしてしまったのは何か？　私なりに考えた原因を五つ挙げてみましょう。その第一は、まず日産が利益を大切にしていなかったこと。これは明らかです。経営陣は数字を知りませんでした。また、業績も知りませんでした。数値的な目標を掲げることもありませんでした。その車が利益をあげるのか、それとも損失をもたらすのか、よく知らないままに車を売っていたのです。経営陣のなかで数字を知っていたのはごく一部の人だけ。その数字もきちんとしたものではなく、おおざっぱなデータに基づいたものでした。そんな状態ですから、たとえ誰かが収益性の話をしたとしても、〝会社の収益性をあげる〟といったことではありませんでした。もし〝利益の追求〟が会社の基本的な目的となっていないのであれば、利益がもたらされるというのは偶然の結果でしかありえません。利益をあげようと努力しないで、どうやって利益を得ることができるのでしょう？　魔法でも使わないかぎり、そんなことはできません」

　後に正確なコスト分析を行ったところ、九九年に日産が売り出していた四三車種のうち、わずか四車種しか黒字を計上していなかったことがわかったのだ！　エントリー・レベルの車種として重要なシリーズを構成して、かなりの販売台数とシェアを誇るマーチについても、一五パーセント以上の損失を出していた。

二つめの診断――ユーザーを考慮に入れない発想

「二つめの原因は、口で言うわりには、ユーザーについて考えていなかったことです。例えば、〝この車はどんなユーザーを対象としたものか?〟〝どうしてユーザーはライバル会社のモデルではなく、日産のモデルを買ってくれたのか?〟と、こういった発想で物を考えてみるのは、自動社業界ではごく当たりまえのことです。ところが、日産の人々にこの質問を発してみても、その答えは返ってこなかったのです。ということですから、商品企画を立てる時にも、ユーザーやマーケットのことは、ほとんど考えられていない状態でした。その結果、出てくる商品と言えば、これまでのモデルの手直しか、ライバル会社の真似か、そのどちらかだったのです」

ライバル会社を徹底的にマークし、成功した車があれば臆面もなく真似をする。同じプラットフォームやエンジンを際限なく利用して五系列の販売網に月に一台、新車を発表する。だが、売れ行きが芳しくないと見れば、早々と撤退する。このやり方で、トヨタは先頭を走った。だが、そのあとを追おうとして、日産は羽をもがれた。

三つめの診断――危機感の欠如

「三つめの原因は、切迫感がないことです。例えば、仕事を頼んで、『いつまでにできるか?』と尋ねると、私が思っているよりも一〇倍の時間が返ってきました。日産は火事で燃えているというのに、その緊張感が伝わってこないのです。この状況では〝時間〟というものがどれほど大切か、それがわかっていなかったのです。『いつまでにできるか?』と訊くと、一週間でできるはずのものに一年、三か月でできるものに三年という返事が戻ってくるのです……。私は仕事の期限を尋ねて、その答えを聞くたびに驚きました。いえ、私だけではありません。フランスから来たほかのメンバーも同じです。したがって、私たちはまず自分たちの経験からできると思っている〝時間〟と、現実に答えとして返ってくる〝時間〟とのずれを再調整することから始めなければなりませんでした」

こういった緊迫感のなさ、危機感のなさを見ると、どうしてもバブル後の日本の反応――というよりは、むしろ〝反応のなさ〟と比較して考えてみずにはいられなくなる。これはやはり、どこかに相通ずるものがあるのではないか？　バブル崩壊後の「失われた一〇年」は――そして、その間の経済不況や金融危機は、日本が「現実を正面から見つめる能力」を持っていないことを如実に示している。どうしてそれほど日本に危機感がないか説明しようと思ったら、その理由はいくらでも見つかるだろう。「国が豊かになっているので、ある程度の危機でものんびりしていられるからだ」「政治システムが麻痺してしまったからだ」「強大な力を持つ利益グループが改革に抵抗したからだ」等々。そしておそらく、日本人の考え方、行動様式がそうさせているという気がしないでもない。

「日本人は面目を大切にします。したがって、もし何かで失敗して、それを認めなければならないとしたら、面目はつぶれてしまいます。ところが、日産に対する診断の結果は、〝会社は経営に失敗したというものでした。つまり、これを認めたら、その時点で日産の人々の面目はつぶれてしまうわけです。しかし、その一方で、会社の再生はその診断を認めるところからしか始まりません。そこで、私は『このままではいけない！』と大声で叫んだのですが、それに対する反応はあまり捗々《はかばか》しいものではありませんでした。ええ、面目を守ろうとする気持ちが働いたからです。しかし、会社が火事であれば、『火事だ』と叫ばなければなりません。もし、そこで『なんだかかなり熱いようだから、もしかしたらどこかが燃えているんじゃないか』などと言っていたら、会社が火事であることは伝わらないし、その間に燃え進んでしまいます。ですから、私は〝失敗した〟ことを指摘して、その問題を共有してもらおうとしました。ところが、そこで例えば、『日産の製品には必ずしも魅力的ではないものがある』と公に言ったりすると、『自社の製品を批判するとは何事だ！』という批判が出てくるのです。しかし、私が思うに、たとえ公の場で行ったとしても、自社の製品を批判するのは悪いことではありません。その証拠に、たとえそういった発言によって短期的に否定的な効果をもたらすことがあったとしても、その結果として私たちは、商品ラインのなかに魅力的ではないものがあることを認め、その点を強化することに成功したからです。世の中にはどうしてもこう言わなければならない時があるものなのです。『私は病気で、健康であるとは言えません。それは不摂生がたたったためで、恥ずかしいことです。でも、それを認めなければ、決して健康にはなれないでしょう』と……。もしこの現実を認めなければ――会社全体で共有しなければ、私たちがしようとしていることを会社の外にいる人たちに理解してもらうことは不可能です。現実を認めるのは辛いことですが、それを認めたからこそ、病気を治すために必要な〝強力な解毒剤〟を使うことができるようになるのです。ひとたび現実を受け入れることができさえすれば、そのあとの方法についてはいくらでも議論できます。しかし、〝現実を正面から見ようとしない〟というのは、これは困ったことでした」

四つめの診断――セクショナリズムの弊害

ゴーンによると、四つめの診断はルノーにも当てはまるものだったという。

「四つめの原因。それは社内のセクショナリズムです。ただ、それを最初に目にした時、私にはそれほどショックではありませんでした。部門ごとに独立してしまって横のつながりがないというのは、ルノーでもさんざん経験したことだからです。しかし、半面、日本というのはチームプレーに優れていると評判で、実際、チームで仕事をした時の質の高さには感心していたものですから、『それなのに、どうして日産が？』と、その点では戸惑いを感じました。もちろん、セクショナリズムというのは、多かれ少なかれ、どんな製造業でも共通の問題点になっている事柄です。しかし、〝チームプレーに優れた日本であれば、当然、部門横断的なやり方はやっているだろう〟と、私はそう予想していたのです。それだけに、日産の状態を見て、ちょっとびっくりしたのです。といっても、これはフランスに比べて、日本のほうが縄張り意識が強く、セクショナリズムに毒されているということではありません。そんなことは絶対にありません。しかし、フランスではもともとチームで仕事をするのが苦手であるのに対し、日本ではそれを得意としています。また、チームでやった仕事の質も高い。この〝チームでの仕事の質の高さ〟と〝部門横断的なやり方の欠如〟、この二つの落差に私は驚いたのです」

実は、日産のこのセクショナリズム、また、それをもたらしている官僚主義的な体質については、特に外から見ると、誰の目にも明らかな真実として知られていた。政府との関わりの強さ、エリート集団の経営陣——そうなった原因はどうあれ、この官僚主義、そしてセクショナリズムは日産に壊滅的なダメージを与えた。

「日産の人々は誰もが自分の縄張りを守り、言ってみれば、よその部門の人間には書類のコピーすら見せない、といった状態でした。この〝クロス・ファンクショナリティの欠如〟は危険でした。というのも、部門横断的な発想のない会社では、誰もが自分の部門の成果に満足して、『会社の業績が悪いのはほかの部門のせいだ』と、責任をほかに押しつける恐れがあるからです。例えば、そういった会社の場合、車の売れ行きが悪ければ、販売部門の人々はこう言うでしょう。『もっと魅力のある車を作ってくれれば、いくらでも売ってみせるのに！』と……。一方、商品企画の部門の人々はこう答えるでしょう。『販売部門から上がってきた情報をもとに車を作っているのに、これ以上、どうしろと言うんだ。あいつらは車の売り方を知らないんじゃないか』と……。こうして、誰もが『ほかの部門の人々がきちんと仕事をしていれば、会社はこんなふうにはならなかった』と、そう考えるようになるのです」

五つめの診断——ヴィジョンがないこと

もちろん、そういったなかで日産の一四万八〇〇〇人の従業員たちは、会社の運命と、そして自分たち自身の将来を心配していた。

「こういったなかで、日産をこんな状態にしてしまった最大の原因と言えば——それが五つめの原因になるわけですが、それは戦略のなさ、ヴィジョンのなさでした。例えば、『日産を五年後にどうしたいか？』『一〇年後にどうしたいか？』社員たちに尋ねてみても、答えは返ってきません。『日産というブランドは何を意味しているか？』と訊いても同じです。つまり、日産の人々にはヴィジョンというものが欠けていたのです。人々は、日産という大企業が傾いていくのを目のあたりにしながら、それを押しとどめる方法もわからず、ただ大きな不安と混乱のなかで、ひたすら心を痛めていただけだったのです」

第12章　仕事について

クロス・ファンクショナル・チームの立ちあげ

「会社の再建というのは、ある意味でエンジニアの仕事に似ています。あるいは、家を建てるのに似ていると言ってもいいかもしれません。つまり、そこには、〝何を優先して〟〝どんなやり方で〟〝どの程度のレベルのものにするか〟といった発想が必要なのです。また、家を建てることの比喩で言えば、それと同じように基礎工事が必要ですし、スケジュールや予算の作成、そして、もちろん、期限や価格についての取り決めもしておかなければなりません」

こうして、一九九九年の夏の初め、ゴーンはいよいよ再建計画を作る準備に入る。

「九九年六月には、五月に抱いていたものよりは、ずっとはっきりしたイメージができあがっていました。しかし、この段階では、まだ計画と呼べるようなものではなく、したがって、それをもとに行動に移れるようなものではありませんでした。そこで、私は六月の末に日産の正式な役員として最高執行責任者となった時から、いよいよ最終的な計画を策定する準備に入ったのです。計画の策定にあたっては、その叩き台を、社内の部門を横断するチームであるクロス・ファンクショナル・チーム（CFT）に作成してもらうことにしました。そして、七月の初めに、私の就任後、初めて開かれたエグゼクティブ・コミッティで、その方針を明らかにしたのです」

クロス・ファンクショナリティ（部門横断）というのは、ゴーンの経営の中核をなす考え方である。それは経験から生まれた、いわばゴーンの信念でもある。したがって、日産の再建計画を策定するために、ゴーンはこの考え方に基づき、まずは中間管理職クラスによるＣＦＴを編成して、再建策を討議させることにした。だが、それは単に計画の立案だけではなく、実行を考慮に入れたやり方でもあった。というのも、計画の実行に責任のある人々が、その作成の段階から参加したとすれば、成功する確率は高まるからである。

「もし、私がトップダウンで再建策を押しつけていたとしたら、計画は失敗に終わっていたでしょう。だから、私はＣＦＴを中心にして、再建の努力をすることに決めたのです。それまで、私は経営を再建する職務を果たすたびに、何度もＣＦＴを用いてきました。そして、このやり方が非常に効果的であることを確かめてきました。というのも、このやり方をすると、管理職たちが職務的にも地域的にも、自分の直接の責任の範囲を超えて、会社全体のことを考えるようになるからです」

部門という砦

大切なのは壁を壊すことである。目に見える壁、そして、とりわけ目に見えない壁を壊すこと……。目に見えない壁がある会社というのは、それぞれが異なる言語、宗教、価値観、利害関係による〝教会〟や〝砦〟の集まりのようなものだ。〝閉ざされた扉と窓を大きく開け放つこと〟〝社員たちが互いに話し合い、互いの言うことに耳を傾け合い、自らの力の源でもある貴重な知識を交換するようにさせること〟——これは言うは易いが、実行に移すのは難しい。

「これまで日産で作成されてきた計画は基本的な方向を示したもので、その方向は間違っていたとは思いませんが、具体的に何をしたいかとなると、私自身も理解するのにちょっと苦労しました。つまり、そこには何を大切にするかという優先順位もなければ、何をいつやっていくかというスケジュールもありませんでした。掲げられた目標を達成するのに、誰かを指名して、あるいはどこかの部署を指名して、そこに責任を持ってやってもらうという仕事の割り当てもありませんでした。また、この計画を実行するのに、内部でのコミュニケーションもなければ、経営へのフィードバックもありませんでした。スケジュールや仕事の分担など具体的なことが明確にされず、社員のひとりひとりが〝何をいつまでにやればよいのかわからない〟といった状態では、何も達成することができません。仮に達成したものがあったとしても、それはほんのわずかなものでしょう」

CFTの組織

だが、今回は、そもそもの再建計画を策定する段階から、社員が何をいつまでにすればよいかわかっていた。策定にあたって、ゴーンは九つのCFTを作って、そのひとつひとつのチームが〝改革の柱となる計画案〟をそれぞれ責任を持って提出するようにさせたからである。

「第一のチームは〝事業の発展〟、つまり新製品や新規サービス、新規マーケットの開発に関係することです。第二のチームは〝購買〟。購買コストは製造コストの六〇パーセントを占めているからです。第三のチームは〝製造〟、これは生産設備とロジスティクス（先端物流管理）に関することです。

第四のチームは〝研究開発〟。第五のチームは〝販売とマーケティング〟。第六のチームは〝一般管理費部門〟。日産は巨大な規模を持っているので、一般管理費をどうするかというのは、非常に重要な問題なのです。第七のチームは〝財務コスト〟。第八のチームは〝車種削減〟、商品としてのライフ・サイクルが終わった車種、装備、サービスなどの削減や廃止をどうするか、といった問題です。そして、第九のチームは、〝組織と意思決定プロセス〟です」

九つのチームは、どれもが同じような形で組織されていた。まず、トップにはエグゼクティブ・コミッティのメンバーのうち二人がリーダーとして座り、チームを束ねる。このリーダーたちは、もちろん、エグゼクティブ・コミッティのなかで、それぞれが担当する分野のリーダーになるのだが、それだけではなく、ほかの分野のリーダーにもなっていた。すなわち、購買部門担当者は、購買チームのリーダーになる一方、技術・開発部門担当者とともに、研究開発チームのリーダーにもなるという具合である。

「なぜ、リーダーがひとりではなくて二人なのか？　それはCFTが自分たちの分野だけにとらわれて、視野が狭くなってしまうのを防ぐためです。そういったわけで、例えば購買チームでいえば私たちは購買担当役員である小枝と技術・開発担当役員である大久保が、ともに責任者になるように決定したのです」

議論の取りまとめ役――パイロットの重要性

このリーダーたちの下に、各チームには現場の指揮官とも言えるパイロットとして、その分野の職務に精通した中堅クラスの管理職がひとり指名された。CFTにとって、このパイロットの役割は大きかった。というのも、会社の取締役であるリーダーたちの影響が強くなりすぎて、活発な討議ができなくなるのを防ぐために、議事の進行と議論の取りまとめ役は、このパイロットに任されたからである。

「リーダーやその下の部長クラスによってパイロットに指名されたのは、現場で責任ある地位に就き、部下から信頼されている中間管理職でした。私はパイロットが誰になるかということに、個人的に強い関心を示しました。というのも、それはどんな人々が日産の未来の指導者になるのか、それを見る絶好の機会だったからです」

こうして、リーダーとパイロットが決まると、各チームはそれぞれのメンバーを選んでいった。もちろん、こちらのチームのほうは社内のさまざまな部門から横断的に選ばれる。例えば組織と意思決定プロセス・チームのメンバーの出身部門は、企画、営業、生産、技術・開発、財務、購買の六つ――まさにクロス・ファンクショナル（部門横断的）である。こういったさまざまな部門から来たメンバーたちによって、各チームは日産を再建するための具体的な方策を論議していくのであるが、この時、それぞれのチームには、あらかじめいくつかの目標が与えられていた。すなわち、各チームはその目標がどうやったら達成されるか議論したのである。例えば、事業の発展チームは、ルノーから直接、持ち込まれた概念である〝利益ある成長〟という目標を達成するために、時宜にかなった新商品の発表、ブランド・アイデンティティの確立、新型モデルの開発時期の決定といった、自動車メーカーが事業を発展させていくための基本的な要素となる問題について討議した。

「それぞれのチームは、さまざまな部門から来た中間管理職で構成されていました。ひとつのチームの人数は平均して約一〇人です。時間的に素早く成果を出すためには、そのくらいがちょうどいいからです。しかし、その一方で、あらゆる問題について詳細な議論を交わすには、一〇人では足りない面もあります。そこで、私はすべてのCFTのなかに、一ユニットがやはり一〇名くらいになる複数のユニットを作り、そのユニットのひとつひとつに、責任を持って、個別の問題を討議してもらうことにしました。例えば、製造チームには基本になるチームのもとに四つのユニットを作り、そのユニットが生産能力、生産性、固定費、そして投資について検討するような形を作ったのです」

全体から計画を見る

こうして、日産の再建計画の叩き台を作るために、CFTに関わった人は、九九年七〜九月の間に五〇〇人にも及んだ。

「私もやはり計画を作成する準備に多くの時間を費やしていました。そのため、この三か月間は休みをとることもありませんでした。仕事の中心になったのは、経営会議やCFTの会合に参加して、計画を練りあげていくことです。それと同時に、いくつかの問題については、〝これなら会社の潜在能力が発揮できた〟と自信を持って思えるような形で、徹底的に討議を重ねました。また、それとは別に春から始めていた視察も続けていましたが、これはまた計画の作成に役立ちました」

要するに、ゴーンは最高執行責任者として、全体から計画を見ていたのである。そうして、それまでに得たいろいろな情報を分析し、ひとつの計画に統合していったのである。といっても、そこで行ったのは科学的な分析ではない。数字をまとまりとして理解し、目標を総合的に考える作業だった。

「私は数字をもとにして、A、B、C、D、E、と事業ごとに評価していったのではありません。それよりも、例えば、人々の話を聞くといったところから出発して、会社にとって何がためになり、ためにならないか、また、よりよくするために何ができるか、非常に本質的な部分、主観的な部分についいて考えたのです。ですから、部門ごとの成績を見て、その部門の絶対的な価値を測ろうとしたわけでもありません。むしろ、その部門の人たちやほかの部門の人たちが言ったことをもとに、その部門が良くなるためにどんなことをしていけばよいのか、それを考えたのです」

提携の効果

こうして現在の日産の状態を分析し、また将来の目標を立てる過程のなかで、日産にとって、ルノーとの提携が貴重なものだということが目に見える形でわかってきた。これは〝ルノーから日産に来た人々が日産の人々とは違った仕事のやり方をして、そのやり方が参考になった〟というだけのことではない。それに加えて、〝ルノーという会社が日産のベンチマーク（理想として近づこうとする目標）になった〟ということが大きい。

「計画を策定するに当たって、具体的な目標を立てる時、そこには客観的な基準というものが存在しました。例えば購買に関して言うと、ある車の部品を購入するのにどのくらい支払っているのか、それを同じクラスの車の部品を購入するのにルノーが支払っている金額と比較してみるのです。タイヤならタイヤ、ほかのものならほかのものという具合に……。その結果、私たちは同じクラスの車種の場合、日産の購買コストがルノーよりも二〇～二五パーセント高いことに気づきました。つまり、ルノーと比較することによって、日産がどのくらい非効率的であったか、それを測る客観的な尺度を得ることができたというわけです。では、どうして日産がそれほど非効率的なのか？　次に必要なのはその理由を突き止めることです。日産はルノーの一〇倍の品質やスペックを追求していたのでしょうか？　答えはノーです。このコスト高はブランド・イメージや性能とは関係がありませんでした。そうではなく、サプライヤーの数が多すぎるせいです。そして、そのサプライヤーたちのほうは、注文の量が少ない結果、〝規模の効果《スケールメリット》〟によって利益を得るには程遠い状態に置かれていました。これではコストが高くなるのも当然です。また、技術・開発部門が別にユーザーからの要望があるわけではないのに、自動車業界での標準を考慮に入れないスペックを要求するのも、部品のコストを上げる大きな原因になっていました。そして、サプライヤーたちは、『特別なスペックを要求されるのではなく、この業界の標準でかまわないならば、ほかの部品メーカーのようにとりたてて品質を落とすことなく、もっと価格を下げられるのですが……。このスペックは本当に必要なのでしょうか？』と購買の担当者に言っていました。ところが、購買の担当者がそれを技術・開発部門に伝えると、エンジニアたちは断固としてその話に耳を傾けなかったのです。これは明らかに、技術・開発部門が会社全体のことを考える視点に欠けていた、ということを示しています」

CFTによる購買コストの削減案

CFTは、一方では、社内の〝部門の壁〟や〝上下関係の壁〟を壊して、経験や能力に基づいた最良の意見を結集させる、いわばアイデアの実験室であった。だが、それだけではない。日産という会社がどれだけの変革を受け入れられるのか、つまり過去の習慣から脱却したり、厳しい目標を達成したりするのに、根本から変わっていくことができるのかどうか、それを見極める場にもなった。実際、ルノーと比較した結果などをもとに、ゴーンはかなり厳しい目標設定をＣＦＴに要求する。

「日産リバイバル・プラン（ＮＲＰ）の目標選択に当たっては、誰の目にも明らかな要素がいくつかありました。例えば、先ほども言ったように、購買に関しては日産はルノーと比べて二〇～二五パーセント、余計に購買コストをかけていました。これはもちろん、六か月くらいで削減できるものではありません。そこで、私は購買チームに徐々に目標を引き上げさせていって、結局、三年間で二〇パーセントの削減という目標を立てさせました。そこまでの目標を出させた時、私はそれが現実的に言ってぎりぎりの線だとわかったのです。これは科学的に導き出された結論ではありませんでした。チームの人々がこれまでの経験からどこまでなら可能だと考えることができるのか、その感触からそのぎりぎりの線を探って導き出した結論です。経営者としての経験から直感的に……。目標というのは、どこかで現実との折り合いをつけなければなりません。購買コストの削減に関しては、私は最低二〇パーセントと思っていました。購買チームは努力して、その数字を実現できる目標として挙げてきたのです。私はそこで折り合いをつけることにしました」

この例を見れば、ＣＦＴがどのような論理で構成されたのか、おそらくよくわかるだろう。すなわち、購買部門が購入する部品は、すでに新型モデルが構想される段階でそのほとんどが決定される。したがって、購買チームのリーダーのひとりには、どうあっても技術・開発部門の担当役員を持ってこなければならないのだ。逆もまた同じである。

「私は技術・開発部門が要求するスペックを特別なものから標準的なものにすることで、全体のコストの削減の三分の一は達成できると考えていました。ライバル会社と比べた場合、日産は部品に特別なスペックを要求することが多かったからです。私がそう言うと、エンジニアたちは、最初はその言葉をまったく信じませんでした。しかし、CFTの活動を通じて、エンジニアたちは自分たちが間違っていたことに気づきました」

こうした考え方によって、日産リバイバル・プランでは、「日産3―3―3」（サプライヤー、購買、開発の三つのパートナーが協力していくことによって、三年間で、また、世界の三つの地域で、コストを削減していく計画）という別のプログラムも設定されることになる。

生産能力の削減

コストの削減に当たって、もうひとつ直面しなければならないのは、生産能力の削減、つまり工場の閉鎖の問題である。これはきわめて痛みを伴うので、どのような会社にあっても、この決定を下すのは決してやさしいことではない。ルノーがベルギーのビルボールド工場を閉鎖した時に、どれほど大きな問題になったかを見てもわかるように、工場の閉鎖というのは難しい外科手術であり、たとえそれが正しい目的のためであっても、企業の公正なイメージに傷を与えてしまうものなのだ。とりわけ、労使が一体となって理想的な産業社会のモデルを築きあげてきた二〇世紀後半の日本においては、工場の閉鎖はいわばタブーであったとも言える。たしかに、日本経済が失速し、日産の退潮が明らかになり始めた九五年の春、日産はぎりぎりまで決断を延ばしたあとに、ついに神奈川県座間市にある巨大組立工場を閉鎖している。だが、それはその後も日産のトラウマになっていた。一方、ライバルのトヨタも、数年前から組立工場を閉鎖するとしきりに口にしてきたが、少なくとも本書を書いている二〇〇二年の時点においては、その決断はまだなされていない。

「私が就任した時点では、工場では生産能力の五〇パーセントしか稼働していませんでした。したがって、日産の再生のためには、これを七五パーセントにまで上げるのが最低限の目標になりました。しかし、各工場において生産能力の削減を図るのでは解決にはなりません。問題を解決するためには、数工場の閉鎖が必要でした。そうして、私たちは五工場の閉鎖という結論に達したのです。それがいちばん合理的な形だったからです。一方、国内販売店（営業所）については、一〇パーセントの閉鎖にとどめることにしました。というのも、まず初めに販売とマーケティング・チームから、現状では販売店のテリトリーが重複して、日産系列間での競争があると聞いた時、私はチームのメンバーに『それではどのくらい営業所を減らしたらよいか』と質問しました。すると、そこで出てきた答えは〝一〇パーセントよりもさらに低いもの〟でした。そこで話し合いの結果、ようやく一〇パーセントという数字を引き出した時、〝これ以上を要求したら、決して同意は得られない〟と私にもよくわかったからです」

意欲と現実との折り合い

このように、計画を立てる時には、可能なこととそうではないことを考慮に入れて、行き過ぎないよう限度を知ることが大切である。計画が成功するか否かはそのあたりのさじ加減にかかっている。

「目標の決定にはさまざまな要素が考慮に入れられました。まずは客観的なデータがあります。それから、ＣＦＴがどこまで踏み込む気持ちができているかという問題もありましたし、意欲と現実の折り合いをどこにつけるかといった問題もありました。この意欲と現実の問題について言えば、〝ある目標が意欲的だが、実際には実現不可能だ〟と思われる時には、計画の遂行に当たって、社員のモチベーションを高めることはできません。そんな目標は聞いただけでやる気がなくなってしまいますから……。反対に目標があまりにも保守的な、すなわち、何の困難もなく達成できるという場合は、そもそもモチベーションを高める必要すらありません。そんな目標は、目標としての意味がありません。また、設定された目標は、〝その目標が必要だ〟と人々が信じる必要があります。それができなければ、やはりモチベーションが失われてしまうからです。したがって、大切なのは、この二つの折り合いをつけることなのですが、それは議論を重ねるうちにどのあたりで折り合いをつければよいのか、わかるようになってきます。こうして、ＣＦＴによる計画のおおもとができあがる九月の終わりには、攻撃的《アグレッシブ》でいて、同時に現実的でもある目標を引き出すことができるようになっていました」

計画の本来の目的

普通、再建計画というのは、工場の閉鎖などの〝過去の清算〟と、新しい事業の展開など〝未来のための準備〟という二つの目的からできあがっている。そして、計画を成功させるためには、この二つの間のバランスが大切になってくる。だが、衰退している会社では、再建計画を立てる時に、この

〝未来のための準備〟という側面が軽視されていることが多い。そうして、再建計画を重ねるごとに、再生への道をたどっていくのではなく、緩やかな臨終へと向かっていく。日産のサラリーマンたちは、過去に次々に立てられた計画によってこのことを経験していた。すなわち、これらの計画は、そのひとつとして、問題の核心——つまり〝会社の競争力の欠如〟に触れたものはなかったのだ。〝未来のための準備〟をするなら、まずはこの競争力の問題をこそ考えるべきではないか！ その代わりに、過去の計画で行われたことは、事務所の清掃は月に一度に減らすとか、事務用品は個人で買うようにするといったばかばかしいやり方で、従業員の士気をくじくだけのものであった。まるで日産の再建が鉛筆と消しゴムの費用にかかっているかのように……。これは〝過去の清算〟でさえない。

「再建計画を立てるに当たっては、コストの削減や株式などのノンコア資産の売却という、いわば過去を清算するといったものが中心になることは最初からわかっていました。しかし、私としては、商品ラインの再編や研究開発への投資、そして莫大な負債を抱えていたせいで不可能となっていた新型モデルの投入など市場における機会の追求についてのメッセージも計画のなかで伝える必要がありました。それは日産の未来に関わることだからです。ですから、そういった問題についても、計画ではしっかり項目を挙げて言及しました。しかし、実際に日産リバイバル・プランを発表してみると、やはり注目を集めたのはコストの削減や株式の売却の側面でした。ブランド・イメージに対する投資や商品企画の刷新、研究開発への投資、市場における機会の追求といった側面は、ほとんど話題になりませんでした。おそらく、計画を聞いた人々は、そういったことには時間がかかり、リバイバル・プランの期間中には目に見える成果が表れないと判断したのでしょう。また、この計画でいちばん厄介なのは、コストの削減と株式の売却に関わることだと感じたからだとも思います。つまり、それは会社の経営方針を見直し、子会社や関連会社との関係を再検討することにつながるからです。そういうわけですから、日産リバイバル・プランが発表された当初、この計画が会社を再編するためのプログラムというよりは、リストラ計画のように映ったというのもしかたがないことなのでしょう。しかし、時間が経つにつれて、この計画は短期的な結果を出すのではなく、会社の再編成を目的としたものだという全体像が理解されるようになってきたと思います」

系列の解体

株式を売却し、子会社や関連会社との関係を再検討するというのは、要するに〝系列の解体〟を意味する。これは工場の閉鎖と同様、日本の産業界、マスコミ、世論に大きな衝撃を与えた。

「日産の系列の解体に関しては、計画を発表した当初から意向をはっきり示してきたので、パニックは起こりませんでした。また、資本関係がなくなっても、日産が取引関係を守ったのを見て安心したところも多かったでしょう。実際に株を売却する時も、私たちは条件を吟味し、適切なやり方で進めました。そして、新規の株主たちが、株を売却された企業の存在意義を理解しているかどうか、きちんとすべきことをしてくれるかどうか、といった点について、注意を払いました。決して安く売ったりはしませんでした。その結果は驚くべきものでした。リバイバル・プランを発表した時、私たちはノンコア資産の売却で五〇〇〇億円という数字を目標にしていましたが、今やその目標を達成して数十億円、上回るところまで来ているのです。私は最初から、『会社の再建を損なうようなことはひとつもしない』と言ってきました。『その点については、譲ることができない』と……。そして、実際に譲りませんでした。最初に計画案を練り始めた時、私はあらゆる事柄についていつでも議論を受け入れる用意がありました。しかし、再建を後戻りさせるようなことだけは絶対に認めるつもりがありませんでした。株式の売却については、カードは最初からテーブルの上にあったのです。ですから、それが話題にのぼった時に、社内の人々は、『関連会社や子会社の株を保有する理由はとうの昔になくなっていて、その売却に抵抗するいわれはひとつもない』ということに、すぐに気づいたのです。この場合、社内から抵抗の動きが出なかった、ということが大きな助けとなりました」

日本式コンセンサスとゴーン式コンセンサス

リバイバル・プランを作成していく時、ゴーンとCFTがどんな意思決定の方法をとったのかは計画の成功に関わる問題である。というのも、普通、意思決定の方法というのは、トップダウン方式とボトムアップ方式があるが、そのどちらも、一方に偏りすぎていたらあまり望ましいとは言えないからである。トップダウン方式では、経営者のやり方に異論を唱えられなくなることがあるし、ボトムアップ方式では、会社全体を見渡す視点に欠けるきらいがある。そこで、この両者を組み合わせた形がいちばん良いのだが、今回のやり方はまさにそれであった。すなわち、トップが方向を示すが、その方向にどうやって向かっていくかについては、議論が開かれているという形である。

ここではそれに関連して、いわゆる〝日本式コンセンサス〟について触れておきたい。今回の再建計画――すなわち、リバイバル・プランの策定のように、ある限られた時間のなかで具体的な目標を決定していかなければならない時、〝全員が同意しないかぎり、先には進まない〟という日本式コンセンサスは、非常に大きな足かせとなる。そんなことをしていたら、その間にも事態は悪化していくばかりだからである。そもそも、意思決定の方法として日本式コンセンサスが優れているというのは、かなりのところ神話にすぎない。というのも、過去に偉大な成功を収めた日本の企業は、たいていの場合、非常に個性的な経営者、あるいは経営陣が過去の習慣にとらわれず、時には独裁的な権力を行使して、会社の方向を決めてきたからである。その意味で言うと、日本式コンセンサスは隠れ蓑にすぎないのだ。だが、高度成長経済のあと、組織が次第に動脈硬化を起こして、日本の多くの企業が官僚主義的な体質になってくると、〝日本式コンセンサス〟というのが、自信がなく、能力にも欠ける経営陣が、何も決定しないいですませるための言い訳に使われるようになる。

「経営における迅速さというのは、実を言うと、決定の迅速さではありません。行動の迅速さです。大切なのは、問題を発見してから、その問題が実質的に解決されるまでの速さなのです。そこで、日産の話をすると、私は日本の人々が〝行動〟の段階で非常に優れた力を発揮するのを知っていました。目標がはっきりしていて、その目標を達成するやり方が自分に納得できるものであれば、素晴らしい行動力を見せてくれるのです。したがって、私は、日本の場合、〝問題を発見してから解決法を決定するまでの期間〟というのがいちばん大切だと考えました。つまり、どんなふうにコンセンサスを得て、どのくらい決定に時間をかけるかということです。この時、まず排除されたのは、〝柔らかいコンセンサス〟、あるいは〝消極的なコンセンサス〟と呼ばれるものです。私はこのコンセンサスのやり方を信じません。会議を開いて、誰かひとりでも同意しない人間がいれば、そこで話が終わってしまう。それでは何も決まりません。それよりも私は自分で〝積極的なコンセンサス〟と呼んでいるものを信じます。これは、もし誰か同意しない人間がいれば、そこで会議を中断して、その同意しない人間と徹底的に話し合うというものです。その話し合いでは、まず二人の目標が一致しているかどうか、ということが確認されます。これはたいていの場合、一致しています。つまり、目標は一致していても、そこに至る道が違うわけです。もしそうなら、会議で何かの案に同意しなかった人間は、その話し合いで代案を出さなければなりません。そして、その代案を聞いて、今度は私のほうが会議で提出された案と比較して考えます。こうして、私たちは、二人のうちどちらかが、相手の案のほうが優れていると納得するまで討論するのです。この時、最初に挙げた目標自体が問い直されることはありません。これは絶対にありません。あくまでも、最初に挙げた目標に沿って、その具体的な方法を決めていくわけです。このやり方には良い点がたくさんあります。つまり、相手から積極的な協力の意思が得られて、しかもより優れた決定ができるようになるということです。もちろん、このやり方をとると、決定を下すまでに多少の時間がかかります。しかし、それだけの価値はあります。というのも、これは私が実際に経験したことですが、相手の案のほうがいいと思って考えが変わったり、そうではなくても、相手の意見を取り込んで、もともとの案が改善されたりするからです。そこで、全員が納得して計画の実行に移れば、問題解決も早くなります。というわけで、〝積極的なコンセンサス〟は、結局は迅速さを生み出すのです。また、拙速な決定は結局時間を無駄遣いするだけです。というのも、コンセンサスなしに急いで決定してしまったら、行動の段階で時間がかかるからです。そういったことから考えると、積極的なコンセンサスというのは、決定と行動にかかる時間を最適化する方法だと言えるでしょう。ただし、これには会議に参加する人々が、〝自分もその話し合いに積極的に加わって、その問題を考えていこう〟と努力しなければなりません。ひとりひとりがそのことを自覚して、真剣な討議をする必要があるのです」

しっかりした目標に沿った、開かれた議論

ゴーンはそういったコンセンサスの方式をもとに、トップダウン方式とボトムアップ方式をうまく組み合わせて、リバイバル・プランを作成していく。その結果、「社内から、抵抗の動きが出なかった」という、外から見ると信じられないような結果がもたらされることになる。

「抵抗の動きが出なかったということは、主として議論の進め方によるものだったと思います。私は、『これはこうなるべきだ！』と言ったことは一度もありません。といっても、最初に掲げた目標に対しては、異論が出るはずはないと思っていました。というのも、その目標は、負債の半減、黒字転換、将来への投資の増大、商品ラインの刷新といったものですから、これに反対することは誰にもできないからです。一方、そういった目標をしっかりと定めたうえで、そこに到達する方法については、私はいつでも喜んで議論に応じました。目標とスケジュールについては譲ることはできませんでしたが、その実施の方法に関しては、議論は非常に開かれていたのです。それどころか、『何か良いアイデアを持っている人は、積極的に発表してほしい』と頼みました。決定の前ならばすべてが可能でした。しかし、もちろん、そこで出てきたアイデアは、激しい議論によって、〝それを実行するのが可能だ〟と裏づけられるものでなければなりませんでした。なぜなら、私たちが求めていたのは、目標に

到達しようという意向ではなく、目標に到達したという結果だからです。そして、議論の果てに一度、決定が下されたら、その件に関しては、二度と討議されませんでした。調整は可能でしたが、一から再検討するということはありませんでした。しかし、いずれにしろ、こういった開かれた議論をすることによって、多くの人々が自分の考えを表明することができました。そうして、納得がいくまで議論を重ねたのです。解決策について自由に討論できたからこそ、ひとたび発表されれば、人々はもはや選択の余地がないと思うようになったのです」

　もちろん、その過程で、いくつかの問題については、激しい議論が闘わされた。例えば、関連サプライヤーの株式売却の問題である。日産の技術・開発部門は、いくつかのサプライヤーを自社の戦略上の資産とみなしていたので、株式の売却に反対する議論が出たのだ。すなわち、技術・開発部門にとって、サプライヤーは単に部品を供給するメーカーではなくて、専門知識の保有者であり、未来にとって欠かせない技術の宝庫であった。

「ある日、会議のなかで、ジャトコやほかのサプライヤーの株は売却すべきではないとの意見が出ました。私はまずその意見を聞いたうえでこう答えました。『ジャトコが再編計画を立てて、コストを削減し、自分の力で発展することを目指して、ほかの自動車メーカーとも取引を行うというなら、資本参加を続けてもいい』……。そして、こう続けたのです。『しかし、もしそれができないなら、売却してしまったほうがいいだろう』と……。このように、具体的な方法をどうするかについては、私は頑固になるつもりはありませんでした。しかし、収益性を上げる、負債を返済する、シェアを回復するといった目標については、『この目標を撤回することは絶対にない』とはっきり言ってありました。ただ、前にも言ったように、その目標をどういう方法で達成するかについては、いつでも話し合う用意ができていたのです。揺るがぬ決断というのは、強情さとは違うものなのです……」

結局、ジャトコの株は売却されず、日産の開発部門から独立したトランステクノロジーという会社と合併し、ジヤトコ・トランステクノロジーと名前を変えた。ゴーンが言っていたように再編が行われたわけである。その後、この会社は、二〇〇一年には三菱自動車の子会社と事業統合し、ＡＴ・ＣＶＴ（自動変速機・無段変速機）の分野で世界的なリーダーの役割を果たすことになる（現社名はジヤトコ株式会社）。

しかしながら、日産の弱点が如実に表れている問題に関しては、議論も緊張の度を高めた。

「いちばん議論がまとまらなかったのは、国内における販売網の再編の問題でした。私たちは大幅な改革を行いましたが、それでもこの分野はまだ、現在においても、日産の弱点だと思っています。能力の不足、官僚主義、伝統のしがらみ、透明性のなさ、戦略の不在、分析的・客観的アプローチの欠如、ここには日産の悪い部分が集まっています。なんとかしなければならない部門です」

決断の時

こうして九九年の夏の間、日産の最高意思決定機関であるエグゼクティブ・コミッティには、九つのＣＦＴから、次々と改革案が提出されてきた。そして、ゴーンを含めたエグゼクティブ・コミッティのメンバーである一〇人の取締役たちは、その提案のひとつひとつを検討していった。

「そこでは、多くの論議がなされました。しかし、決定が下されたあとで異議が唱えられることは決してありませんでした。これは、日本の強みです。議論は存分に交わしますが、ひとたび方向が決まったら、そちらに向かって進んでいきます。ただ、その議論の仕方というのは、フランス人とはちょっと違います。フランス人は物事をはっきり言います。しかし、日本の場合はそうではなく、もっとずっと含みのある言い方で、自分の言いたいことを伝えようとするのです。とはいっても、以前の日産と違って、取締役たちの数が減って、エグゼクティブ・コミッティの機能の仕方もかなり刷新されています。しかも新しいこのメンバーは、再建計画が成功することを心から願っていたのです」

やがて、長かった夏も終わり、季節はもう秋に入っていた。死を前にした蝉たちの最期の歌が痛ましく響きわたるなか、ゴーンと日産の幹部たちは決断の時を迎えようとしていた。

「九月の末になると、私は日産の長所や短所、それから日産が潜在的に持っている力などを、より明確なイメージで理解できるようになっていました。そして、その結果、最終的な決断を下す用意ができていました。ええ、逆に言うと、そこまではまだ議論を重ねていたわけです。実際、その議論をもとにして、最終的な計画案は九月の最後の一週間で作られました。つまり、そこですべての決定がなされたのです。それから、決定したことを分厚い発表用資料にまとめ、その内容を推敲し、また社員たちに同時に伝えるためのシステムを準備するのに、そこからさらに二週間を要しました。そうして九九年一〇月一八日、私はいよいよ〝日産リバイバル・プラン〟を発表し、この計画は二〇〇〇年の四月一日から開始されると宣言しました。そのあと、一〇月の下旬からは、実施の準備をしたり、計画をさらに発展させたりして、四月一日の開始日を待ったのです」

日本の経営の問題点

リバイバル・プランを策定することによって、ゴーンは日産の過去の傷跡を検討し、また長所や短所を発見していった。

「よく、『日本の経営者は、なぜ、行動しなければならない時に身をすくめているのか』と不思議がる声を聞くことがあります。『日本の経営者には行動するつもりがないのか』と……。しかし、私は決して行動するつもりがないわけではないと思います。ただ、どうやったらいいのかわからないのです。つまり、戦略的なヴィジョンが欠けている……。これは非常に簡単なことなのです。そのヴィジョンというのは、別に理論的なものではなく、ただ方向性を示すだけのものでもかまわないのですが、ともかく、それをもとに、物事をはっきりさせ、単純化し、優先順位を与えてやって、みんなが合意するような計画を作ってやらなければならない。これが欠けているのです。もちろん、そうは言っても、そのヴィジョンをより鮮明なものにして、ひとつの行動計画に変え、社内の大勢の人々に仕事を割り振っていくのは、決して簡単なことではありません。つまり、どうやったら、それが効果を発揮するのか、具体的な方法を考えてやらなければならないからです。そして、この具体的な方法というのは、突然、思いつけるものではありません。というのも、具体的な方法を思いつくためには、状況をよく知って、分析する必要があるからです。要するに、いちばん大切なのは知ることなのです。その証拠に、日産の状態を知り、状況を分析して診断を下した時、日産のなかにはショックを受けた人々が少なからずいました。それは、彼らが日産の置かれた状況を本当の意味では理解していなかったということを意味します。つまり、状況を知らなかった……。その結果、私がサプライヤーの数を大幅に削減すると表明した時、この人たちは自分の目の前に、これまで思ってもみなかった世界が広がるのを見ることになりました。サプライヤーに関する状況を全体的に把握していなかったため、そんなことはそれまで考えたこともなかったからです。しかし、いったん状況を理解して行くべき方向が見つかったら、あとはどんな方法をとればよいのか、おのずと見つかっていきます。私たちはそれをしたのです。たとえて言うなら、それまでの日産の経営法は、インディアンの部族の呪術師のようなものだったと言えるでしょう。つまり、赤痢を治すのに現代的な治療法があることは知っているのに、まだ植物の煎じ薬を用いようとしていたのです。医者が薬や抗生物質、科学的な治療法などを使っているのを横目で見ながら……。私たちは病気を治すために必要な道具がすべてそろった箱を抱えてやってきました。ところが、目の前にいたのはそれをどう使ったらいいのかわからない人々でした。ですから、これは変革に抵抗するとか、そういった問題ではありません。というのも、ひとたび私たちが持ってきた道具を使い始めたら、その人たちも一緒に道具を使い始めて、物事は自然に動き出したのですから……。

私はこれが日本の企業に多く見られる状況なのだと思います。また、日本という国の状況なのだと思います。人々はどうやったらよいのかわからないでいる。そして、ただ体面を失いたくないという気持ちで、現状を認めるのに抵抗する。強く反発する。そうやって、最後は事なかれ主義に陥ってしまうのです。そうなったら、もう状況を判断することもできなければ、具体的な方法も思いつかない。目標を掲げてそれを達成しようという気にもならない。また、世間にコミットメント、つまり、責任を持って目標の達成を約束することもできません。これはすべてつながり合っているのです」

優秀な人材をもう一度活かすこと

だが、これは人材の質の問題ではない。むしろ、とうの昔に時代遅れになってしまったマネジメント・システムの問題である。

「私は日産の幹部たちが能力的に劣っていたと言っているわけではありません。というのも、日産には非常に優秀で知的な人々がたくさんいるからです。もともと日産は東京に本社があるだけに、国内の一流大学出身の優れた頭脳の持ち主を惹きつけることができます。つまり、人材獲得競争においては最初から有利な面を持っているのです。ですから、その部分では問題はありません。問題は実際に彼らが入社してからの話です。入社したあと、この人々は、何の刺激も受けず、何の要求もされず、何の目的も与えられません。そうなったら、いくら優れた潜在能力を持った優秀な人材でも、何も成すことはできないでしょう。そうして、次第に能力を失っていってしまうのです。素晴らしい筋肉も使わなければついには衰えてしまう。日産には優秀な人材が溢れていましたが、社内にはその優秀な人材を刺激するような有意義なプロジェクトがひとつもなかったのです。私は多くの人がこう言うのを耳にしました。『私はこの問題を数年前に提起しましたが、経営陣からは何の回答も得られず、アイデアが実際的な行動計画となることもありませんでした』と……。経営陣が強力なヴィジョンを打ち出して、社員たちがそれを共有していかなければ、会社はひとつにはなりません。統一を欠いたまま、活力を失い、ひとりひとりがバラバラに動いている――そんな状態になってしまうのです」

日産が再生するかどうかは、まずはこの会社に活力を取り戻させることができるかどうかにかかっていた。現在の状況がいかに深刻なものであるかを認めさせ、〝非常に強い薬さえ打てば、まだ立ちあがるのは可能なのだ。日産は本質的に強靭な力を持っているのだ〟と、社員たちに納得させることができるかどうかにかかっていた。あとは、ひるむことなく、素早く、毅然として、長期にわたって行動していく必要があった。

「最初は問題に気づくことが大切です。しかし、それができたからといって、それだけでは何にもなりません。その問題が起こった原因を分析し、その内容を人々が共有することが重要です。また、その分析結果をもとに具体的な計画を立てることがさらに重要です。しかし、そこまでの作業がすべて終わったとしても、再生への取り組みは、まだ五パーセントしか完了したことになりません。残りの九五パーセントは、それを実行できるかどうかにかかっているのです。けれども、日産の過去の計画を考えると、人々はこの最初の五パーセントのところでとどまっていたことがわかります。日産が向き合わなければならなかった膨大な量の問題を考えたら、これでは無に等しかったと言えるでしょう。結果が得られなかったのは当然です。なにしろ、深刻な病を治療しなければならない時に、注射を一本打っただけなのですから……」

第13章　ショック療法

リバイバル・プランの発表

「ここで主要な事実と数字を用いて、日産の現況についてご説明します。日産は業績不振の状況にあります」

最初の挨拶を終えると、ゴーンはこう口火を切った。一九九九年一〇月一八日、日本橋のロイヤルパークホテルには、その週末から始まる東京モーターショーの取材のために、世界中からマスコミ関係者、特に自動車関係のジャーナリストが集まっていた。モーターショーを前に、日産が〝プレミアショー〟を行ったからである。だが、それは一風変わったショーだった。ステージの上にはぴかぴかのコンセプト・カーもなく、ミニスカート姿のコンパニオンもいない。シャンペンその他の飲食物の振る舞いもなし……。その代わり業績悪化を表す数字と自社に対する厳しい診断、それにいくつかのコミットメント（責任を持って必ず達成すると約束する目標）が不退転の決意をもって示された。夏の間、準備を続けてきた日産リバイバル・プランが、この日、とうとう発表されたのである。この計画をゴーンが発表した時のスタイルは、日本では前例のないものであった。だが、おそらくよほどその印象が強かったのだろう。それ以降は、よくモデルにされるスタイルになった。一流ホテルのレセプションルームに巨大なスクリーンが置かれ、さまざまな数字や図表を伴った二か国語表示のスライドが次々に現れるというやり方である。

それはともかく、その日、予定された時刻になると、ゴーンはぴたりと決まったスーツ姿で登場した。そして、会場にいる取材陣と、モニターを通じて日産の社内で固唾を呑んで見守っているはずの社員たちに向かって話しかけた。真正面に据えられたプロンプターに原稿が映し出されているため、口調は滑らかでしっかりとしている。自社の業績不振を発表する際、日本の企業で決まって繰り返される陳謝の言葉や涙はない。ただ、淡々と数字を説明し、再建策を述べていくだけである。それだけに、そのスタイルは信頼感を抱かせるものであったし、また日産の新しい経営陣の断固たる決意がひしひしと伝わってくるものであった。実際、発表に先立ってゴーンを紹介する時、社長であった塙義一はこう言った。「皆さん、今日は日産の将来にとって最も重要な日であります」。そして、それは単なるレトリックではなかった。

業績不振を示す三つの指標

発表ではまず三つの指標が挙げられた。

「日産は九一年以降、グローバルマーケットでのシェアを落とし続けています。九一年で六・六パーセントであったシェアは現在四・九パーセントとなっています。生産台数は九一年と比べ、六〇万台以上減少しています」

六〇万台というのは、ボルボやメルセデスの販売台数よりも多い。つまり、それくらいの規模の自動車メーカーがそっくり姿を消した計算になる。次に、二つめの指標。

「日産は九一年以降、収益性に問題を抱えています。今年度の予想も含めまして、この八年間で七回の赤字を計上しています」

実際、九九年度については、日産は六八四四億円（約六四億ドル）という記録的な赤字を出すことになる。ただし、これは過去勤務債務の一括処理やリバイバル・プランの遂行費用の前倒し計上など、引当金や準備金を損失に計上して負の遺産を清算しようという、新しい経営陣の固い決意を示すものでもあった。要するに、〝未来を準備するために、過去の膿を出しきってしまおう〟としたわけである。そして、三つめの指標。

「日産は過去から現在に至るまで多額の負債を抱えています。販売金融を除いた負債は九八年度末でおよそ二兆一〇〇〇億円であります」

すなわち、九九年の春にルノーから投入された六四〇〇億円あまりの資金を差し引いても、この時点ではまだ約一兆四〇〇〇億円もの負債が残っていたことになる。これは九八年度の日産の純資産の二倍以上に当たる額である。

日産の弱点と強み

三つの指標を挙げたあと、ゴーンは業績不振の理由を挙げた。すなわち、明確な収益志向の不足、顧客志向の不足、部門横断的機能、地域横断的および組織の階層を乗り越えた業務の不足、危機感の欠如、ヴィジョンや共通の長期戦略が共有されていないこと――の五つである。しかし、ゴーンは日産の長所も指摘した。

「それらを要約しますと次のようになります。①日産は国際的に認知されており、広く海外への事業展開を行っている、②世界でもトップレベルの生産システムを有している、③特定の重要な分野での最先端の先進技術を有している、④ルノーとの提携——などです」

次に、ゴーンは計画の策定にあたってクロス・ファンクショナル・チーム（CFT）が果たした役割について説明したあと、〝事業の発展〟という目標のもとに、新車を投入していく計画を発表した。理由は簡単だ。ゴーンの言葉によれば、次のようになる。

「すでにおわかりのように、自動車会社においては、良い商品を以てすれば、解決できない問題はありません」

また、それに関連して、〝ブランド・イメージを上げていく必要がある〟ということにも言及した。というのも、これまで日産には、〝同じレベルの車を競合他社よりも安く売る会社〟というマイナスのイメージが定着していたからである。そして、日産車のイメージを作るデザインについては、こう言って、新たな展開を約束した。

「我々のスタイリングは常に良かったとは言えません。もっと魅力的で一貫性を保つ必要があります」

そうして、リードタイム（開発期間、受注から納車までの期間、等）の短縮の必要性を述べると、ルノーとの提携によって開けたチャンスを活用して、欧州や南米で販路を広げていくつもりだとした。

痛みを伴う再建案

ここまでの話は、日産を再建するためにルノーが送り込んだゴーンのイ、メ、ー、ジ、——「コストカッター」とはずいぶん違っている。だが、実際のところ、日産を再建するためには、大幅なコストカットをしなければならない。それはどの部分で行うのか？　つまり、どの部分が痛みを負うのか？

「我々の目標は三年間で二〇パーセントの購買コストを削減することです。では、どうやってこれを達成するのでしょうか？　我々のサプライヤーの数は多すぎます。現在一一四五社の会社から部品、資材を購入していますが、二〇〇二年度には六〇〇以下にします。また、現在、設備とサービスについては六九〇〇社にも及びます。これも二〇〇二年度には三四〇〇以下にします」

このやり方は的を射ている。自動車メーカーのかけるコストの六〇パーセントは購買部門が占めるからだ。また、そのためには地域的なしがらみを捨てて、グローバルなレベルで部品を調達していくことも必要になろう。なおかつ、コストの削減をいっそう迅速に進めて、目標を効果的に達成するためには、日産の購買部門、技術・開発部門、サプライヤーのチームワークの強化も欠かせない。リバイバル・プランではこのチームワークを「日産3—3—3」と名づけ、継続的な活動をしていくことにした。

「我々のサプライヤーは我々の成功のために不可欠なのです」

たしかにこうしたことの結果、サプライヤーの数は半減する。しかし、そこで残ったサプライヤーには、取引量の増加、高いシェア、長期的な見通しが保証される。

「つまり、我々を支援してくれるサプライヤーを支援するということです」

二つめは、工場の閉鎖である。といっても、日産の工場は生産性から言えば、世界でも最高のレベルに属する。

「英国サンダーランドにある日産工場は、私のルノー時代にはベンチマークの対象でした。スマーナ工場は北米でトップです」

したがって、問題なのは生産性ではない。工場の数であった。リバイバル・プランが発表された九九年当時、日産の国内工場では年間二四〇万台の生産が可能だった。ところが、この年の見込み生産台数は一二八万台に過ぎず、そこから計算すると工場の稼働率は五三パーセントにとどまることになる（訳註：工場を維持するには大きなコストがかかるので、製造業では工場の稼働率が収益性を決定するひとつの重要な鍵になっている。それが五三パーセントでは、かなり苦しく、この数字を高くするためには、いくつかの工場を閉鎖するしかない）。

「我々はこの台数（二四〇万台の生産能力）を三〇パーセント削減し、一六五万台とすることを決定いたしました。また、将来的に見ると、控えめに見積もっても、二〇〇二年度の日本での生産台数は五・五パーセント増加し、一三五万台となる見込みです。その生産台数での稼働率は八二パーセントになります。これらの結果として、以下の生産集約を実施いたします。車両組立工場の村山工場、日産車体京都工場、愛知機械港工場での生産を二〇〇一年三月に中止します。また、パワートレイン工場の久里浜工場と九州エンジン工場の生産を二〇〇二年三月に中止します」

工場の数を減らして、スリム化するというわけである。当時、日産は車両組立部門で、国内七工場に二四のプラットフォームを持っていたが、リバイバル・プランでは、二〇〇四年の時点で、四工場、一二プラットフォームにすることが決定されていた。また、パワートレイン部門でも、二〇〇二年度までにエンジンとトランスミッションの組み合わせ数を三〇パーセント減らすことが決められていた。

人員の削減

コストの削減はそのほかの分野にも及ぶ。

「我々の目標は、現在、ほかの競争力ある自動車メーカーに比べて高い比率にある販売・一般管理費を二〇パーセント削減することです」

「販売会社の企業家意識を向上させるために、直営ディーラーの数を二〇パーセント削減します。また、テリトリーの重複および日産系列間の競争を減らすために営業所の数を一〇パーセント削減します」

こうして、話はいよいよ〝系列の解体〟へと向かう。

「現在、日産は一三九四社の株式を保有しています。その過半数の会社で二〇パーセント以上の株式を保有しています。このうち四社の例外を除いて、当社の将来にとって、株式保有を不可欠とはみなしていません。つまり、保有するためのコストと、それによる利益を徹底的に分析した結果に基づき、これらのほとんどを売却するということです。我々の目的はコアビジネス（本業）でない分野から資産を引き揚げ、コアビジネスに対する投資に振り向けると同時に、負債を大幅に削減することです」

実際、日産は富士重工に対して、ほとんど意味があるとは思えない出資を行っていた。これを知ったゴーンは、かなり腹を立てたという。それも当然で、なにしろ、ライバル会社である富士重工に対する出資は、マーチのリニューアルに必要な資金と同じくらいの金額であった。そして、日産車のなかでは市場で大きなシェアを持つそのマーチは、一〇年間モデルチェンジをせずにいたのだ。

最後は人員の削減である。日産はとうとう過去の経営のツケを払うべき時を迎えたのだ。ルノーと提携した時点で、日産グループは、新しく採用された連結会計制度のもと〝持ち株比率四〇パーセント以上の子会社〟の従業員まで含めると、国内外合わせて一四万八〇〇〇人の社員を擁していた。

「二〇〇二年度の正規従業員数は一二万七〇〇〇人となります。すなわち、二万一〇〇〇人、あるいは一四パーセントの削減となります」

その内訳は製造部門で四〇〇〇人、国内の販売会社で六五〇〇人、販売・一般管理部門で六〇〇〇人、事業売却による異動で五〇〇〇人である。だが、この動きとは反対に、開発の人員は五〇〇〇人増加されることになった。また、人員の削減についても、数字自体は非常に厳しいものに見えるだろうが、原則的に解雇は行わないとゴーンは約束した。ちなみに、製造部門従業員には全員に他工場への異動がオファーされた。

「この人員減は自然減、パートタイマー採用、フレックスタイムの適用拡大、事業のスピンオフ（分社化）、そして早期退職プログラムによって行われます。特に日本の製造部門での削減はできるかぎりスムーズに行いたいと思っております」

三つのコミットメント

日本の企業には前例のないこうした思い切った措置を発表する一方で、ゴーンは三つのコミットメントを掲げた。はっきりした数値の目標を挙げると、期限を設けて、後戻りできないようにしたのである。リバイバル・プランが成功するか否かは、その数値が達成できるかどうかにかかっていた。

「①二〇〇〇年度に必ず黒字転換します。②二〇〇二年度時点の売上に対する営業利益率を四・五パーセント以上にします。③現在の負債額の五〇パーセントを削減します」

ほとんどすべてを言い終えた後、ゴーンの口調は、語りかけるように、深刻な感じになった。

「日産リバイバル・プランを成功させるためには、どれだけ多くの痛み、犠牲が必要となるか、私にも痛いほどわかっています。でも、信じてください。ほかに選択肢はありません。そして、この計画は挑戦するには十分な価値があるのです。我々はみな、これまで日産が再建を果たすことを夢見てきました。日産が大胆かつ緻密な行動力を持つ会社として、上昇軌道に戻って収益ある成長を成し遂げ、そしてルノーとの提携によって世界のメジャープレイヤーとなることが切なる願いなのです。この過去の夢と願いが今日、日産リバイバル・プランとして私たちの将来のヴィジョンに生まれ変わったのです。日産のすべての従業員がこのヴィジョンをともに分かち合い、努力することによって、必ずや現実のものとなると確信しています」

ショックを効果的に与えた〝機密保持〟

こうしてリバイバル・プランの発表は終わった。これはたしかに衝撃的な発表であったが、同時にショック療法にもなった。従業員やサプライヤー、関係会社の人々、そして内外の世論などに、日産がもう後戻りできないところまで来ているということを、広く知らしめることができたからである。その意味では、〝ショックを与える〟ということは、最初から意図していたことだった。つまり、この点に関しては、ゴーンをはじめとする新しい経営陣の思惑通りにことが運んだのである。

「日産リバイバル・プランの発表は、一種の激震だったと思います」

だが、それだけのショックを与えるためには、事前にその内容が外に漏れてはならない。ゴーンはその点に気を遣った。実を言うと、ルノーと日産が提携交渉を進めている間、フランス側は驚いたものだった。提携に関するさまざまな情報や噂が日本の新聞紙上を賑わすのを見たからだ。しかも、それはどうやら、日産内部の――それも上層部がリークしたものらしい。これでは交渉事に必要な秘密が保てないではないか。ルノーの副社長としてこのことをよく知っていたゴーンは、着任早々、「今後、このような形で日産から情報が漏れるようなことだけはさせまい」と決意していた。

「一〇月一八日の発表まで内容が外に漏れなかったのは、その日までエグゼクティブ・コミッティのところから情報が出ないようにしていたからです。特に九月に入ってからは、『プランの内容については一切口をつぐむように』と、社内で徹底させることに腐心しました。日本政府に内容を知らせたのも発表の直前のことです。労働組合に対しても同じでした。あまり早すぎないように、しかし、必要な時期を見計らって骨子を説明しました。では、どうして情報が漏れることをそれほど心配したのでしょうか？　その理由は簡単です。計画というものは、全体を見ないかぎり理解できないものだからです。それなのに、例えば、『どうやら三工場を閉鎖するらしい』『サプライヤーを半分に減らすんだって』『株式を売却するという話だ』などという情報が個別に漏れていったら、いったいどうなるでしょう？　そのことだけが大きく取りあげられて、計画そのものが挫折しかねません。また、情報がひとり歩きして、社員を怯えさせるだけの結果につながるでしょう。そういった不要な心配をさせないためにも、計画は全体を提示する必要があったのです。全体像を掴めるよう、計画は一度に完全な状態で見せる必要があったのです」

不退転の決意

「最初にこの計画の意義について注目したのは、外国のメディアでした。これほど規模が大きく、精細な内容が盛り込まれていて、しかも、コミットメントが掲げられた計画が発表されたのは、日本では初めてだったからです。実際、私がリバイバル・プランを発表し終わった時、ホールのなかには拍手が巻き起こりました。こういった席で拍手が起こることなどあり得ないと思っていたので、私は大変驚きました。拍手をした記者たちは、〝日本が何年もの間、冒すことができずに呻吟しているタブーをようやく打ち破る人物が現れた〟と、おそらくそう思ったのでしょう。その意味では、あの記者たちは、心からこの計画の成功を願っていたと思います。少なくとも、私はその時、即座にそう理解しました。たぶん、記者たちは、リバイバル・プランのなかに、『日本人よ、目を覚ませ』というメッセージを読みとったのでしょう。そうして、この計画が〝日本の社会に電気ショックを与えるだろう〟と考えたのだと思います。日産のような大企業からそういった計画が出てきたことに、彼らはとても満足しているようでした」

だが、問題は日本の人々の反応である。この計画が成功するためには、当然のことながら、国内世論をどこまで味方につけることができるかにかかっていた。その点に関して、ゴーンはそれまでの経営者であったら、考えられないようなことをしていた。すなわち、リバイバル・プラン発表後のインタビューに答えて、「計画で発表した三つのコミットメントが達成できなかったら、自分を含めて取締役全員が退任する」と約束したのである。これ以上、わかりやすい約束はない。

「ええ、私がそう言ったことで、この計画は日本の国内でも受け入れられました。もちろん、ルノーとの提携以前の日産の状態に、直接的にも、間接的にも、私が責任を負っているわけではありません。しかし、私はもうこの仕事に自分を賭けていました。自分の将来を……。だから、『計画に含まれる三つのコミットメントのうち、たとえひとつでも達成できなければ身を退く』と、あえて明言したのです。それが日本の人々の気持ちを掴んだのだと思います。人々はそこに、日産の経営陣の〝不退転の決意〟を見たのです。つまり、私たちの断固たる決意、それに心を動かされたのです。私の言葉は人々の心に残り、人々はこうつぶやいたのです。『これは大変なことを約束したものだ。そこまで言った以上、計画を骨抜きにしたり、適用を遅らせたり、目標を八〇パーセント達したところで、責任を果たしたなんて顔はできないぞ。約束が果たせなかったら、辞めるしかないのだ』と……。そうなったら、私たちのほうにも議論の余地はありません。私たちは約束したことのすべてを実現しなければならなかったのです」

(訳註：たしかに日本の経営者がコミットメントを行う――すなわち、目標を掲げて、それを達成すると責任を持って約束する――というのは珍しい。だが、それと同時に）そういった目標が正確で具体的な分析のもとに、きちんと数値化されていたというのも、過去の再建計画とは違うものであった。

「コミットメントを行ったということのほかに、この計画のもうひとつの重要な特徴は、日本における過去の再建案と比べて、きわめて詳細な形で、はっきりとした数字が挙げられていることでした。目標とする成果のレベルだけでなく、期日についてもきっちり決められていたのです。そうなったら、そこに書いてあることに対して、曖昧な解釈をする余地は残されていません。『五つの工場を閉鎖する』『その期日はいつまでである』と、そこにははっきりと書かれているのですから……。すべては数字で示されているのです。これをするのか、しないのか。しないのだったら選択の余地はありません。黙って去るだけです」

受け入れられた工場の閉鎖

こうして、日産の前方にはようやく進むべき道が見えたきた。いや、たしかに自分の工場の閉鎖を知った人々のことを考えれば、その道は暗く険しいものだったろう。だが、少なくとも道は見えてきたのだ。

「リバイバル・プランを発表する前は、誰もが不安がっていました。例えば、工場を例にとれば、夏にいくつかの工場を訪問した時、人々は本当に不安そうな顔をしていました。『工場がフル操業していない』『こんな状態で、生産力に見合った仕事がなければ、やがては操業停止に追い込まれる』。人々はそのことをよく知っていたからです。だから、このままの状態は続かないという予感はあったはずです。そして、『自分が人員整理の対象にならなければいいが……』と、皆、祈るような気持ちだったでしょう。そして、その時の人々の予感通り、私は工場の閉鎖を発表しました。悲しいことです。しかし、それは、この工場はもう維持することはできないが、ほかの工場ではまだ操業が続けられるということをはっきりと示すためでした。すると、それによって社内の悪いムードは払拭されました。どうなるかと不安に駆られていた人々も、ともかく行く道が見えてきたのです。ある人々にとっては、いよいよ工場が閉鎖されてしまうという道が……。それは辛い道ですが、不安に駆られているよりはましです。また、ある人々にとっては、これまで通り操業を続けられるという道が……」

人々はただ自分の行くべき道を見つめた。これはまた日本と欧州との違いだろうか、もしこのような発表が欧州でなされたら、どれほどの騒動になるか、容易に想像がつく。赤旗を掲げたデモ、籠城戦術によるスト。都市機能は麻痺し、右から左までの政治家がさかんにテレビに登場する……。ところが、日本ではそのようなことは起こらない。この時も、わずかに共産党系の労働組合が銀座の本社に向けてデモ行進した程度で、社内に実質的な影響はなかった。数千人規模の参加者のうち、日産の社員はごく少数で、連帯感を示すために駆けつけた幾人かのルノーの組合員たちががっかりしたというくらいである。

また、日本の政府や政治家たちも格別の声をあげなかった。

「政府からの干渉はいっさいありませんでした。政府は完全に中立の立場でした。おそらく、日産が袋小路から抜けるために、それが必要な試みであればやむを得ないという判断があったのでしょう。政府はそれよりも、日産が破綻して、日本全体の経済や地方の経済、そして、販売店やサプライヤーに打撃が加わることのほうを恐れていたのだと思います」

実際、政府や地方自治体は、計画の実行によって影響を被る従業員の家族を支援し、また地域経済を支える用意があると表明した。

社員たちの反応

一方、日産の内部では、しっかりした規律のもとに、社員たちが責任感を持って働いていた。リバイバル・プランに反対する声はあがらない。それはもう社内で十分に討議を交わして、決定したことだからである。

「リバイバル・プランを発表したあと、日産の内部では特別な議論は起きませんでした。計画に対する抵抗はありませんでしたし、一部の目標を再検討しようという動きもありませんでした。また、例えば計画の遂行に関して、若手が熱心であるのに、ベテランが慎重であるといった、世代間の違いもなかったと思います。しかし、これはある意味では当然のことでしょう。これ以外に方法がないのだから抵抗が起きようもなかったのです。もちろん、なかには皮肉な見方をする人もいました。つまり、『過去の計画に比べて、本気で実行しようという決意では勝るものの、リバイバル・プランというのは、結局のところ、内容から言ったら、過去の計画の焼き直しに過ぎないではないか』というのです。でも、それは絶対に違います。例えば、過去の計画では、購買についてはほとんど触れられていませんでした。また、製造の分野にも戦略がありませんでした。商品企画についても同じです。具体的な企画として新商品を投入するといった試みは皆無だったと言ってよいでしょう。ですから、リバイバル・プランは過去の計画とはまったく違います。まったく新しいものです。

たしかにリバイバル・プランが発表された時、積極的にこの計画を支持してくれる社員はごく少数でした。しかし、彼らは『日産を再生させるためには、このチャンスを逃すべきではない』と考えて、さっそく腕まくりをしてくれたのです。一方、それ以外の大部分の人々は、正面から反対することこそなかったものの、この計画に懐疑的だったろうと思います。したがって、しばらくの間は、リバイバル・プランに関する主な業務は、まだ計画の実効性を疑っている人々をどうやって推進派に変えていくかという、その点が中心になったものです。しかし、時間が経つにつれて、物事は良い方向に向かい出しました。最初は懐疑的だった人々も、計画が成果を出すにつれ、自分たちも手を貸さなければならないと思うようになったのです。こうしてだんだん、計画の賛同者が広まっていったわけです」

リバイバル・プランを発表した時、ゴーンはその発表が会場だけではなく、同時中継放送で、日産の社内、つまりオフィスや工場、研究施設、販売店にいる一四万八〇〇〇人の社員にも向けられていることを強調した。

「ええ、それだけではなく、エグゼクティブ・コミッティのメンバーたちは、私の発表が終わったあと、計画の内容をそれぞれが担当する部門の社員たちに説明することになっていました」

エグゼクティブ・コミッティのメンバーである取締役たち、そして、CFTの一員として計画の策定にあたった中間管理職たちが、社員に対するこの説明役をしたことで、リバイバル・プランは社内に確実に浸透した。ついでにここでつけ加えておくならば、リバイバル・プランの発表後に、ひとつ重大な決定がなされた。それは、CFTがそれまでの九チームから一〇チームになり（設備担当チームが加わった）、無期限に活動を続けることが決まったのである。

「リバイバル・プランが十分、社内に広まったと思えるようになるまでには、ある程度、時間がかかりました。といっても、計画を発表したのが九九年の一〇月一八日。そして、それを実行に移すのが二〇〇〇年の四月一日からでしたから、そのための準備の時間はありました。もちろん、私たちは一〇月の段階でいつでも実施できる態勢は整えていましたが、計画を社内に周知させ、できるだけ多くの社員が自分の役割を認識して、責任を持って働けるようにするには、やはりそれなりの時間が必要だったのです。ということで、四月一日までの間は、その準備に費やされました。その間、私のほうはと言えば、ともかく日本に足場を置いておきたいと思いました。この計画のいちばん難しい部分は、やはり日本での問題に関わっていたからです。確かに米国でも、一般管理、マーケティング、販売部門で人員を削減しました。また、ニューヨークの事務所は閉鎖、ワシントンの事務所は移転しました。しかし、結局それは大きな問題ではありませんでした。本当に厳しい対策を講じなければならないのは日本での問題に対してだったのです」

サプライヤーたちの反発と協力

リバイバル・プランが発表されると、当然のことながら、サプライヤーたちのなかからは強い反発が巻き起こった。

「最初はいくつかのサプライヤーから批判を受けました。また、『自動車メーカーは、主要なサプライヤーと縁を切ることなどできない』と、マスコミや経済アナリストからも批判されました。要するに、『発表したことを期限までに実現できるのか』『結局は社内の士気をくじき、重要なサプライヤーを失い、品質の低下を招くだけに終わるのではないか』と言うのです。しかし、もちろん、私たちがサプライヤーの数を半減させるという目標を掲げたのは、サプライヤーと対立するためではなく、日産がどうにかして生き残ることを考えた時、その生き残りの体制を明確にするためです。私たちはサプライヤーたちにこう提案しました。『皆さんの会社のなかには、この目標についてこられないところもあるかもしれません。しかし、ついてきてくださるところとは、長期の取引関係を続けます』と……。すると、その困難な状況のなか、多くのサプライヤーたちが、日産に協力して、ついてきてくれました。私たちはそのことを決して忘れません」

「日産リバイバル・プラン」という名の革命

おそらく、この「日産リバイバル・プラン」が、日本経済にとって真の革命であったことは間違いない。いや、この計画が実際の社会にもたらした影響について言っているのではない。その点についてなら、この計画ではむしろ、社会的な影響が最小限にとどめられるよう配慮がなされていたと言えるだろう。では、何が革命であったのか？　それは、ここ数十年来、真偽合わせて〝日本的経済モデルの成功〟に結びつけて論じられてきたさまざまな規範を、根底から問い直したことである。それが革命なのである。そうやって覆された規範のなかで——あるいは、失墜した神話のなかで——いちばん大きなものと言えば、「日本経済においては、勝者も敗者も存在してはならない」という考え方である。年功序列、競争力を失った産業や企業に対して行われる際限のない公的支援、社会階層間における見せかけの平等主義——例を挙げればきりがない。だが、ゴーンは、「日産リバイバル・プラン」を提出することによって、「経済活動においては、勝者と敗者が生まれる」ということを、関係企業にもサプライヤーにも、そして日産の社内にも、納得させようとしたのである。それによって、初めて日産の生き残りが可能になるからだ。

「日産が再生するためには、それまでの日本的な考え、つまり、勝者と敗者が出てはならず、企業はいざという時には社会的な庇護を受けてしかるべきだという考え方から決別することが大切だったのです。私たちが迷い込んでいた袋小路から抜け出したければ、それは避けて通れないことでした。あの時の日産は、サプライヤーもろとも沈没しかかっていたのです。再建計画を立てて、何としてでもそれを成功させなければ、膨大な損失を出して破産したことでしょう。そうなったら、国内外で、リバイバル・プランで削減した人員の一〇倍は失業者を出していたことだろうと思います。だから、私たちは選択したのです。そして、私がいっさいの責任をとることにしたのです。あの時の状況で、『リバイバル・プランをやらなくても、ほかにやりようがあった』などと言うことはできません。そんなことはありえません。会社は完全に行き詰まっていました。瀕死の状態だったのです。だいたい、そうでなければ、大企業として名前も歴史もある日産が、ダイムラー・クライスラーやフォードという世界的メーカーから、〝見込みなし〟の烙印を押されることがありうるでしょうか？　そのことを忘れてはなりません。『放漫経営のなかで生じた借金を肩代わりするために、我々が苦労して得た金を注ぎ込むわけにはいかない』。フォード社長のジャック・ナッサーはそう言いました。あの時期、フォードやダイムラー・クライスラーは、積極的に提携先を探していました。それにもかかわらず、日産は〝見込みなし〟と言われてしまったのです」

実際、ゴーンがこれまで何度か公式の場で口にしているように、当時の日産は〝瀕死の状態〟であった。すでに日本開発銀行（当時）から一〇〇〇億円の融資を受け、もし生き延びようと思ったら、あとは政府からの公的資金に頼らざるを得ない状態だった。アイアコッカがフォードから移籍した時のクライスラーと同じ状態である。しかし、このような危機に直面した時の日本政府の対応は、とうてい戦略的と言えるものではない。それは、一年と数か月後に起こった大手百貨店そごうの破産が証明している。政府はそごうの要請を受けながら、最後は公的資金を注入することに踏みきれなかったのだ。

「九九年三月に、ルノーと日産が提携契約書にサインしていなかったら、どんなことが起こっていたか、わざわざそんなことを考えて、無駄な時間を過ごすつもりはありません。しかし、もしそうであったら、日産はどうなっていたか、少しだけ想像してみてください。困った末に政府に援助を求める？　それは駄目です。たぶん、政府は助けてくれなかったでしょう。その後、いくつかの大企業に起こったことを考えてみれば、それは明らかです。というわけですから、あの時点で、日産はもうにっちもさっちもいかない状態になっていたのです。あとはリバイバル・プランが成功するかどうか……。生き残る可能性としては、それしかなかったのです。そう考えてみると、日産にとってルノーは好ましい提携相手でした。また、そのあとで切ったカードも適切でした。立てた計画も良かったと思います。その証拠に、ちゃんとした結果がついてきているのですから……。日産は今、雇用を再開し、投資も再開して、給与を増額するまでになりました。つまり、これは私にとっては当然のことでしたが、日産リバイバル・プランは、〝破壊〟を目指したものではなく、〝創造〟を目指したものだったということです。そのことが、今、証明されつつあるのです。しかし、そこで、私はもうひと言つけ加えておきましょう。『〝創造〟というものは、現実を直視することによって初めて可能になるものだ』と……」

第14章　コミュニケーションの必要性

成果と透明性——企業が信頼されるための二つの要素

「私が日本にやってきた時には、日産にはあらゆる面で信頼性が欠けていました。ブランドへの信頼、日産という会社自体への信頼……。それはルノーと提携したことによっても変わりませんでした。これについては、たしかフォルクスワーゲンのフェルディナンド・ピエヒ会長がこう言っていました。『駄馬を二頭かけ合わせても競走馬にはならない』」

ルノーとの提携に関しては、最高執行責任者として派遣されてきたゴーン自身に対しても、〝信頼できる経営者〟という印象は持たれていなかった。それよりも、日本の大衆には、国内外のメディアによって作られた〝コストカッター〟というイメージ、つまり、会社を再建するためには、容赦なく従業員の首を切る死刑執行人のイメージが定着していた。一方、提携そのものに関して寄せられる期待は少なかった。例えば、朝日新聞の論説委員はこう書いている。「日産とルノーの提携には、どうしても『弱小連合』の印象がつきまとう」……。たしかに当時、日本におけるルノーの知名度は高かったとは言えない。かつてF１で活躍した時の記憶が一部のファンに残るだけで、日本での販売実績と言えば、年間わずか三〇〇〇台に過ぎないからだ（一九九八年度）。したがって、ルノーと提携したことによって、日産に対する信頼が高まるとはとうてい言えない状態だったのである。

ただし、日本の花形産業であり〝日本株式会社〟の象徴的な企業である日産が、ヨーロッパの小さな自動車メーカーの管理下に入ることには、日本の世論もマスコミも、驚くほど寛容だった。だが、たとえ、激しい反対運動がなかったにせよ、ゴーンはこの提携に関する人々の〝好意的とも言える受け止め方〟が、そう長くは続かないと考えていた。ひとたび厳しい再建案を発表したら、批判が続出するのは必至だと思われたからである。そういった事態に備えるためにも、日産にはまずは信頼が必要だった。

「信頼とは二つの柱の上に成り立っています。まずひとつめは成果《パフォーマンス》です。成果があがらなければ信頼されません。もうひとつの柱は透明性です。成果があがっていなくても、透明性があれば会社は信頼を得ることができます。日産は成果については何も見せるべきものを持っていなかったので、透明性というカードを切ったのです。では、その透明性とは何か？　この言葉を口にするたびに、私はミネラル・ウォーターを作っているペリエで起こった事件を思い出します。ペリエの人々は、問題が発生した時に、そのことを認めて、きわめて素早く対応したのです。ちょうどそれと同じように、何か問題があったら、それを明らかにして対応すること。何か過ちを犯したら、きちんと公表して対処すること。それが大切なのです」

ペリエの事件とは次のようなものだ。九〇年のこと、緑の小瓶の炭酸入りミネラル・ウォーターで有名なペリエは、食品の安全性に関する問題で世界的な大事件を起こしてしまった。南仏ヴェルジェズの工場の操作ミスで、製品の一部に微量のベンゼンが混入されてしまったのである。だが、ペリエは問題発覚から四八時間以内に原因を特定し、すべての情報を公表したうえで、世界中に出回っている製品の回収を命じた。その結果、金銭面では大変な出費となったが、少なくとも、ブランド・イメージが大きく傷つき、消費者の信頼を損なう事態は避けられた。以来、ペリエの事件は危機発生時の情報伝達の手本として、経営学の教材になっている。

「そういったことがよくわかっていましたから、まずは透明性を大切にして、当初からすべてを包み隠さず明らかにしようと考えました。私たちの抱える問題も、業績も、あらゆることを公表するのです。業績が良ければ良いと、悪ければ悪いと……。そういった意味からしても、日産リバイバル・プランはかなり透明性が高いものだったと思います。まずは透明性を柱とした信頼性の回復――私たちにはそれが急務でした。だからこそ、コミュニケーションが必要だったのです」

危機下の状況ではトップによるコミュニケーションが大切

提携が決まってから最初の数週間、ゴーンはマスコミに対して次々と会見を行ったが、例えば東京で開かれたいくつかの記者会見を例にとると、そのスタイルは非常に開放的なものであった。記者の数を少なくして、片側に世界各国の特派員、もう片側に日本の記者を配し、上着を脱いでくつろいだ雰囲気で行われるのである（公式の会見もこのような形で行われることが多かった）。まったく、日本の大企業の経営者からすれば、型破りなやり方である。これには日産の広報部すら振りまわされた。

こんなエピソードもある。ある時、ゴーンは、テレビ朝日で夜一〇時に放映されるニュース番組に生出演しようとした。ところが、それに日産の広報が横槍を入れたのである。いわく、「テレビに出演するのであれば、まずNHKに敬意を表して、そちらを優先すべきだ」。こんなところにも、それまでの日産のやり方とゴーンのやり方の違いが表れている。

それはともかく、ゴーンは新聞やテレビだけではなく、雑誌社の取材にも積極的に応じた。経済誌からゴシップ専門誌まで、ジャンルを限定しない。それを見ると、さすがに「やりすぎではないか」という声もあがった。だが、これは意図的に行っていたのである。

「危機下の状況では、情報の出所をひとつにする必要があります。例えば、日産の現状について話す時、一五人が別々に話をしたら、それぞれにトーンが違い、いったいどんな状態なのか、結局は伝わらなくなってしまうでしょう。では、誰が話をするか。それはもちろん、トップです。まずは〝現状〟について、それから〝今、どんな計画を立てて、何をしようとしているか〟について、最初にトップが話をする必要があるのです。逆に言えば、それがトップの責任なのです。これは、危機下の状況にある企業が失われた信頼を取り戻すためのひとつの方法でもあります。私がマスコミに出て、日産の再建について語るのを聞いて、『ゴーンはカルト宗教の教祖だ』とか、『誇大妄想家だ』とか言う人もいました。しかし、もちろん、そんなことはありません。私は七八年から企業の経営に携わるプロなのです。マスコミに出て、そういった話をするのは、それが経営に必要だから、そうしているのです。ミシュラン時代に私が新聞の一面を飾ることはありませんでした。それがミシュランのやり方だったからです。ルノーに入社すると、ミシュラン時代よりは積極的にメディアに顔を出すようになりましたが、それは、ミシュランの時とは、私の果たす役割が違っていたからです。つまり、そのほうが会社にとって良かった……。そして、日産の場合は、完全に必要に迫られてやったのです」

広報戦略としてのコミュニケーション

日産が透明性の高い会社であることをアピールするためには、コミュニケーションは〝大衆向けレベル〟のものだけではなく、まず何よりも〝ビジネス・レベル〟のものとして行われなければならない。その意味では、半年ごとに行われる半期と通期の業績報告が大切になるが、ゴーンはこれについても、大画面を前にグラフと数字を駆使し、日本語と英語で整然と説明するという形で、〝ショーアップ〟して見せた。

もうひとつ〝透明性〟に関連して、ゴーンのとったやり方を見てみよう。日産リバイバル・プランが発表されて一年後の二〇〇〇年一〇月に、ゴーンはマスコミ関係者を集めて、プランの進捗状況を報告するプレスリリースを行った。そこでは、まず「収支が予想を上回るペースで回復した」ということのほか、良いニュースがたくさん紹介された。だが、それと一緒に「国内市場における日産のシェアが低下した」という悪いニュースも包み隠さず公表された。透明性をアピールするには、それが大切だからである。

ただし、それと同時に、翌朝の新聞報道を意識した広報戦略もあった。特に、この時のように「収支が予想を上回るペースで回復した」なら、新聞記事を通じて、それが世間に広まったほうがいい。したがって、マスコミに対するコミュニケーションには格別の注意が払われた。例えば、こんな具合である。「日産は九九年一〇月には〝悪い方向に向かう〟と言われていましたが、二〇〇〇年四～九月期では、記録的な損失を出した前期から驚異的な回復を見せました。そして、一年後の今、つまり二〇〇〇年の一〇月には、〝復活に向かいつつある〟という状態になってきました」。これは明らかに、翌日の新聞に「日産、復活に向かう」といった見出しの記事が載ることを期待してのことである。しかし、自動車業界の人々や新聞記者、アナリストたちは、そういったコミュニケーションをまともには受け取ってくれなかった。この時の失望感をゴーンはこう語っている。

「日産リバイバル・プランを発表してから一年経って、これほど成果があがったことを示しているのに、外部の人々にはまだ懐疑的な見方が残っていました。『いったい、どうしてだろう?』と驚いたものです」

高まる個人的な人気と企業イメージの向上

たしかにこの時点で見れば、〝企業としての日産の情報発信〟は、〝ゴーン個人に関する情報発信〟ほどうまくいっていなかったと言えるだろう。だが、それも不思議はないのかもしれない。というのも、日本では特定の人物を理想化して、熱中する傾向があるからだ。例えば、英国の故ダイアナ妃が八七年に来日した時もそうだったし、二〇〇二年にサッカーのワールドカップが開催された時に、イングランド代表チームのディビッド・ベッカム選手があれほど人気を博したというのも、それと同じ理由である。ということからすれば、経営者として強烈な個性を持つゴーンが、リーダー不在を嘆く日本の人々の人気の的になるのは、ある意味では当然のことだったのである。ゴーン・ブームが巻き起こり、ゴーンは「ゴーンさん」と呼ばれて、たびたび日本の雑誌に登場し、やがて〝理想のリーダー〟としてもてはやされるようになった。女性誌のアンケートでは理想の父親、理想の夫にも選ばれ、あげくのはてには、ゴーンを主人公にした漫画まで出版された。

これほどゴーン自身に人気があるならば、この型破りなトップの知名度を日産の企業イメージの向上に結びつけない手はない。だが、それはいったい、どのような形で結びつくものなのだろうか？

「たしかにコミュニケーションのレベルとしては、二つあります。カルロス・ゴーンという個人的なレベル。そして、日産という企業的なレベル。この二つがどのように結びつくかについては、ちょっと難しいのですが、まず個人的なレベルでのコミュニケーションを考えると、人々に訴えかける要素としては、私のパーソナリティーや履歴、またそういったことからくる私独自の物の見方、考え方があります。それが本や漫画、雑誌のインタビューなどを通じて広まったわけです。もちろん、私が結果を出していることも大切です。ほかの人々とは違った独自のものを持っているといっても、結果が出なければ、ただの〝変わり者〟に過ぎませんから……。また、私が日産という会社のなかで受け入れられているということも大きいでしょう。すると、そういったことの結果、いったい何が起こるのか？　ええ、そうです。親しみの感情が湧いてくるのです。そして、その親しみの感情をもとにしたうえで、日産を外から見ている経営者たちは、私がインタビューで答えたことのなかに自分たちが直面している問題を見、また、私がやってきたことと自分たちがやってきたことを突き合わせて考えてみるようになります。すると、そこでまた、さらに親しみの感情が――つまり親近感が湧いてきます。こうして、私という個人でのレベルのコミュニケーションは、日産という企業でのレベルのコミュニケーションになったのです。私が話したことは、日産が話したこととして、日産と同じ問題を抱える人々の心に届きました。要するに、その問題を話す私は、何も別の世界にいたわけではない……。日本の人々と同じ世界にいたわけです。しかし、まあ、それについては私がたまたま九九年に日産にやってきたという時期的な巡り合わせも関係しているのでしょう。というのも、その時期は、日本がたまたま自信を失い、これから進むべき道を自らに問いかけている時期だったからです。反対に、私がやってきたのが、日本が自信にあふれていた時期だったとすれば、私はまた違った対応をしなければならなかったでしょう。だからといって、任務が遂行できなかったとは思いませんが……」

実を結び始めたコミュニケーション戦略

日産の業績が回復してくると、こういったコミュニケーション戦略は絶大な効果を発揮し始める。「日産が再生した」というニュースは世界各地にもたらされた。そうなったら、世界の主要都市で開かれるモーターショーでも、日産のブースには自然と活気が出てくる。しかも、そのモーターショーでは、特に二〇〇一年一〇月に開催された東京モーターショー以降、新型モデルを発表するペースが加速してきている。そして、新型モデルを発表するたびに、日産は復活を印象づけ、新しいブランド・イメージを打ちたてるのに成功していった。コミュニケーション戦略と成果がシナジー（相乗作用）効果を生み出し始めたのである。ちなみに、二〇〇一年の東京モーターショーでは、スカイラインGT—Rのコンセプト・モデルが発表されて、会場の人気を集めた。この車は早くても二〇〇五年にならないと登場しないが、まるでジェームズ・ボンドの映画からそっくり抜け出してきたようなスーパーカーであった。

そのGT—Rのデザインは、次章に登場するデザイン本部長の中村史郎とそのデザインチームの仕事の成果であるが、このデザイン部門の仕事は単に車のデザインだけにとどまらなかった。すなわち、ノートや鉛筆といった小物から、大きなものでは銀座のショールームや本社の一階のデザインといった重要なものに至るまで、ブランド・イメージの大切な構成要素となるビジュアルな面が刷新されたのである。これもまた視覚によるコミュニケーションと言えるだろう。いずれにせよ、こうしたコミュニケーションの戦略と成果の向上によって、日産は急速に蘇ったのである。そのことは日産のエンブレムが象徴していると言えるかもしれない。かつて日産が危機に陥っていた時期には、まるで日産の車であるのが恥ずかしいかのように縮こまっていたエンブレムは、二〇〇一年にそのエンブレム自体が刷新されると、タフでゆったりとした力強い車のイメージとして、クロームの光を誇らしげに輝かせつつ、また日産車のボンネットの上に帰ってきたのである。

「世の中には私がマスコミに露出しすぎると言って非難する人たちがいます。ゴーンは出たがり屋だと……。しかし、私は自分がこうしたほうがいいと思ったことをしているのに過ぎないのです。もし、そこでその結果が良ければ、『このやり方で良かったのだ』と、私はそう考えます。私がマスコミに露出するのは、私には達成しなければならないいくつかの目標があって、その目標はしっかりしたコミュニケーション戦略があるからこそ、現在達成されつつあるのだとわかっているからです。単に、私がたまたまマスコミにたくさん出たおかげでうまくいっている、といったものではありません。私が意図的に、強力なコミュニケーション戦略を推し進めたことによって、うまくいっているのです。といっても、これからさらに業績が良くなってくれば、それほど強力にコミュニケーション戦略を推し進める必要はなくなってくるかもしれません。ただ、今のところは、業績が回復しつつある、その途中の状態なので、私がマスコミに出る機会はそれほど減らないかもしれません。前にも言ったように、コミュニケーション戦略とは、つまるところ企業の〝透明性〟を高めるための戦略です。そして、それは成果と並んで、企業の信頼を高める二つの要素になっています。そう考えると、日産は今、その成果と透明性によって、信頼を取り戻しつつあるわけで、これは大変素晴らしいことだと思います」

株主総会という名の特殊なコミュニケーション

だが、日本にはフランスとはまた違う側面がある。したがって、コミュニケーションの実践はいつも容易だとは限らなかった。時にはかなり危険を伴うコミュニケーションもあった。フランスとは異質で、またゴーンにとっては未知のこの国では、コミュニケーションを行うにも、思わぬ罠が仕掛けられていることがあるのだ。そのいちばん興味深い例は、二〇〇〇年の六月――すなわち、ゴーンが着任してからちょうど一年後に――日産が新しい経営陣で臨んだ最初の株主総会だろう。

「最初の株主総会に臨むに当たり、私はそこでどんなふうに対応すべきか、基本的な注意を受けました。『ゴーンさん、当日は、総会屋といって、挑発的で、いわれのない質問をしては、総会をぶちこわそうとする連中が来るかもしれません。ですから、そういった連中の罠にはまらないようにしてください。連中はあなたがどんなふうに対応するかをじっと窺っているのですから。連中の質問や態度は、新聞記者のものとは違います。そこで、あなたが極端な態度に出たら、それこそ連中の思うつぼです。明日の新聞の一面を飾る種になりますよ』……」

実際にその日を迎えると、それふうの風体で、特徴のある話し方をする男が現れた。そして、その男は、経営陣の並んでいる壇上を指さすと、「おい、そこにいるフランス人三人の頭の下げ方が足りない」と難癖をつけ始めたのである。その男は、それから一時間近くにわたって、延々とマイクを握り続け、その間、総会の議長であった塙義一社長（当時）は口を差しはさむことができなかった。その様子を見ていたゴーンは苛立ちの感情を抑えることができなかったという。

「といっても、それは最初の総会の時だけでした。そこで、状況がわかったので、その翌年――つまり二〇〇一年の総会では、私たちはやり方を変えることにしました。塙会長は総会の開会と閉会を宣言するだけで、決算報告と質疑応答は私が受け持ちました。質問があること自体は問題ではありません。大切なのは私たちの答え方なのです。はたして、総会屋たちは挑発するような質問をたくさん仕掛けてきましたが、もう仕組みがわかっていましたから、冷静に対処することができました。ええ、どんな挑発的な質問に対しても、できるだけ建設的に答えたのです。それだけではなく、一回の質問に制限時間を設けました。というのも、ほかの株主の方から、『自分たちが意見を述べる時間がない』という不満の声があがっていたのを知っていたからです。そのため、二〇〇一年の総会では、私はある質問を途中でさえぎりました。会場は一時騒然となりましたが、質問者はすぐに冷静になり、私たちは次の議題に進むことができました。しかし、これには業績も関係しているでしょう。日産の業績が良くなったからこそ、総会運営がうまくいった面もあるはずです」

株主に対するコミュニケーション

だが、それだけではないだろう。ゴーンは日本の株主に対して、普段から地道なコミュニケーションを心掛けていた。だからこそ、株主の側も日産に対する信頼で答えたのだ。

「私たちは、特に日本の株主に対するコミュニケーションを改善しようと考え、そのことに取り組みました。はじめに行ったことは、〝透明性〟を高めることです。私たちは国内や海外のアナリスト向けに、私たちが何をしようとしているのかを説明することにしました。そして、その際、野村證券や大和証券といったネットワークをスポークスマンとして使うことにしました。そういったことによって、現在の株主や、あるいは将来の株主と強固な関係を築きたいと思っているのです。私たちは、もっと日本で株主を増やして、日産を人気銘柄にしたいと思っています」

株主が日産を信頼しているかどうかは、まず株価という数字になって表れる。その意味では、提携が行われてからの日産の株価の推移を見れば、一般の投資家たちが日産に対してどんな意見を持っていたのか、如実にわかると思われる。

「実を言うと、リバイバル・プランを発表した直後には株価は下がりました。そのあたりの動きをもう少し前から説明すると、提携が結ばれた時、四〇〇円近辺にあった株価は、その後、五五〇～五八〇円に上昇しました。ところが、リバイバル・プランが発表されると、三六〇円に下落しました。なぜでしょうか？　これはアナリストたちがリバイバル・プランそのものに疑問を持ったからではないと思います。そうではなく、いくら計画は良くても、実現は不可能だと思われたからでしょう。つまり、私たちがリバイバル・プランで掲げた目標は、期日までに達成できないだろうと思われてしまったのです。私は、『この目標が達成できなければ辞任する』と言ったのですが、その言葉はアナリストたちの心には響かなかったようです。また、私が株式の持ち合いにメスを入れて、日産が保有していた関連会社の株式を売却すると宣言した時にも、アナリストたちは『持ち合いの相手も日産の株式を売るから日産の株価は下落するだろう』と予想しました。でも、事実はどうだったでしょう？　二〇〇〇年四月一日の日産の株価は四一〇円でしたが、現在（二〇〇三年春）株式市場の平均株価が五〇パーセントも下落しているのに、日産の株価は九〇〇円前後で落ち着いています。株価は企業の成果の良し悪しを正直に反映するのです。成果こそ、企業の命だからです」

内部に向けたコミュニケーションの重要性

さて、ここで大切なことは、そうしたコミュニケーションは、何も外部にだけ向けて行われるものではない、ということだ。企業は内部に向けたコミュニケーションもおろそかにしてはならない。というのも、内と外をはっきりと区分けすることはできないからだ。企業が行うコミュニケーションの基本原理のひとつは、〝社員は市民であり、新聞の読者であり、テレビの視聴者であることを常に意識しておく〟ということである。すなわち、外に向けて発信した言葉と、内に向けて発信した言葉に〝落差〟があってはならない。別の言い方をすれば、その企業に対して社員が抱くイメージが、大衆が抱くイメージと一致することが望ましいのである。少なくとも企業においては、〝情報の壁〟があってはならない。〝開かれた企業〟とは、つまりはそういうことである。

「これまで私がやってきたすべてのことは、〝社員のモチベーションを高めること〟を念頭において やったものです。その結果、社員たちはさまざまな事柄を通じて、みごとにモチベーションを取り戻しました。九九年にリバイバル・プランを発表した時、そのモチベーションは最低のレベルにあったわけです。そこから出発して、どうやったら社員のモチベーションを高めることができるか？　つまり、人材を実りある形で活用していくことができるのか？　私は常にそのことを考えながら、いろいろな方策を実行に移してきました。そのひとつは人事評価です。すなわち、社員を身近に観察し、できるかぎり正当に評価することでモチベーションを高めるようにしたのです。給料に差をつけ、昇進に差をつけ、また、そういったことをするからには、組合との交渉も行いました。それと同時にもうひとつ大切なこと——これまでの日産で決して行われてこなかったこともやりました。それは日産が進む方向性について、社員たちに詳しい説明を行ったことです。明確な目標を挙げて、『私たちがこの目標に達することができたら、二年後の日産は、あるいは五年後の日産はこうなっているだろう』とはっきりしたヴィジョンを示して、いわば社員に向けたコミュニケーションを行ったのです」

企業のイメージは大衆が決める

ゴーンによれば、この時、「日産のイメージとは何か？」という質問に答えられるのは、逆説的ではあるが、大衆だけであるという。「少なくとも、そのことを見失ってはならない」と、ゴーンは考えている。

「一般的に言って、ある企業のイメージを決めるのは大衆であって、企業ではありません。企業にできるのは、これから進む方向を定めて、どうしていきたいかを明らかにするだけです。企業として究極のモデルを設定して、『これは理想であって、現実に到達するのは不可能でしょう。でも、私たちはこれを目指していきます』と言う——できるのは、それだけです。したがって、それは〝企業イメージ〟ではなく、企業が——あるいは経営者がそうしたいと思っている〝理想のイメージ〟に過ぎません。一方、大衆のほうは、企業のしていることや、経営者のしていることを見て、外から判断します。大衆は企業が、そして経営者が何を考え、どんなヴィジョンを持っているかには、あまり関心を払いません。それよりも、実際の商品や、経営者のパーソナリティを見て何かを感じとります。そして、『日産はこんなイメージだ』『ホンダはこんなイメージだ』と言うのです。したがって、企業のイメージ、あるいはブランド・イメージを再生するという観点から、このことをもう少し詳しく説明するなら、それは次のようになります。

企業はまず自らが目指すべき理想を定めます。それから、その理想に少しでも近づけるよう目標を掲げ、その方向に沿ってさまざまな決定を下していきます。それができたら、今度は一般の人々のほうが、企業を観察したり、広告を見たり、企業の発信するメッセージを受けとめたりして、その企業に対するイメージを作っていきます。また、実際にその企業が提供するサービスを利用するユーザーも、セールスマンの話を聞いたり、製品を買ったりして、やはりその企業に対するイメージを作っていきます。そして、企業が自らの〝理想のイメージ〟をもとにして行ったことに対して、一般の人々やユーザーが現実に抱いたイメージ、これが〝企業イメージ〟なのです。ですから、『私たち日産のイメージはこうです』などと言うのは意味がありません。言えるとすれば、『私たちはこうありたいと思っています』ということでしょう。日産という企業のイメージ、ブランドのイメージに関して、私たちがしているのはそういうことです。私たちは、『日産のことをこういうふうに見てください』と言ったことは一度もありません。もちろん、私たちには理想があって、その理想を目指して進んでいますが、その理想に近づいたかどうか、それを評価するのは外にいる人々、つまり皆さんのほうなのです。そして、また、これは逆に言えば、私たちのほうは、皆さんの目を通して、日産の企業イメージ、ブランド・イメージがどこまで改善されたかを判断するということになります」

　リバイバル・プランから数年経った時点で見ると、日産の企業イメージ、ブランド・イメージは、業績の回復や日産らしさを持つ新型モデルの発表、投資の再開や雇用の再開、経営の安定、マーケットシェアの拡大など、日産が成し遂げてきたことを忠実に反映する形で、着実に改善されてきている（もちろん、これには大胆なイメージ・キャンペーンや広告もひと役買っているが……）。すなわち、日産が目指した〝理想のイメージ〟は、現実の〝企業イメージ〟として一般の人々の間に広まりつつあるわけである。そのことは、日経BP社が発行している『日経ビジネス』誌の二〇〇二年一月号で行われたアンケートによっても証明されている。ビジネスマンに対する「現役の経営者のなかで、理想のリーダーは誰か？」という質問に対する答えの第一位に、二五三票の得票を得て、圧倒的トップでゴーンがランクされたのである。また、二〇〇二年の一〇月には、強力なリーダーシップを発揮して日本経済を活性化させるのに貢献したという理由で、ゴーンは政府が創設した企業改革経営者表彰の第一回の受賞者として表彰もされている。

第15章　弱点の強化――デザイン・財務・販売

デザイン部門の改革

「一九九九年一〇月一八日にリバイバル・プランを発表した時、私はデザイン部門に中村史郎を迎えることを明らかにしました。そして、その翌日――中村は正式に日産の社員になりました」

中村史郎は、ゴーンが新生日産のチーフ・デザイナーとしていすゞ自動車からヘッドハンティングしたカー・デザイナーである。この選択は、ルノーと日産の提携の流れから考えると、ある意味では、〝規則〟を破った選択だと言えるだろう。というのも、ルノーと日産の間には、「日産はルノーの助けは借りながらも、再建自体は日産の人間が行う」という規則のようなものがあったからだ。

しかし、デザインは特別な問題だ。いくら提携をしたからといって、日産とルノーの車が同じようなデザインになってはならない。もともと、提携というのは合併ではない。提携を成功させられるかどうかは、ルノーと日産がそれぞれのブランド・アイデンティティを維持し、また強化できるかどうかにかかっているのだ。そして、自動車産業では、ほかのいかなる産業にもまして、ブランド・イメージは商品のデザインによって決まる。日産のブランド・イメージは、ルノーのコピーであってはならないし、またそうであることもできない。ルノーのデザインは、チーフ・デザイナーのパトリック・ルケマンの影響もあって、非常に強い個性を有しているが、それをそのまま日産に持ってくるわけにはいかないのである。

「日産に来て数週間もしないうちに、私はデザイン部門にフレッシュな血を入れなければならないことに気づきました。この分野で、日産は二つの問題を抱えていました。第一に、デザインを技術・開発部門のトップに任せきりだったということ。これはまったく馬鹿げています。そんなつながりはすぐに断ち切ってしまおうと思いました。これは組織構造上の問題でもあったのです。そこで、デザイン部門を技術・開発部門から切り離し、商品企画の責任者であるパトリック・ペラタの指揮下に置くことにしました。日産車のデザインを一新するには、才能あるクリエーターを雇う必要がありましたが、もしそのクリエーターを技術者たちの支配下に置いてしまったら、はたしてイマジネーションにあふれる大胆なデザインが出てくるのかどうか疑問だったからです。こうして、体制が整ったら、次は第二の問題に取りかかる必要がありました。それは、再生のシンボルとなるような優秀なデザイナーを見つけてくることです。私が思い描いていたデザイナーの条件は、これまで日産以外の会社で働いていて、自分の仕事に自信があり、国際的なヴィジョンを持っている人物。チームに自信を蘇えらせ、デザイン部門が技術・開発部門に従属していた過去を忘れさせてくれる人物です。そこで、ルノーのチーフ・デザイナーであるパトリック・ルケマンに相談したところ、ルケマンは米国を基盤に活動しているヘッドハンターを介して、人探しを手伝ってくれました。その作業が行われたのは、ちょうどリバイバル・プランの策定が進んでいた九九年の七月から八月頃のことです。やがて、ヘッドハンターはかなりの数の候補者を挙げてきました。そこで、ペラタやルケマンをはじめとする数人で予備選考をしたところ、絞られたのが二人。二人とも日本人で、そのうちのひとりが中村でした。私は二人と面会し、結局、中村を採用することにしたのです」

アウトサイダー

丸くて薄い眼鏡をかけ、顎と鼻の下に髭をはやし、そしてデザイナーや日本人が好む色である黒い服ばかり着ている……。中村史郎は、日産に来る前は、いすゞ自動車に勤めていた。そのデザインは男らしくて筋肉質なことで知られ、周囲から注目を浴びていた。だが、日産の四〇〇人のデザイナーたちにとって、いすゞのように小さなメーカーから日本人の〝アウトサイダー〟がやって来たことは、大きなショックだった。屈辱だった、と言ってもよい。

「もし、新しくやってきたデザイナーが米国人やフランス人だったら、皆、わりと素直に受け入れていたのかもしれません。『あいつは日本語がわからない、コミュニケーションができない』と言われることはあったでしょうが、せいぜいそのくらいです。しかし、私は外国人ではなく、あえて日本人のアウトサイダーを持ってくることにこだわりました。また、それが最善策だったと思っています。というのも、これは何もデザイナーだけの問題ではありません。実を言うと、私のような経営者の場合も同じことなのです。つまり、改革を行いたいなら、日本人のアウトサイダーを連れてくるのがいちばんいい。もしそこで適当な日本人がいなければ、外国人のアウトサイダーで我慢するしかない——そういうことなのです。ですから、自動車業界での経験が豊富で、開かれた精神を持っていて、数か国で働いた経験がある日本人経営者がいれば、私より適任である可能性は大きかったでしょう。要するに、日産はそういった経営者を外から連れてくればよかったわけです。よく『外国人であることで得をしているか？』と聞かれますが、その答えは、『いいえ、ちっとも』です。日本人であることこそが切り札になるのです。ただし、そのためには、グローバルな視野を持ち、自動車産業での経験が豊富で、何よりも外部からやってきていること——つまり、アウトサイダーであること——が大切になりますが……。外部からやってきた人間であれば、社内の慣習に毒されていません。その行動もそれまでとは自然と違ったものになり、『どうせ、あそこの会社は』『どうせ、あそこの部署は』と、社内外で失っていた信頼を、『外から来たのだからやってくれるかもしれない』という形で取り戻すことができるでしょう。そういった意味からすれば、中村はまさに適任でした」

Zのリバイバル

中村は新生日産のデザイン本部長に就任したが、ゴーンは車のデザインをすべて中村に任せっぱなしにしてしまったわけではない。自分でも積極的にデザインの選択に関わり、また商品企画にも関わった。そういった意味で言えば、日本に来てすぐにゴーンが考えたことのひとつに、Z（フェアレディZ）をリバイバルさせる、というものがあった。ダットサン二四〇Zとして、もともと米国向けに開発されたこの車は、単なる自動車ではなく、伝説であった。ライバル会社には〝貧乏人のジャガーEタイプ〟と言われたものの、馬力があって、若者でも買えるスポーツカーとして、とりわけ米国で大ヒット、スポーツカーとしては世界でも類を見ない、一〇〇万台以上の売上を記録した車である。だが、その後のZ、つまり三〇〇ZXは、二四〇Zの頃から比べれば、どうしようもなく時代遅れになってしまっていた。重すぎるし、高すぎるし、気取りすぎていた……。

新生Zは日産の復活を象徴する車になる。ゴーンはそう確信していた。例えば、米国には二四〇Zのファン・クラブがたくさんあって、そこに所属する多くの会員たちが、いかにこの車に愛着とノスタルジーを感じているか、よく知っていたからである。信用が地に落ちたブランドにとってこれはかけがえのない財産である。「日産のデザインは、かつては世界でも画期的なものだった」と言ったのはパトリック・ルケマンだった。後にアウディの特徴となったアーチ状の弧を描いたルーフも、もとはと言えば、Zが世に知らしめたものだった。そのZがリバイバルされるということは、日産の誕生以来の特徴を——日産の遺伝子を再発見することにほかならない。

そうした商品企画のプランを練るとともに、ゴーンは車のデザインに対しても積極的に携わることにした。もともと、〝デザインの最終決定は会社のトップが行う〟というのは、自動車業界の伝統でもあり、また常識ともなっている。理由は単純で、デザインこそが車の売上を大きく左右するからだ。そう考えたら、どれほどデザインに気を遣わなければならないか、簡単に納得できるだろう。

「日産の場合、モデルのデザインを最終的に決定していたのは、どんなによくても技術・開発部門のトップどまりでした。現在では、私自身が携わっています。ライバル会社の自動車のテストをするため、テストコースでエグゼクティブ・コミッティの会議を開いています。もちろん、そんなことをしたのは私が初めてでした。要するに、それまでの日産の経営陣には、〝商品を重視する文化〟が欠けていたのです。それは明らかでした」

これは必ずしも経営者を育てる教育に問題があったということではない。むしろ、会社の体質——

企業文化の問題なのである。もう少し詳しく説明すれば、どんな会社でも、トップへたどり着くための道程は、その会社の歴史、伝統、性格に左右されるということだ。こういった文化を支えている裏には、経営陣の選考が現メンバーによって行われている、ということもあるだろう。もちろん、年功序列制もおおいに関係している。そういったことの結果、トップになるためには、〝どれだけ商品に詳しいか〟〝どれだけ会社の業績に貢献したか〟というよりは、〝社内での政治的駆け引きに長けているか〟〝人脈が広いかどうか〟〝現在のトップに忠誠心を持っているかどうか〟といったことのほうが重要視されることがある。

「これまで日産のトップには人事部上がりの人間が就くことが多かったようです。もちろん、組織のなかで、人を理解し、立場や影響を考えて行動をすることも大切です。ですから、人事部の重要性はよくわかっています。けれども、自動車産業の何たるかについて知識がなければ――つまり、どんなふうに自動車を作るか、そこにはどんな技術的な問題があって、どのくらい開発時間がかかるか、そして何から優先していけばよいのか、そういったことを知らなければ、会社を動かしていくことはできないのです。特に会社が危機を迎えている時には……」

財務部門の改革

改革を必要としていたのは、デザイン部門だけではなかった。日産が倒産寸前に追いやられた会社であることを考えれば、財務上にも大きな問題が残されている――これは明らかだった。しかも、デザイン部門と違って、この財務部門のほうには、〝過去の遺産〟もなかった。

「九六年まで、日産には最高財務責任者（ＣＦＯ）が存在していませんでした。ところが、ようやくそのポストが置かれた時も、任命された人は、その仕事を果たすのに十分な知識や経験を持ちあわせていませんでした。それなのに、会社の予算や目標を決定しなければならなかったのです」

いったいどうやったら、財務に対してこれほど無関心でいられたのだろう。自動車というのは、莫大な資金を必要とする産業である。例えば、年間二五万台の車を生産する工場をひとつ建設するには、一〇億ドルかかると言われる。新型モデルを一から開発したら、数億ドルは必要だろう。もしそうなら、どこから資金を調達して、どこにどのように投入するか、決して無関心ではいられないはずだ。

「日本の人々は、お金というのが〝貴重な資源である〟という考えを忘れてしまったのだと思います。『金利は馬鹿みたいに安いのだから、資金なんて調達しようと思ったら、いくらでも手に入る』と、きっとそう考えてしまったのです。しかし、もしお金がいつでも簡単に手に入るものなら、経営者はいったい何を心配すればよいというのでしょう。それならお金が必要になった時に、会社の株主である銀行に行って、『お金を貸してください』と言うだけですむのです。日産はまさにその状態でした。ところが、そのうちに資金を借りることが難しくなってきて、初めて問題が出てきました。資金がなければ会社を動かしていくことはできません。いえ、この場合、問題だったのは、金利が高くて資金が借りられないということではありません。金利の高低にかかわらず、資金が借りられなくなったということです。人々はそうして、突然、このシステムに問題があったことに気づいて、パニックに陥ったのです。つまり、お金というこの〝資源〟には限りがあることに気づいたわけです」

負債の一本化

ということであるから、ゴーンが日産に着任した時、財務を健全にすることは、優先事項のひとつとなった。ルノーとの提携によって、日産には六四三〇億円の資金が入ってきていたが、それだけではもちろん十分とは言えない。そこで、不動産など本業には関係がなくて、戦略性のない資産を売却することにした。また、いわゆる〝系列〟を解体し、関連会社や子会社の株式を売ることにした。それだけではない。取引銀行との関係の見直しや、資本市場からの直接的な資金調達も検討して、新しい環境に適応できる財務体制を整えることにした。その中心となったのは、九九年の夏に次席財務責任者として日産にやって来て、その翌年には最高財務責任者となるティエリー・ムロンゲである。ムロンゲとそのチームは、これまで地域ごと、関連会社ごとに行われていた日産のあらゆる財務機能を東京の本社に集中化した。その結果、グローバルな視点で対策がとれるようになった。

「日産が最も痛手を受けていたのは、日本における負債ではありませんでした。日本の金利は非常に低いからです。それよりも、金利の高い米国やメキシコ、欧州、東南アジアでの負債が重荷になっていたのです。したがって、財務に関して、まず私が定めた目標は、海外での負債を日本での負債に一本化するということでした。その結果はどうなったかというと、現在、欧州にはまだ長期社債に関連する負債がいくらか残っていますが、米国、メキシコ、南アフリカ、東南アジアにおける負債はすべて返済を終了しました。私が日本へやって来た当初はなんとメキシコにも負債があったのです。私がこんなふうに言うのは、もし『決して借金をしてはいけない国をひとつだけ挙げろ』と訊かれたら、それはメキシコだからです。金利が非常に高いうえ、ドルに対するペソ相場の変動が激しいので、レートが変わるたびに大損をすることになるからです」

グローバルな組織再編

グローバルな対策は、負債の一本化にとどまらない。組織の再編にまで及んだ。そうしたのには、それだけの理由がある。というのも、日産は世界各地の子会社に経営を任せきりにして、きちんとした財務チェックを行っていなかったのだが（これは衰退した企業においては、官僚主義と無責任がみごとに一体化するという何よりの証拠である）、その結果、北米でなんと破産寸前の取引先にまで融資を行っていたのである。そういったことが起こるのは、おそらくもっと根本的なところに問題があるのだろう。

「日本を別にすれば、日産にとって、米国はいちばん重要な市場です。ですから、私もよく当初から米国に出かけていました。ところが、そのうちに、米国に社長を置くことが、会社にとって必要かどうか、いや、むしろ障害になるのではないかと思ったのです。これは欧州についても同様です。というのも、社長という役職が置かれていることによって、組織が独立してしまって、会社全体で物を考えることができなくなってしまうからです。もう少し詳しく説明すると、例えば会社全体が衰退に向かっているとしても、その悪化の状態は地域によって、部門によって一様ではありません。すなわち、同じグループのなかでも、かなりひどいところ、まだマシなところ、とニュアンスに違いがあるのです。日産の場合は、日本の状態がいちばんひどく、欧州もかなり悪い状態でした。そのなかで、比較的マシだったのは米国です。ただし、それはあくまでも比較するとマシだったということですが……。

そこで、私は北米日産の人々にこう言いました。『現在の業績を欧州日産や日本の状態と比較せず、自分たちの潜在能力と比較なさい。あなたがたはまだ自分たちの能力を十分に発揮しているとは言えません』……。ただ、人々がつい本社やほかの子会社と比較して満足してしまうのは、現地の社長のもとで子会社が独立した組織になってしまっているからです。そこで、私はその弊害を防ぐために、海外子会社の社長職を廃止することにしました。その代わりに、販売・マーケティング担当、生産・購買・品質担当、財務・一般管理担当および研究開発担当の四人の責任者からなる経営委員会《マネジメント・コミッティ》を置き、そのトップにはその地域に常駐しない、日産本社の取締役、すなわちエグゼクティブ・コミッティのメンバーのひとりを据えたのです。その結果、北米の事業は松村矩雄が統括することになり、欧州のほうは小枝至を任命しました。ということで、私は日本から直接、海外事業の指揮をとることができるようになったわけです。そして、このような形で、私たちは、ついには世界各地のほかの組織についても合理的な運営を行っていけるようになりました。

つまり、私は全社的な変革の前に立ちはだかる〝組織的な壁〟を取り払おうとしたわけです。ただ、それは東京の本社が現地のすることに細かく注文をつけるということではありません。例えば、私は現在、三か月ごとに地域の経営委員会に出席していますが、そこではどちらかというと、現状についてのおおまかな説明を受けるのが中心になります。東京の本社は現地の事業部に細かい報告を要求しているわけではなく、ああしろ、こうしろ、とうるさい指示を出すわけでもありません。だいたい、私たちは現地の事業部にこう伝えてあるのです。『この地域の責任は君たちにある。したがって、君たちが思うようにやってくれればいい。我々本社は君たちの支えになりたいのであって、決して邪魔者になりたいわけではないのだ』……。といっても、もちろん、こうして責任を与えて仕事を任せるからには、〝透明性〟というものは必要です。つまり、大切なことは何ひとつ隠さず知らせてくれること。それが私たちの何よりの望みですし、そのことは現地の事業部もよくわかっています。つまり、原理はこういうことです。『もし君たちが大切なことをきちんと話してくれないなら、責任を与えることはできない。我々はあとからいきなり悪い結果を知らされるのを好まない。したがって、何か困ったことがあるなら、それについて一緒に話し合うべきだ。君たちが話してくれさえすれば、我々にも何かできるはずだ。また、そこでもし何もかもが順調だったとしても、その時にも〝順調だ〟と言ってほしい。そうすればこちらも余計なことに首をつっこんだりはしない。こちらだって、ほかにやるべきことは山ほどあるのだから……』

幸い、この原理はきちんと理解されたようで、〝責任〟と〝透明性〟に対する考え方は、現地の事業部にしっかりと定着したようです。また、同時に、本社の責任と、現地の事業部の責任も非常にはっきりした形で区別できるようになりました。つまり、本社は商品やブランドに関する方針や戦略、あるいは、経営委員会のメンバーの選定に責任を持つ。しかし、そこでひとたび方針や戦略が決定してしまったら、あとは現地の事業部が責任を持つ。そういうことです。私は細かいマネジメントは行いません。ただ、結果を見て、方向がずれていると思ったら、即座に対応します。『現状を教えてほしい。この事態にどう対処するのか?』と……。不測の事態に備えていつも用心は怠りませんが、責任は現地の事業部にある。それでうまくいっているのです」

残された課題

「技術は高いが、販売は上手ではない」。日産を評する時にはよくこう言われるが、この言葉に象徴されるように、日産が販売に弱点を抱えていることは、日本の自動車業界の専門家の間では今や常識となっている。

「工場の生産能力と並んで、日産は非常に高い技術力を持っています。ところが、販売やマーケティングのほうを見ると、とうてい優れた力を持っているとは言いがたい……。技術と販売のこの落差を見ると、この二つの部門が同じ会社に属していることが不思議に思われることがあります」

トヨタを例にとれば、昔も今もトヨタが販売に強いのは、主だった販売会社（ディーラー）が独立しているからである。すなわち、自動車を売るための会社がその仕事に専念するという状態ができあがっているのだ。これに対して、日産の場合はそれとは反対の状態にあると言ってよい。販売網の中心は子会社の販売会社で、その会社の社長は定年間近の本社の人間だということが多い。要するに、販売店に必要な〝企業家精神〟などかけらもなく、サラリーマン意識のまま働いている人が多いのだ。そのうえ、販売会社の社長は、別に〝過去に販売のプロとしての実績を持っている〟という理由で選ばれるわけではない……。

「最初のうち、販売会社の人々とはどうしてもうまくコミュニケーションがとれませんでした。つまり、私たちには販売会社の問題が理解できなかったし、反対に販売会社のほうには日産の問題が理解できていなかったからです。したがって、コミュニケーションのとりようがなかったのです。例えば、販売会社の経営者は、そのほとんどが日産の出身者で構成されていましたが、自分たちがシェアを拡大し、売上を伸ばす役目を負っているという、その点についての理解が十分ではないように思われました。つまり、社長として取引先との関係を保つということには目が向いても、実際に何かをして売上を伸ばすというところには目が向かなかったのです。しかし、こうした状態はこの三年間、販売会社の経営陣を代えたり、販売会社と直接コミュニケーションをとるシステムを確立したりしたことによって、ずいぶん改善されました。ただ、そうは言っても、この問題を根本的に解決するためには、もっと積極的に現地に赴き、販売会社がどんなことに不満を抱いているかよく話を聞く必要があります。そのうえで、これまでのやり方の問題点をできるだけ早くはっきりさせ、販売会社とはいったい何をすべきなのか、具体的な形で正確に示すことが大切です。仮にゼロから一〇〇までの目盛りを考えるとしたら、日産の販売は、その目盛りのずっと下のほうにいます。日産にやってきた時、私は本社の販売部門や系列の販売会社がすべきことをせず、すべきではないことをしているのを見て心の底からびっくりしました。それは間違いなく、日産でいちばん非効率的な分野だったと言えるでしょう。ですから、この分野はこれから変わっていくのです」

販売会社に企業家精神を！

販売組織を改革するために、ゴーンは日産リバイバル・プランにおいて、いくつかの合理化案を発表した。といっても、これはやらなければならないことのひとつにすぎないので、最終的な目標に達するには、まだまだ時間がかかるだろう。

まずゴーンが行ったことは、国内に三〇〇〇店あった販売店（営業所）のうち、三〇〇店あまりを閉鎖するということであった。というのも、国内では販売テリトリーが重なっていたため、日産系列の販売店同士が無駄な競争をするというばかばかしい事態が起こっていたからである。また、同時に、日産の子会社として車を販売していた直営ディーラー約一〇〇社のうち二〇パーセントを削減して、八〇社にすることにした。その一方で、この削減の対象になった販売会社のほうは、新規に日産のディーラーになることを希望している経営者に買収してもらうか、あるいは既存の独立したディーラーのところで統合してもらうか——いずれにしろ、独立した経営者に売却することにした。

「直営ディーラーの数を削減した目的は、ともかく販売会社の企業家意識を向上させることでした。私は日産の販売会社を企業家精神にあふれたものにしたかったのです。しかし、それは単に直営ディーラーを独立ディーラーにすれば、解決するという問題ではありません。というのも、その独立ディーラーの経営者が優れた能力を持っていなければ、事態はまったく改善されないからです。それどころか、かえって悪くなってしまうかもしれません。ですから、問題は直営ディーラーを優れた能力を持った独立ディーラーに売却すること——企業家精神の旺盛な経営者に売却することだったのです。とはいっても、九九年から二〇〇〇年の状況を考えた時、日産の独立ディーラーになろうという企業家はあまり多くはありませんでした。まあ、それも道理でしょう。もし十分な資金を持っていて、自動車の販売会社を買収しようと考えている人がいたとしても、日産の販売会社はその理想的なターゲットであるとは言いがたい状態でしたから……。資金を持っている人が『日産のディーラーになりたい』と言ってくれるようにするには、『そうするだけの見返りがある』と、まず私たちのほうが証拠を示す必要があったのです。

ということで、私たちはまず、どんなことがあっても、販売網の活力を取り戻さなければなりませんでした。そのためには、やはり直営ディーラーの実績をあげる必要があります。では、どうやってそれを行っていくか？　その秘訣は簡単です。要するに、常識的に考えればごく当たりまえのことなのですが、収益性を大切にして、ブランド・イメージの向上に努めること、それだけです。その方向で問題を解決し、事業を再活性化していくのです。販売店はよく『売れないのは商品が良くないからだ』と不平を口にします。しかし、『それならどんな商品を出せばよかったのか？』ということについては、販売店からも、また本社の販売部門からもそれらしい提言を聞いたことはありません。こういう不毛な状態からは脱する必要があります。しかし、これまでの日産では、会社が沈没していくなかで、各部門が『おまえが悪い』『いや、おまえが悪い』と、お互いに不満をぶつけ合い、責任をなすりつけ合っていたのです。よく『自動車メーカーは自らに釣り合った販売店を有している』と言いますが、私もその通りだと思います。日産の場合も、まさにそれに当てはまりました。とはいっても、その最悪の状態から出発して、私たちは今、必死になって、一歩一歩坂道をのぼっている途中です。たぶん、これから二年後には、九九年に受け継いだものよりずっと良い状態の販売網をお見せすることができるでしょう。その結果は、シェアの増加や販売店における収益性の回復、さらにはユーザーの満足度指数や購買意欲に具体的な形で表れると思います。日産の販売店を訪れた人々が、サービスの質の高さとプロフェッショナリズムに強い印象を受ける——そういった形にならなくてはなりません。そして、それが実現したら、日産の未来は過去とはまったく違ったものになってくることでしょう」

新商品の投入

フランスのやり方をそのまま日本に持ち込んでくるのは難しい。例えば、日本では営業活動は、〝販売員と顧客の人間関係〟――すなわち、販売員が訪問販売やアフタサービスを通じて、絶えず顧客に連絡を取り続けることで長年築いてきた関係――に拠っているところが大きい。その結果、月間の売上台数だけで見れば、日本の自動車販売員の生産性は、欧州や米国の販売員よりも低くなっている。だが、このやり方は決して間違っているというわけではない。というのも、このやり方を取ると、顧客がそのブランドの愛顧者となってくれる確率が非常に高いのだ。しかし、もしそうなら、日産のように会社が低迷を続けている場合は、致命的なシステムだとも言える。ブランドが失墜して、一度顧客が離れたら、それを取り戻すのが難しいからだ。そうなったら、販売員の士気も落ちる。したがって、ここはブランド力を回復して、販売員の意欲を高める必要があった。

そのためには当然のことながら、新商品の発表が鍵になる。ゴーンは日産リバイバル・プランで、二一種類の新型モデルの投入を発表していた。だが、投入の時期はリバイバル・プランを実行する三年間の最後のほうに集中していたので、その成果はなかなか数字となって表れなかった。すなわち、二〇〇〇年から二〇〇一年にかけては、国内シェアが下落する割合を押しとどめるのが精一杯で、業績を向上させるまでにはいかなかったのだ。ところが、二〇〇二年の三月に新型マーチを市場に投入すると、そこで一大転機が訪れる……。

この新型マーチは、新生日産を語るうえで、いくつかの象徴的な要素を持っていた。第一は、提携相手であるルノーの車とプラットフォームを共用して生産された第一号車であるということ。第二は、リバイバル・プラン発表後、二〇〇二年の三月までに投入された新型モデル（シーマ、スカイライン、プリメーラ）とは異なり、いわゆるエントリー・レベルの車種であるということ。もう少し詳しく説明すれば、不況に苦しむ日本ではこの種の車が唯一の売れ筋になっていたが、日産は経営不振を理由に一〇年間もこの車のモデルチェンジをしてこなかった。それがゴーンの時代になって、ようやくこのレベルの車種の新型モデルが発表されたということである。第三は、今書いたことに関係して、ベストセラーを狙える車であるということ。いや、実際に発売してみると、ライバルであるホンダのフィットやトヨタのヴィッツと並んで、たちまちベストセラーリストの上位争いをするようになった。そして、当初の販売目標が月間八〇〇〇台であったのに、発売数か月後には一万七五〇〇台を記録したのである。販売はその後も順調で、二〇〇二年度の年間販売台数では、堂々第三位にランクインするまでになった。マーチの新型モデルの投入という賭けは、みごとに成功したのである。

販売戦略の一環として商品ラインアップをそろえるということでいえば、スズキからOEM供給（委託生産）されたモコによって、軽自動車市場に参入したことも大きい。軽自動車は日本特有の自動車市場として、国内市場の三分の一の規模を持っている。モコによってこの市場に乗り出したことで、日産の歴史には新たなページが書き加えられたと言ってよいだろう。

「ディーラーが望んでいるのは、生産が販売に追いつかないような車なのです。私たちはマーチのおかげでかなりのシェアを獲得しました。また、モコの場合、月間の販売目標をたった一週間で達成しました。ディーラーたちは新しい商品についてよく知っています。ですから、例えば、新型Zが発表された時も非常に喜んでいました。こういった車を販売店のショールームに置いておけば、若者たちやカーマニアがやって来て、たとえZを買わなかったにしても、ほかの車を買ってくれる可能性があるからです。ディーラーの人々にはそれがよくわかっているのです。そのほかのことで言えば、商品に関するさまざまなイベントが行われ、そのイベントが購買層を絞った明確なものであること、また、そのイベントが質の高い販売促進戦略とコミュニケーション戦略に裏打ちされたものであること、ディーラーが望んでいるのはそういうことなのです。要するに、会社の計画や戦略、商品企画などが論理的で、きちんとしたつながりの上に行われているということなのです」

米国の販売網

一方、国外に目を転じると、米国の販売網については、ゴーン自身も積極的に関わっている。ここには国内の場合のような組織構造的な問題は存在しない。米国の自動車市場は、独立した強力なディーラーの手に収められているからだ。そういったディーラーたちは、ひとつの都市やひとつの地方、あるいは大きな組織になると、複数の州にまたがって、自動車を売っている。また、時には複数のブランドを併売しているディーラーもある。そこで、あるディーラーが特定の自動車メーカーにどの程度、忠誠心《ロイヤリティ》を持つかは、どのくらい利益があがるかによって決まってくる。その点からすれば、これまで米国のディーラーは、日産の車を売ることにそれほど魅力を感じなかったと言えるかもしれない。というのも、日産車はユーザーを惹きつける力が弱く、相場より安い評価しか受けられなかったからである。

「私はアメリカン・スピリットも、人々が何によって動かされるかもよく知っています。これは大切なことです。というのも、米国では車を売るのに、すでにひとつのシステムが確立していて、それをうまく利用しないとやっていけないからです。この点では、かつて私が経験したことが非常に役に立っています。つまり、〝米国では何を優先すべきか〟〝何をすべきで、何をすべきでないか〟〝何が受け入れられて、何が受け入れられないか〟、そういったことがよくわかるのです。といっても、知識だけ持っていても駄目なので、私は定期的に米国に行って、ディーラーたちの会合に出席するようにしています。これは日本や欧州の場合と同じです。それで、そういった会合に出席して思ったのですが、日産リバイバル・プランを発表した時、米国のディーラーたちは、まだその効果を疑っていました。しかし、それから三年以上経った現在、そんな疑いは払拭されました。その結果、米国のディーラーたちは、今、とてもやる気になっています。計画がすべて明らかにされたうえで、それがきちんと実行されるところを見てきたからです。損益が黒字に転じ、米国での生産や技術における投資が再開され、新商品が発表される……。しかも、その新商品に魅力があるとなれば……。

二〇〇一年に発売されたアルティマは月間二万台が生産され、事実上の販売プロモーションを行っていないにもかかわらず、作った先からすべて売れていく大ヒット商品になりました。二〇〇三年には新型マキシマが出ました。SUV（スポーツ・ユーティリティ・ヴィークル）、クロスオーバー車、大型ピックアップなどの市場にも新たに参入します。また、二〇〇三年の春にはミシシッピ州に新しい工場も完成しました。こういった事実、こういったニュースは、ディーラーたちのモチベーションを大きく高めます。実際、米国の日産ブランドやインフィニティ・ブランド（訳註：日産の米国における高級車チャネル）のディーラーたちはおおいに張り切っています。それはおそらく、日産が変わってきたことが肌で感じられるからでしょう。販売台数が回復し、収益性があがるといったことはもちろんですが、それだけではなく、日産が車を売るためにどれほど投資を行っているのか、それが伝わったのだと思います。つまり、私たちがブランド・イメージやビジュアル・アイデンティティに力を注いだことを理解してくれたのです。そして、その結果、日産の企業イメージが上がったことに、ディーラーたちは敏感です。日産のイメージは、もはや〝苦境に陥った企業〟ではありません。逆に〝これから発展していく企業〟のイメージです。これは非常に大きな違いです」

第16章　新しい企業文化

日産は変わったか？

「日産の企業文化を変えようというつもりはありませんでした。しかし、それが変わったのは事実です。間違いありません」

ゴーンが日本にやって来た時、戦後の経済成長のモデルを見失った日本は、変化の問題を突きつけられていた。日本ははたして変わることができるのか？　だが、もしそこで変わるとしたら、それまでの価値観や、「一億二五〇〇万人の国民がある種の協調関係のもとで生きていく」という社会的均衡を犠牲にする必要がある。ところが、その問題をまさに日本が議論し始めた時、この問題をもっと具体的に考えさせてくれる実例が現れた。ルノーと日産が提携して、外国人の経営者が日本の大企業のトップに就いたということである。

「私たちは〝変化〟を目的として何かを変えるつもりはありませんでした。何かを変えるとしたら、それは業績をあげるためです。それ以外の点については、むしろ〝あまり変えないよう細心の注意を払っていこう〟と考えていました。その証拠に、日本に来たルノーの人々には、出発前にこう言っていたくらいです。『君たちは宣教師ではない。日本を変えるためにではなく、日産の潜在能力を最大限に引き出して、その業績をあげるために行くのだ』……。ですから、日産の文化のなかに私たちが納得できなかったり、あまり好きではないと感じたりしたことがあっても、業績をあげるのに必要でなければ、それに手をつけるようなことはしませんでした。改革を行うのは、あくまでも最小限必要なことだけ……。その最小限の改革で最大限の成果を引き出すのです。自分たちの国と違うからというだけで、文化を変えてしまうことはしません。いや、ここに来て、確かに〝新しい文化の誕生〟とも言うべき数多くの変化が見られることも事実です。しかし、〝変化〟そのものが最初の目的だったわけではありません。これまでの日産の文化を尊重しながらも、必要なところにだけメスを入れる。私たちがしたのはそれだけです。私たちは日産の問題点にしか手をつけなかったのです」

もちろん業績とは関係のない文化で、ルノーから来た人々が戸惑うことはあった。社内でスリッパを使う習慣、遅くまで帰宅できないこと、部屋が雑然としていること……。顔にこそ出さなかったが、ルノーの人々は当惑し、どうしたらよいものかと対応に苦慮した。

「繰り返しますが、私たちは必要なところにしか手をつけませんでした。フランスから来た人々には何度もそれを言いましたし、私自身もそうするように気をつけました。したがって、最終的には大きな改革が必要とされる分野でも、最初のうちは少しずつ、小さなところから変えていきました。ええ、同じ改革を行うにも、節度をもって臨んだわけです。私たちの目的は、うまくいっていない部分をすべて変えることではありませんでした。そのなかで重要な部分だけを変えることでした。あまり大切ではないことに手を広げすぎてはいけないのです。といっても、文化の違いというのは、個人のレベルでは大きな影響を持ちますから、その違いに苛立つこともあります。業績には関係のないことでも、苛々してしまうような文化の違いというのはあるものなのです。そういった違いに手をつけないようにするのは我慢も必要でしたし、大変でした」

責任を曖昧にする文化

ゴーンが観察したように、〝日本の企業に特有の文化〟というものはない。とすれば、それは日産の文化である。

「一九九〇年から二〇〇〇年にかけてのシェアや収益性を見れば、日本の自動車メーカーのうち、トヨタとホンダが勝者で、日産が敗者であったことは明らかです。では、どうしてその違いが出てきたのか？　ある企業が長期的に勝者であり続けているのは、決して偶然の賜物ではありません。それは〝経営の質〟の問題です。敗者がそのことを認めなければ、立て直しは不可能でしょう。再建を行うには、まず初めに企業が自らの失敗を認めなければなりません」

実際、日産の衰退は年月を経るごとに数字に表れるようになっていた。ところが日産の経営陣は、いよいよ窮地に追いつめられるまでは、それに対応しようとしなかった。では、どうしてそんなことが起こったのか？　そこで文化の問題が出てくる。

「日産には〝責任を曖昧にする文化〟がありました。これは業績に関係してきます。そこで、私はこの文化を変えようとしました。もちろん、どうしてそうする必要があるのか、どうやってそれをしていくのか、きちんと説明したうえでのことです。実際、日産では、『会社がうまくいかないのは、ほかの人のせいだ』と、責任を転嫁したがる風潮が広まっていました。販売部は商品企画部について不平をこぼし、商品企画部は技術・開発部門に責任を押しつけ、技術・開発部門は経理部を非難している……。あるいは、欧州日産と東京本社は互いに責任をなすりつけ合っている。そんな状態だったのです。この問題の根本的な原因は、結局、管理職の責任範囲がはっきりしていないことにありました」

責任の範囲がはっきりしない役職と言えば、その代表として、顧問、あるいは相談役と言われる人々がいる。日産はその官僚主義的な体質のなかで、顧問や相談役の一大集団を作りあげていた。といっても、もともとは、その人々にもきちんとした役割があった。海外の子会社や工場での経営や生産が日本の方式通りにきちんと行われているかどうか監督する役目である。

「ですから、現地の人々が日本の方式に慣れれば、この役職は不要になるはずでした。ところが、必要はなくなったのに役職だけが残って、〝現場の決定を覆す〟という弊害だけが出てくるようになったのです。そこで、私はこの役職を廃止し、現地の人々が直接、責任を持って判断を下せるようにしました。また、ルノーから来た人々も含めて、管理職の責任の範囲を明確にすることにしました。そのおかげで、今ではどの管理職も自分の役割がわかっていて、その分野でうまくいかないことがあれば自分の責任であると自覚しています」

日本の大企業における顧問の役割というのは、その企業でよしとされてきた価値観、長年培われてきた文化を後の世代に伝えることである。また、そこには年長の者を敬うという儒教的な精神も込められている。そういう考えのもとに設置された役職なのだ。その考え方自体は大変立派なものとして尊重されてもいい。しかし、いかんせん濫用されすぎた。かつて社長や会長だった人物はその職を退くと、今度は顧問になって、専用のオフィス、秘書、車を使うことができるなど、数々の特権を与えられる。その費用を支払うために、日本の企業――とりわけ金融機関がどれほどの経済的な重荷を背負っていることか。また、日本の企業がどれほどの活力を失ったことか。

年功序列の問題

「業績を悪化させている〝文化〟のまた別の例としては、年功序列の制度が挙げられます。この制度を変えずして、業績の回復を期待することは不可能でした。そこで、私は〝日産リバイバル・プラン〟、そして、〝日産一八〇〟（三六一ページ参照）を通じて、年功序列ではなく、会社に対する〝貢献の度合い〟で社員を評価することにしました。つまり、昇給や昇進の時に、年齢や勤続年数が問題にされるのではなく、会社に対する貢献度――もっと端的に言えば、成績が問題にされるのです。年齢や勤続年数は、そのあとで二次的な要素として考慮の対象にされるに過ぎません。これは特に経営陣から始める必要がありました。私は思い切って、その改革を実行に移したのです」

ゴーンからすれば、企業リーダーの最も重要な責任とは、将来の指導者を育て、引き継ぎの準備をすることである。つまり、優秀な指導者を育てたら、その人間にあとを託し、自分は引退するのだ。だが、たとえそうしたいと思った人がいても、年功序列制がその足かせとなっているのは言うまでもない。といっても、ここで日本の企業を弁護すれば、年功序列制がなくても、未来の経営者を育てられない場合はたくさんある。

「この点に関しては、日本だけが例外なのではありません。米国や欧州でも、未来の経営者を育てるというよりは、自分がその地位に就くことや、そこにとどまることを第一に考えている経営者はたくさんいます。しかし、その一方で、会社の利益を優先して考えている人々もいます。年功序列を廃止することによって、私がリーダーに育てたいと思ったのはそういう人たちです。個人的な利益ばかりを考えている人を相手に時間をつぶしたくはありませんから……。管理職に責任を持たせて、日産を再建する。その目的を果たすためには、年功序列を廃止して、未来への扉を開くことのできる人たちを管理職に登用することが必要だったのです」

リーダーを育てる

それには一つの方法しかない。自らその力を証明させることだ。

「はたして、生まれながらのリーダーというものは存在するものでしょうか？　私にはそうは思えません。確かに、リーダーシップの適性がある人はいますが、その数は想像以上に多いことでしょう。したがって、その後、その人がリーダーになれるかどうかは、その適性を伸ばす環境にいられるかどうかによって決まってきます。ですから、こちらはそういった環境を用意して――つまり、チャンスを与えて、その人がチャンスを活かせるかどうか見ればよいのです。すると、その人は第一のチャンスを活かし、第二のチャンスを活かし、それで自信をつけて、さらなるチャンスに挑戦していくでしょう。こうしてリーダーを育てていけばよいのです。もちろん、その過程で落伍者や挫折者も出るでしょう。しかし、こうしたことが常に行われていれば、ある企業にとって十分に必要な数だけ、優秀なリーダーを育てることは可能だと思います。その点、興味深いのがゼネラル・エレクトリック（GE）の例でしょう。GEは数多くの落伍者を出しつつも、多くのリーダーを育成してきました。それは同社が才能のある人を多く採用したからではありません。社員の力を伸ばしてきたからです。社員がやる気になるように仕向け、成功の手助けをすると同時に、失敗を受け入れてきたからです。ジャック・ウェルチが自分の後継者になりうる人物を何人も手に入れることができました。それはウェルチが幸運だったからではありません。引退する時に備えて、後継者を養成してきたからです。これはどんな企業でもできることでしょう」

しかし、実際にそれを実行に移している企業はごくまれである。日本の企業では株主の力が弱く、また経営者は銀行から〝暗黙の承認〟を受けている。したがって、経営者の進退は自らの判断によって決まることになるが、そうなるとよほど末期的な状態に陥らないかぎり、トップの交代は行われないのである。だが、これから株の持ち合いという方式がなくなってくれば、株主が業績を判断することによって、もっと頻繁にトップの交代が行われるようになるだろう。

「結局、最後に決め手になるのは業績です。業績が悪くて、どうせ最後に辞めざるを得なくなるなら、もっと早くに辞めておけばよいのです。業績が悪いのに、〝それでも会社はつぶれるはずがない〟などと思い込んでいる経営者には、真っ先にそのことを知らせてやるべきです。また、なかには会社の将来よりも、自分たちが経営者の地位にいて権力を振るうことに固執する連中もいますが、そんなのは言語道断です。そうなったらもう絶望的です。日本にはそういった例が多すぎます」

世代交代——未来のリーダーこそ〝前線〟に

結局、日産では会社が危機を迎えて、外国から新しい経営陣を迎えたことによって、たいした揉めごともなく、だが、否応なく、世代交代が行われることになった。

「ええ、私たちはともかく未来のリーダーを育てていかなければならないのです。そのためには、候補になる人間を人事部や総務部の椅子に座らせておくだけではいけません。いちばん厳しい〝前線〟に送り出してこそ、人は鍛えられるのです。その結果、おそらくかなりの候補者が挫折するでしょうが、そこをくぐり抜けた人たちが将来の日産を背負って立つリーダーになることと思います。未来のリーダーは〝今日の挑戦〟に応じることで育ちます。潜在的な能力がある人ほど、難しい挑戦をさせるべきです。これには一石二鳥の効果があります。ひとつは、その挑戦に成功すれば、今、会社が抱えている問題が解決されるということ。もうひとつは、貴重な経験をして成長した人間を手元に置くことができるということです。リーダーは〝いちばんきつい仕事〟によって育ちます。といっても、それはひとりで勝手に育つわけではありません。現在のリーダーが自らの限界を知ったうえで、〝会社の将来のためには新しいリーダーを養成するしかない〟と考え、未来のリーダー候補を前線に送り出す。そういった形で育てるのです。もちろん、その場合、そのリーダー候補が失敗したら、会社は損害を被ることもあるでしょう。しかし、その損害を最小限にとどめるようにしながら、彼らを育成し、指導し、やりすぎない程度に前線に出してやるのです。そうすれば、将来のリーダーはそこで成功した者のなかから生まれてくるでしょう。こうして生まれたリーダーは本物のリーダーであると言えます。というのも、誰それの秘蔵っ子だからという理由ではなく、自分自身で困難なことをやり遂げて、リーダーになるという資格を得たのですから……。日産で最近行われた人事は、すべてこの原則に基づいています。つまり、私たち現在の経営陣が失敗のリスクを予測しながらも、さまざまな人々にチャンスを与え、そのチャンスをものにした人たちが責任のある地位に就いたということです。現在の日産で、こういったやり方を進めていくのに障害となるものはありません」

終身雇用の問題

「もうひとつきわめて日本的で、日産でも大切に守られている企業文化のひとつに、終身雇用制があります。私はこの制度を否定するつもりはありません。そこにはきちんとした目的があるのですから……。その目的とは、〝社員に忠誠を要求する代わりに、社員に対しても最小限の誠意を示す〟ということです。ただ、そうは言っても、現実問題としては、〝終身雇用を絶対に保証する〟というところまではなかなかいきません。というのも、そういう方向でいきたいとは思っていますが、これは企業の能力と密接に関わった問題だからです」

確かに終身雇用制は企業によほどの体力がないと維持できない。そこで、その体力を失った日本の企業は、姑息な方法で年功序列と終身雇用を存続させることを考えた。キャリアが行き詰まって、本社では必要とされなくなった管理職を子会社の幹部として異動させてしまうのである。そして、深刻な病に悩む日産もまた、この手を使い始めていた。したがって、リバイバル・プランによって、日産から出向していた一〇〇〇人ほどの社員は、また日産に呼び戻されることになった。

「急速に業績が悪化した企業は、賃金コストを一時的に削減するために、従業員を子会社や関連会社に出向させます。そうすることで終身雇用制を保とうとしますが、そんなものはもちろん、まやかしに過ぎません。ただ、私が思うには、終身雇用を年功序列と同列に論じることはできません。私は、年功序列制は企業の業績に悪影響を与えると思っています。しかし、終身雇用制のほうは、働く人々に対して企業が誠意を示すという意味で、決して悪いことだとは思っていません。したがって、私たちは、なるべくそれが実現できるよう、努力していきたいと思っています」

インセンティブ制の導入

では、年功序列制に終止符を打つとどうなるか？　それは企業の賃金政策に影響を及ぼすことになる。

「年功序列制を廃止するということは、初任給が高くなったり、昇給のペースが速まったりすることを意味しています。しかし、それよりも大きく変わるのは、そういった固定給ではなく、変動給のほうです。つまり、固定給はそのままで、会社の業績が変動給を通じて社員の給与に反映していく形になるのです。これは社員にとっても悪いことではありません。業績があがれば、その分だけ収入が増えるからです。この方式は特に役員をはじめとする管理職に適用されます。日産の管理職の場合、ストック・オプションを別にしても、給与に占める変動給の割合は、最大で三五パーセントにもなっています」

こうした大改革を行うためには、まず経営陣が変わらなければならない。これはロシアのマトリョーシカのようなもので、いちばん大きな入れ物がしっかりしなければ、中身もしっかりしたものにならない。すなわち、まず上のほうで〝どんな責任の範囲で〟〝何を目標とし〟〝どんなやり方で〟〝何をコミットメントするか〟、そういったことを明確にしないかぎり、社員ひとりひとりの成績を的確に評価することはできないのである。さもなければ、評価を行うのに主観や印象が幅をきかせるようになり、結果的にはこれまでと変わらないか、かえって悪化してしまうことにもなりかねない。

「要するに評価の問題です。その意味からすれば、変動給については二つのシステムが考えられます。ひとつは褒賞金制、もうひとつは報奨金制《インセンティブ》です。褒賞金制では、年度末に上司が査定を行ったうえで金額が言い渡されますが、何を基準にしてその金額が決定されたのかは知らされません。決定は完全に上司に任せられてしまいます。日産では先ほども言ったように、管理職以上の給与に変動給を取り入れていますが、それはこの褒賞金制ではありません。インセンティブ制のほうです。そのやり方は簡単で、会計年度が始まる四月一日までに、私たちはインセンティブの内容——つまり何を目標にしてそれを達成したらいくら獲得できるのか——を管理職たちに知らせます。つまり、評価の基準を明確にするのです。この基準は数字として表れる〝量的基準〟が中心となりますが、どうしても必要な場合は〝質的基準〟も用います。こうして評価の基準ができたら、管理職の変動給を決めるために、私たち役員がすることは、年度末にその基準によって実際の業績を判断することだけです。〝はたして、この人は決められた目標を達成したか？〟、まずはそれが問題になります。そのうえで、市場の状況や為替の状態、ほかの部門の状況など、その部門の業績を外から決定する要素も考慮に入れられます。これについては議論も行われるでしょう。しかし、それによって〝目標が達成できたかどうか〟という事実が軽視されるわけではありません。あくまでも大切なのは、〝目標が達成できたかどうか〟ということ。その大枠が決まっているので、議論する部分が少なくてすむというわけです。そして、これこそが——つまり、基準が明確で、議論の余地があまり残されていないということが、褒賞金制よりインセンティブ制を採用した理由なのです。実際、これによって評価を行う人間の主観的な要素はずいぶん少なくなります。少なくとも、目標をすべて達成した人に対して、『まだ貢献度が低いから、インセンティブを支払うことはできない』とは言えなくなるわけです……。反対に目標をすべて達成できなかった人に対しては、その理由を考慮に入れて、評価に含みを持たせてやればよいのです。というよりは、そうすべきです。しかし、それでもなお、私たちは〝このシステムがすべてを正当化してしまうことがないように〟気をつけています。このシステムをきちんと受け入れてもらうには、事前に〝基準〟を知らせることが大切です。そして、その基準に異論があれば、年度が始まる前に言ってもらうのです。この点で〝透明性〟を保つこと。それが私の望みでした」

公平という文化

ゴーンのこの考え方は合理的である。だが、日産を経営するにあたって、ゴーンがいつでも合理的に振る舞うとはかぎらない。例えば、工場を閉鎖した時、ゴーンは日本の風土を十分に考慮に入れた対応策をとった。〝労働者を解雇しておしまい〟といった、合理的ではあっても情け容赦のない方法はとらなかったのだ。おそらく、資本主義の論理を厳しく貫く米国だったら、そういった苛酷な処置も許されるだろう。だが、厳しい資本主義の原則による変化をある程度取り入れていても、日本の社会ではそこまでは認められない。

「おそらく、日本では〝公平〟という概念が非常に大切にされているのだと思います。もちろん、私もその概念は尊重しています。ただ、問題は、何をもって〝公平〟とするか、です。すべての人を一律に公平に扱うか、会社への貢献度に対して公平に扱うか、問題はそういうことなのです。会社に大きく貢献した人、普通に貢献した人、まったく貢献しなかった人を、ほぼ同等に扱うことが公平であると言えるのでしょうか？　私にはそうは思えません。株主にとっても、顧客にとっても、また社員にとっても、それでは不公平です。そこで、私は〝公平〟という概念を貢献度から見た形にシフトさせていきました。また、〝努力〟という価値を〝結果〟という価値に置き換えることにしました」

「たくさん働いたという事実が、結果を出したという事実より重要になってはいけません。いくら働いても結果を出せない人もいます。私の場合も、たとえ一日一六時間以上働こうが、そんなことは関係ありません。私はオフィスで過ごした時間ではなく、出した結果で給料をもらっているのですから……。これは特に役員のレベルで言えることですが、大切なのはともかく〝結果〟なのです。そういった意味で言うと、日産は今、〝努力の文化〟から〝結果の文化〟へ、ただ会社にいればいいという〝存在の文化〟から、そこでどれだけ仕事をしたかという〝効率の文化〟へ移行しつつあります。これは〝人生のほとんどの時間を会社で過ごさないようにする〟ためにも大切です。また、結果を大切にすることは、チームを大切にすることにもつながります。〝努力〟だけなら個人でもできますが、〝結果〟を出すにはチームが協力する必要があるからです」

変化が受け入れられた背景

日産が変化を受け入れた背景には、次の三つの要素があったことを忘れてはならない。第一に、会社にとって他に選択肢がなかったこと。第二に、急速に良い結果を出さなければならなかったこと。

そして第三に、これがほとんど初めてのケースだったとはいえ、実は日本中がこうした改革を望んでいたこと。特に最後の要素について言えば、九〇年代終わり頃から、松下電器産業のように非常に伝統を重んじる企業でも、年功序列制や、功績とは無関係のボーナス制、自動的に上がっていく固定給の見直しなどが始まっていた。これに対して、その変化の直接的な影響を受ける従業員や労働組合のほうも、「デフレによって無条件に昇給を要求する正当な理由がなくなった」「中国のように自分たちよりも低コストで生産できるライバルが現れた」などの理由で、しばしば痛みを伴いながらも、経営者側が提案した変化を受け入れるようになっていた。その結果、労働組合は何よりも職の確保を優先し、解雇を避けるためにはワークシェアリングという欧州式のやり方を模索し始めるほどになっていたのである。

「私がインセンティブ制の導入を訴えた時、日産の労働組合はこの改革を受け入れてくれました。しかし、現在のように会社の再建が着々と進行している状況では、それも当然だと言えます。何しろ、現在の状態なら、変動給は上がっていっているのですから……。したがって、このシステムにとっては、会社の業績が悪化し、変動給が下がり始めた時が正念場だと言えるでしょう。とはいえ、大局的に見れば、このシステムの利点はその難点をはるかに上回るはずです。会社の業績があがれば、すぐに自分たちの利益にはね返るのですから、誰からも不満の起こりようがありません」

ベースアップ要求に満額回答

ゴーンはまた、日本の〝横並びの文化〟にも一石を投じた。日産の業績が目覚ましい回復ぶりを見ーせると、春闘における賃金交渉の際、一兆円もの利益をあげたトヨタを含むほとんどの大企業がベースアップを見送るなかで、労働組合の要求したベースアップに対して満額の回答を行ったのである。

「現在、日産は再生しつつあります。私はリバイバル・プランを発表した時から、この計画はユーザーや株主のためだけではなく、社員のためでもあると言ってきました。一度そう言ったからには具体的な形で証拠を見せる必要があります。ですから、私が二〇〇二年の賃上げ要求を全面的に承諾したのは、労働組合の要求を聞いて、〝そうする必要があると思った〟というだけの理由です。実際、交渉が行われたあと、私はほかの役員に『何と言って拒絶してよいかわからない』と言いました。確かに日本の経済は厳しい状況にありましたが、労働組合の要求は妥当なものだったのです。そうなったら、ことは単にお金だけの問題ではありません。日産の社員たちにこう言えるかどうかの問題だったのです。つまり、『皆さんは私たちの計画を支持してくれました。そして、自分たちの職務をきちんと果たしてくれました。会社の存続がかかった、この大変な局面にともに立ち向かってくれました。その皆さんの気持ちに応えて、会社が皆さんにしてあげられるのは、皆さんの要求を受け入れることだけです』……。この決定に対して、トヨタの奥田碩会長のコメントは、『日産は特別だから』というものでした。『だいたい、日産は他社が皆、上げた時には賃上げしなかったわけで、今は業績があがっているのだから、まあ特殊なケースなのだ』と……。特殊で結構。しかし、私は決して他の企業を挑発したいがために、要求を承諾したのではありません。自分の信じるところに従って、ベースアップを行ったのです。そうしたのが日産だけだったから、非常に目立ってしまっただけなのです」

ストック・オプション

だが、ゴーンの行っている改革には思わぬところから横槍が入ることもある。ゴーンは役員の報酬にインセンティブ制を導入してきたが、業績が向上したことを受けて、二〇〇二年には役員の賞与を五〇パーセント増額することにした。ところが、その決定に「株の配当が一四パーセントの増配にとどまっているのに、役員賞与を五〇パーセント増額するのはけしからん」と、二〇〇二年六月の株主総会で、毎年のように好戦的な発言を行っている株主が非難したのである。その株主は、日産の従業員たちに給料があがったかと訊くと、「それほどでもない」という答えが返ってきたとして、経営陣を責めたてた。これに対して、家庭の事情で総会を欠席していたゴーンに代わって説明役を務めていた塙義一会長は、「日産の株価は会社が危機に瀕していた三年前に比べて二倍にあがっている。株主はそれで利益を得ているはずだ」と切り返した。

それはともかく、インセンティブ制に関しては、例えばストック・オプションについても、なかなか日本のマスコミの理解を得られなかった。もちろん、これはこの方式が日本ではまだよく理解されていなかったということもあるかもしれないが、しかし、ゴーンにとって、ストック・オプションをインセンティブ制に取り込むというのは、業績を高めるうえで必然的なものであった。

「ストック・オプションを手にするということは、要するに〝会社の業績が良くなれば、自分も金持ちになれる〟ということです。もちろん、どのくらいの量、株を購入する権利を与えられるかは、社内での責任や仕事の内容によって違ってきますが、この権利を手にした人はみな喜んでいます。ストック・オプションはそれ自体がモチベーションになるわけではありません。それによってモチベーションが強化されるのです。また、日本の場合、退職金制度との絡みで、このストック・オプションを考えることもできます。現在、退職金制度の存続が危ぶまれているなかで、いちばん能力が発揮できる年齢にいる人を『ただ、会社のために尽くせ』という言い方で働かせることはできないでしょう。そうしてもらっても、退職金で報いることはできないかもしれないのですから……。この場合、ストック・オプションを与えれば、それを退職後の生活費の一部にしてもらうことができます。そう考えれば、これは根本的に健全なシステムなのです。全面的に会社に依存する代わりに、自分の成績や会社の業績に応じて生活設計をすることができるのですから……。反対に、例えば現在の日産の管理職たちは、会社に何年も勤続していながら、給与を削減されたり、貯蓄がほとんどできなかったりしています。これは非常に不当なことだと思います。

日産では、二〇〇一年には約七〇〇人がこの恩恵を受けています。総従業員数と比較したら微々たるものですが、この七〇〇人こそが最も大きな責任を負っている人たちなのです。今のところは七〇〇人ですが、このメンバーは毎年、増えていきます。ただし、このストック・オプション制を社内全体に広めることができないことは認めなければなりません。といっても、それは社内で高い地位にいないと、ストック・オプションの権利がもらえないということではありません。これは会社に対する貢献度の問題なのです。たとえ地位は低くとも、高度な専門性を持っていたり、高いリスクを負った仕事をしていたり、あるいは責任のある重要な仕事をして会社に貢献していれば、この権利を受けることができます。会社がそういった人々を認めるのは当然のことだと思います」

ひとりでも多くの株主を！

さて、日産の株ということで言えば、ゴーンは就任当初から、一般の人々が少しでも多く日産の再建に手を貸してくれる、すなわち個人投資家として株を買ってくれることを願っていた。だが、これはかなり厄介な仕事である。というのも、個人の投資家たちは、バブル崩壊以降、株価の暴落によって大きな損害を受けたのに嫌気がさしているからである。これまで重要な株主であった銀行がバブル時代のつけを払うためにメーカーの株を手放したこともあって、二〇〇二年の状態を見ると、日産の株式の三分の二以上は、日本以外の企業や団体が所持する形になっている（ルノーが保有しているのが四四・四パーセント。それ以外に、全株式の四分の一を、米国を主とする外国の投資信託や年金公庫が所持している）。その残りは保険会社や金融機関で、少数株式を所有する株主は全体のわずか六パーセントに過ぎない。

「そこで、従業員が株式を購入しやすくなるよう、購入できる株式数の最小単位を一〇〇〇から一〇〇に下げる議案を株主総会で採択してもらいました。これは従業員株主だけではなく、日産の株を少数でも買ってくれる投資家たちを増やすためでもあります。これによって、日産の株ははるかに手が届きやすくなったと思います。こうやって多くの人々が、望みさえすれば、企業の発展に投資し、その見返りを受けることができるというのは、本当に良いことだと思います」

第17章　提携を活力あるものにするために

グローバル化とアイデンティティ

「私たちは好むと好まざるとにかかわらず、グローバル化の時代に突入しています。現代では、国境は消え、経済、金融、文化、そして人材の交流がますます盛んになってきています。これは人間の習性に関係したものだと思われます。人は狭い世界に閉じ込められることを好みません。外国に行き、外国人と交流し、世界中を自分の生活の舞台とみなしたいと願うものなのです。この状況は、これからさらに加速するでしょう。それは現代の若い世代が親の世代よりもずっと世界に対して開かれていることを見ればわかります。このことはそのまま受け入れる必要があります。ただ、それと同時に、〝グローバル化というのは、アイデンティティを否定するものではない〟ということも言っておかなければなりません。私は、グローバル化とアイデンティティの尊重とは、足並みをそろえて進むべきだと思っています。自らのアイデンティティを保ちたいという願望は、肯定的な意味でも、また否定的な意味でも、あらゆるところに顔を出します。これは当然でしょう。人には、生まれた国、文化、歴史、そして言葉といったものがあって、そこからは逃れられません。そして、そういった要素がそれぞれの人のアイデンティティを形成しているのですから……。また、グローバル化によってそれぞれが一律に否定されるというのもおかしな話です。〝グローバル化〟と〝アイデンティティの尊重〟とは両立しうる、また両立させなければならない概念なのです。これは人に対してのみ言えることではありません。企業に対しても言えます。なぜなら、企業にもアイデンティティがあるのですから……」

そういった問題は今後、ますます重要になってくる。というのも、ＧＡＴＴ（関税と貿易に関する一般協定）、そしてそれが発展したＷＴＯ（世界貿易機関）によって保護貿易主義は立場を弱められつつあり、国家と企業はますます切り離される傾向にあるからである。冷戦が終わり、中国やインドのような大国が開国したことで、今や地球全体で国際分業が促進されつつある。とすれば、企業は自然にグローバル化していくしかないが、それではそこでどうやってアイデンティティを保つのか？

「ある企業がある国の文化を受け継いでいたり、いわば〝国民的な企業〟としてその国と密接に結びついていた社史を持っていたりすることはあるでしょう。しかし、今や自社が〝国民的な企業〟だと言ってすました顔をしていられるのは、ある特定の地方とだけ結びついたローカルな企業だけです。そういった意味からすると、おそらく少し前までは、『私は日本の企業に勤めています。そして、そのことに誇りを感じています』という言い方が可能だったでしょう。これは『フランスの企業に勤めています』と言っても同じことです。しかし、これからは、こういったケースはどんどん少なくなっていくと思います。もちろん、日産の場合も、日本の企業としての文化を持ち、日本で積み重ねてきた社史があり、管理職のほとんどは日本人です。それは現実です。しかし、これからのことを考えれば、そういったアイデンティティは保ったうえで、世界に扉を開き、常にグローバルな視点で最適な選択をしていける企業になっていかなければなりません。ですから、ここは考え方の基本を変えなくてはなりません。グローバル化しながら、企業はアイデンティティを保っていかなければならないのですが、それはあくまでも企業としてのアイデンティティであって、日本の企業としてのアイデンティティではありません。確かに、〝国のアイデンティティが企業のアイデンティティに大きく影響を及ぼす〟というのは、間違いのないことでしょう。しかし、そこにとどまっていては、発展は望めないのです」

といっても、毎年、スイスのダボスで開かれる世界経済フォーラム（二〇〇二年はニューヨークで開催）で交わされる議論を聞くかぎり、世界的な企業の経営者たちは、〝グローバル化〟と〝企業アイデンティティ〟を両立させ、その均衡を図る政治的、社会的なモデルを見つけられないでいる。したがって、この状況では、グローバル化に反対する運動が活発になるのも、ある意味では当然だと言えるかもしれない。だが、真の問題の解決は、グローバル化の動きに逆行することではなく、グローバル化を前提として、その新しい世界のなかで、〝それぞれの企業がどうやって自らのアイデンティティを保ちながら、自分の居場所を見つけていくのか〟、また、そのためには〝どんな新しい制度を作って、どんな調整を行えばよいのか〟、その答えを発見することにあるのだ。これは非常に大変な作業になるだろう。だが、おそらくは試行錯誤を繰り返しながら、その作業を通じて、人類は多くのことを学んでいくに間違いない。

日産・ルノーの提携はグローバル化のひとつのモデル

その意味で言うと、日産とルノーの間に結ばれた提携は、そういった試行錯誤が成功した例だと言えるだろう。といっても、もちろん、今回の提携の形態は、〃二一世紀の企業とはかくあるべき〃という哲学が先にあって生まれたものではない。日産の抱える債務はどこまで返済可能なのか、ルノーが出せる資金はどれだけなのか、そして利用できる人的資源はどれだけあるのか、という現実的なレベルでの対応から生まれたものである。しかし、そのように現実的に提携を推し進めていく際に、ルノーの側には〃ボルボとの合併の失敗を教訓にしよう〃という強い気持ちが働いていたことも確かである。

「現在、エグゼクティブ・コミッティでは、すべて英語を使って会議が行われています。他の会議では通訳を交えることもありますが、英語で話す人も大勢います。ただ、そこで強調しておきたいのは、英語で話すというのが外からの強制ではなく、むしろ〃コミュニケーションの手段として必要だから、そうしている〃と社内で認識されていることです。この点で、私は『英語で話そう』という提案を安心して行うことができました。というのも、私は英語を母語としていないわけです。英語を母語としていない人間が『英語で話そう』と言うのですから、これは強制にはなりません。では、どうしてそこで英語を選んだか？　これは簡単なことです。例えば中国人がドイツ人かフランス人、あるいは米国人か日本人と出会った時、フランス語や中国語で会話をすることはほとんどありません。たいていは英語で会話が行われるでしょう。これは文化の問題ではなく、単に英語が世界的なコミュニケーションの手段となっているからです。つまり、英語を話すということは、パソコンにeメール用のソフトウェアを入れるようなものなのです。そうしなければeメールを使ったコミュニケーションができないように、英語を使わなければコミュニケーションができないのです。ですから、これは異なる文化を押しつけたわけではありません。フランスと日本という異なった文化を持つ者同士が英語というコミュニケーションの道具を使って話し合おうと、日産の経営陣が決めたことなのです。

実際にそれを始めてみると、日産の社員たちは英語を話すのが非常に上達しました。もちろん、なかには英語をひとことも話さない人々がいる部署がたくさんあるのも事実ですが、それは英語が必要ないからです。しかし、本社で働く人々のうち、特に上級管理職の人々は、英語を話す必要を感じています。経営に参加して、他の人々とコミュニケーションを行うには英語が欠かせないからです。ですから、繰り返しますが、これは強制ではありません。また、一時的な流行でもないのです」

英語はコミュニケーションの武器

日本人がフランス語を話せないように、フランス人も日本語が話せない。そして、日本人と同じように、フランス人も英語が苦手である。だからこそ、会議に英語が導入されたのだ。しかし、この〝双方の人々がともに英語が苦手だという状況〟が、やがて強みであることがわかってきた。

「日産の人々が、『英語を学ぶのは、フランス人にとっても簡単なことではないのだ』とわかってから、物事はスムーズに運ぶようになりました。例えば、フランス人の話す英語には、フランス人に共通のおかしなアクセントがあります。それが対話を通じてわかってきたのです。その結果、お互いに英語ができないということで、どちらか片方がコンプレックスを抱くことがなかったのです。もしフランス人が日本人よりも英語をうまく話すことができて、それが理由で、ルノー側が〝英語で話す〟ことを要求していたなら、これほどスムーズにはことは運ばなかったでしょう。お互いに同じだけの努力が必要だったからこそ、うまくいったのです」

　こうして、ルノーと日産は、社内で熱心に英語教育を進めた。すでに実社会で活躍する管理職たちにとって、受験生よろしく再び机に向かって勉強することは、東京の日産本社でも、ビヤンクールのルノー本社でも、決して簡単なことではなかったろう。だが、両社の社員たちはわずかな期間で目覚ましい進歩を遂げた。

「社内で英語を使うことに拒絶反応はありませんでした。ただ、英語を話す人が話せない人よりも高く評価されるのではないか、という憶測は流れました。これは難しい問題です。事実としては、英語を話せるのが武器であるということは否定できません。ビジネスマンにとって英語ができるかどうかは、エンジニアにとって数学ができるかどうかという問題と同じなのです。つまり、相手に自分の考えをきちんと伝えられるかどうかということです。といっても、私たちは英語が話せないというだけで、有能な人材を見逃してしまわないよう、そのことには気をつけています。社員の潜在能力を見つけることは大切ですから……」

　グローバル化を前提として考えるならば、世界に通用するコミュニケーションの手段は欠かせない。その意味で言うなら、ルノーとの提携は、日本の大企業の弱点ともなっている言語的、文化的な孤立という呪縛から日産を解き放ち、二一世紀型の企業に向けて質的な飛躍をさせたと言ってよい。

「確かに直接的には、ルノーとの提携がそういった変化をもたらしたと言えます。しかし、仮に提携が行われなかったとしても、日産は、米国、欧州、台湾、東南アジア、中東など、一九二か国・地域に進出して活動する世界的な規模を持つ企業なわけですから、この変化は必要なことでした。実際、海外の日産で働く職員にとって、いちばんの問題は、東京本社に英語を話す人が極端に少ないということでした。本社と話し合う必要があっても、簡単にはいかなかったのです。それこそ、電話をかけることもeメールを送ることもできませんでした。これではグローバル化を促進することはできないし、またクロス・ファンクショナル（部門横断的）な作業をすることもできません。企業をグローバル化し、クロス・ファンクショナルな作業を行い、コミュニケーションを活発にして、世界に向かってさまざまな情報を発信し、また世界からさまざまな情報を取り込もうと思ったら、英語が必要です。英語はそのための道具なのです。エンジニアが数学や物理を学ぶのと同じように、ビジネスマンは英語を身につけなければならないのです」

〝共生すること〟を学ぶ

英語を学ぶということは、コミュニケーションの方法を学ぶということである。それは確かに難しいことだ。しかし、それよりもさらに難しいのは、〝共生すること〟を学ぶことである。毎日、一緒に仕事をするためには、はっきりしたルールを作り、相手に対して細かい配慮を示しながらも、自分自身を尊重することだ。これは結婚生活と同じである。

「お互いに自分のアイデンティティを守り、相手のアイデンティティを尊重する……。それがあるからこそ、提携《アライアンス》は前進するのです。この点は、お互い、意識して努めていかなければなりません。では、実際問題として、お互いのアイデンティティを大切にしながら、どうやって提携の成果《パフォーマンス》を出していけばよいか？　アイデンティティを守りながら、どうすれば互いの壁を壊し、お互いの間に橋をかけることができるのか？　提携が決まって日産の人々とルノーの人々が一緒に仕事を始めた時、私たちはお互いに自分たちのアイデンティティが脅かされるのではないかと不安を感じていました。と同時に、『交流を深めたい』という願望も持っていました。実際に交流するのは全体から見れば、数の少ない選ばれた人々ですが、その人たちは、『自らのアイデンティティを守って、相手に対して自己主張したい』という気持ちと、『相手と交流して交じわり合いたい』という一見、矛盾する二つの気持ちを抱き、その二つによって突き動かされていたのです。しかし、それは当然のことです。グローバルに活動する企業には、その二つの気持ちが必要だからです。提携とはそういうことなのです。こういった形でお互いに自分や相手を尊重した時、仕事はうまくいき始める……。逆に言えば、お互いがしっかりアイデンティティを保ち、それを認め合っているからこそ、グローバル化が達成できるのです」

実際、日産にもルノーにも、それぞれの国と結びついた歴史や文化がある。だが、この二社の結婚《アライアンス》の場合、そういったものが、二社の結びつきを強くする形で働いたのではないか？

「フランス人と日本人、ルノーと日産が本当に理解し合えたのかどうか、私はまだ『それができた』と自信を持って言うことはできません。しかし、それぞれの国の文化を見ると、それは可能であるように思われます。例えば、フランスの文化は、自らのアイデンティティをしっかりと意識した強い文化ですが、同時に異文化に対する受容性の高い文化でもあります。この国には〝変わったもの〟〝自分とは違ったもの〟に対する好奇心があって、また異文化に興味を持つことが幼い頃から教えられているからです。もちろん、ある人がうまくやるかどうかは、結局は個人の問題です。文化や教育はひとりひとりの人間の個性をつくりだす手助けをするだけです。しかし、企業というのは人間の集団ですから、そこには文化が生まれ、企業の成功や失敗に影響を与えます。その点、フランスの文化は異文化に対する受容性がありますから、グローバル化には向いていると言えるでしょう。〝変わったものに興味を持つ〟という文化が何よりも重要な特徴です。

これに対して、日本は〝開かれていると同時に閉じた文化〟を持っているようです。これはある時、デザイン部門を統括している中村史郎と〝日産の基盤を作っているのは何か〟について話していた時に出た事柄ですが、中村は日本の文化について説明してくれ、〝日本の文化が開かれていると同時に閉じている例〟をいくつも見せてくれました。例えば、日本には漢字、ひらがな、カタカナという違った種類の文字がありますが、それはまさに好例です。漢字というのは、まず中国から入ってきて、そこから日本独自のひらがなやカタカナが生まれたからです。また、中村は、きわめてシンプルで風通しのよい日本的な建築の写真を見せてくれたあと、ごちゃごちゃしてたくさんの色にあふれた新宿の写真を見せてくれました。つまり、この二つはどちらかひとつが日本なのではなく、二つとも日本の一部なのです。したがって、日本文化を〝閉じた文化〟だと見れば、確かにそう見えるでしょう。しかし、〝開かれた文化〟だと見れば、そうも見えるのです。私はどちらかというと、〝開かれた文化〟だという認識から日本を見ようと心がけています。すると、本当にそうだということがわかって、コミュニケーションがうまくいくようになるのです」

相手を尊重し信頼を生み出す

だが、相手のアイデンティティを常に尊重することは難しい。時には力ずくで相手をねじ伏せたいと思うこともあるのではないだろうか？

「日産でもルノーでも、社内全体で見れば、前向きの動きと後ろ向きの動きがあります。提携を進めていくなかでも、その提携を破壊する動きというものがあるものなのです。つまり、〝相手が言うことをきかないなら、強引にねじ伏せてしまえ〟という動きです。これは〝帝国主義的〟なやり方です。そんなことをしたら、提携の価値は損なわれます。提携を成功させて、それを価値あるものにするためには、そういった乱暴な動きに対して絶えず注意を払っていなければなりません」

これは決して仮定の話ではない。実際、日産がまだ危機に瀕していた時には、こうした力ずくに訴えようとする危険な傾向がルノーの側にはあったのだ。だが、ルノーの経営陣はこの誘惑と闘った。〝情け容赦のないビジネスの世界〟にあって、このルノーの姿勢は特筆に値する。ルノーのルイ・シュヴァイツァー会長の態度は、あらゆる点でダイムラー・ベンツのユルゲン・シュレンプ会長の態度と異なっていた。というのも、これは後に明らかになったことだが、シュレンプは、最初はクライスラーに対して〝対等合併〟だと言って話を持ちかけておきながら、それは見せかけに過ぎず、交渉の当初から、〝クライスラーをダイムラー・ベンツに併合してしまおう〟と考えていたのである。これに対して、シュヴァイツァーは、強引な気持ちを抑えることによって、提携においていちばん重要な資本である〝信頼〟を生み出すことに成功したのだ。

「ルノーは日産が危機を迎えていた時に救いの手を差し延べましたが、日産の弱みにつけ込もうとはしませんでした。日産もまたルノーの期待に十分に、いや十二分に応えました。これは否定することのできない事実です。私たちはそのことを忘れてはなりません」

進む人材交流

といっても、この提携は、最初はルノーの主導のもとに行われているように見えた。

「提携によってそれぞれの良い部分を伝え合う、といっても、最初はルノーから日産への一方通行となりました。しかし、生産、品質管理、技術などの分野では、日産からルノーへの情報の流れも出てきて、バランスがとれ始めています。それに、ルノーから日産に派遣された社員は、生涯、日産にいるわけではありません。会社再建というドラマチックな状況で得難い経験をしたこの人たちがルノーに戻ってくれば、ルノーは前よりもずっと豊かな企業になるでしょう。そのあとは第二、第三の波として、また新たな管理職が日産にやって来ますし、日産のほうからも管理職がルノーに派遣されるでしょう。これは素晴らしいことです。これからも日産とルノーが提携してやっていくことを考えれば、お互いの職場を経験している人たちがいるというのは非常に大切なことだからです。ええ、日産とルノーがあらゆる分野でシナジー（相乗作用）効果を生み出していこうと思ったら、お互いの企業をよく知っている社員がいるということは強みなのです。したがって、私たちは十分に計画を立てたうえで、この人材交流を拡大していかなければなりません」

ルノーにとって、提携のシナジー効果は、特に技術面において表れている。例えば、メガーヌⅡだ。ルノーがX84プログラムとして立ちあげた長期計画のなかで最初に登場したこの車は、日産とルノーでプラットフォームを共用化した第二弾の車で、ドアやボンネットなどの開閉部の製造については日産が担当した（ルノーのフランス・ドゥエ工場やスペイン・パレンシア工場では、日産から派遣されたエンジニアの直接的な指揮のもとに生産が行われた）。また、ルノーのすべての工場では、日産の技能研修をもとにした〝技能教室〟が開かれていて、その教室では日産から来た指導員がルノーの労働者の技能を高める手伝いをしている。

「先ほども言ったように、最初、人材交流はルノーから日産に向かって行われましたが、ある意味では、それは当然のことだったと思います。提携当初、ルノーと日産の状況は同じではなかったからです。また、その後もしばらくはルノーから日産に行く流れで交流が進みました。日産は現場レベルでの管理職も求めていましたし、そのほかの分野でもルノーの助けが必要だったのです。ですから、最初のうち、交流が対等に行われていなかったとしても、それは仕方のないことだったと思います。

しかし、これからは時間が経つとともに、交流はバランスがとれたものになっていくに違いありません。まずルノーに入社し、それから日産に移り、そしてルノーに戻る、そんな社員も出てくるでしょう。その逆もあるでしょう。現在、ルノーでエンジン開発部長をしている加藤和正がその良い例です。加藤は、最初の人材交流の際にルノーに移ったわけではありません。ルノー側から乞われて、私がルノーにとって良かれと考えて派遣したのです。私たちは、まずどの部門でどんな専門家を求めているのか、と相談します。それから、それにふさわしい人材を探します。また、そういった現実的な必要からきた交流だけではなく、提携の将来を見据えて、あらかじめ候補者を選んだうえで、上級幹部の育成を目的とした交流も行われています。これはそういった人々が日産でもルノーでもどちらでも力を発揮できるようにするためです。もちろん、将来も日産の経営陣には日本のカラーが残るでしょうし、また、ルノーの経営陣にもフランスのカラーが残っているでしょう。しかし、それぞれの経営陣には、おそらくさまざまな国籍の人が入っていることと思います。これからは、国籍にかかわらず、自分たちの会社にとって誰がいちばん良いかという基準で役員が選ばれるようになるはずだからです。役員の候補というのは思ったよりも少ないものなのですから、これは当然です。役員を選ぶ時、〝誰にするか悩む〟ということはまずないものなのです」

真のグローバル化とは？

このような形で提携が順調に進めば、ルノーと日産は、経営陣のグローバル化という微妙な問題を、他のどの企業よりも早く、上手に解決できることは間違いない。というのも、とりあえず米国は別として、世界中のどの国でも企業の経営陣はその国の人々で構成されているのが普通だからである。この点は欧州も日本も決して自慢できる状況にはなっていない。言葉の問題や採用の方法、経営陣の選び方（フランスの場合、政府高官が民間企業のトップに迎えられることが多い）、社内での人脈などによって、どうしても外国人が経営陣に入ってくるのが難しくなってしまうのだ。フランスの例で言えば、化粧品最大手のロレアルを率いるリンゼー・オーウェン＝ジョーンズが英国人であるというのが唯一の例外で、あとはかなり定義を緩くしても、何十もの国で国際的に活動するフランス企業のうち、外国人経営者をトップに据えているところはひとつもない。

「企業と国家の結びつきということで言えば、まずルノーのことが頭に浮かんできます。というのも、グローバル化を目指した時、ルノーが最初に直面した問題のひとつが、〝経営陣の体質があまりにフランス的だったこと〟だからです。確かにルノーの企業文化のなかでフランス文化というのは非常に重要な割合を占めています。しかし、そこにとどまっていてはいけないのです。その点、トヨタの経営陣が『トヨタは将来、もっとアメリカナイズされなければならないだろう』と考えているという話を聞いて、私は興味深く思いました。トヨタは問題をはっきりと認識しているのです。もしGMやフォードが現在、何らかの問題を抱えているとするなら、それはGMやフォードが真のグローバル企業にならなかったからだと思います。この二社はあまりにも長い間、米国的で居続けたのです。その証拠に、その利益のほとんどは米国で生み出されたものです。欧州や南米、アジアでは恒常的な利益をあげることができずにいます。そういったことを見るにつけ、私が思うのは、『明日の自動車業界で勝利するのは、真にグローバルで、どの市場でも同じような強さを発揮できる企業だろう』ということです。この市場は重要で、この市場はそうではない、と市場を選別する考え方は終わったのです。いずれにせよ、〝自らのアイデンティティを失わずに、グローバルに活動できること〟——これが明日の自動車業界で生き残るための条件となります。それは簡単なことではありません。しかし、そこに到達した企業が、より多くの価値と富を生み出し、勝者となることができるのです」

マルチカルチャー企業を目指して

「提携を通じて、日産は多文化《マルチカルチャー》という将来、強力なアドバンテージとなる競争力を身につけつつある」と、ゴーンは考えている。このあたりを他の日本のメーカーと比較してみると、日産の立っている位置がよりはっきりするだろう。まずトヨタは自社で開発したモデルだけで、世界シェア一五パーセントを目指している。また、日産が国内の系列を解体する一方で、トヨタは逆に系列を強化して、デンソー、ダイハツ、日野自動車など〝トヨタ・ファミリー〟を形成している。だが、そうやっていつでも外国のメーカーに背を向けてばかりいるかというと、決してそうではなく、必要と見ればオープンな面も見せる。例えば、PSAプジョー・シトロエン・グループと共同して、欧州市場向けの低価格帯の小型自動車を生産する工場をチェコに建設したりするのである。しかし、それでも、企業文化や経営スタイル、経営陣の構成に、今なお創立者の豊田家の影響が及ぶあたりを見れば、トヨタはやはり伝統的な日本の大企業の枠内にとどまっていると言える。

これに対して、ホンダはフランスの漫画のヒーロー、ガリア人のアステリクスに似たところがある。すなわち、何よりも独立を大切にして、高度な技術力を恃《たの》みにひとりで皆に立ち向かっていくのだ。いわば孤高の勇者である。その他の日本の自動車メーカーは、外国の大きな自動車メーカーの系列に組み込まれているが、その形態はルノーと日産が行ったような〝提携〟という考え方に立つものではない。

「他の日本の自動車メーカーに比べて、私たち日産にはどんな特色があるのでしょうか？　それは提携のおかげで、マルチカルチャーな企業になり始めたということです。そうした傾向は、これからも強まっていくでしょう。例えば、ホンダの経営陣のなかに何人米国人が含まれているでしょう？　マルチカルチャーな企業と、国際的な企業とは違うのです。マルチカルチャーであるためには国際的でなければなりませんが、その逆は真ではないのです。日産が他の日本の自動車メーカーと違うのは、すでに〝グローバルな企業文化〟を持っているということです。例えば、ホンダが他のメーカーと共同で何かをすることはまれです。しかし、私たちはもう経験済みなのです。ルノーとの提携を手始めとして、フォードやスズキとも協力関係を進めています。私たちはさまざまな企業文化と交わり、経験を積み重ねているのです。これは将来、必ず私たちの有利な点《アドバンテージ》になります。合併や提携、協力関係の構築など、自動車業界の再編が進んでいくなか、私たちは自らのアイデンティティを保ちながらも、ほかのメーカーと協力していかなければなりません。その点、日産は世界のこの新しい潮流に適合する〝新しい文化〟を身につけつつあります。マルチカルチャーという文化を……。企業のトップに立ったら、もうフランス人としてとか、日本人としてとか、そういった考え方をしてはいけません。フランスで一番いいやり方はどれか？　日本で一番いいやり方はどれか？　ルノーでは？　日産では？　と情緒に流されずに問いかける必要があるのです。その意味で言っても、日産が混血してマルチカルチャーな文化を持つことは、将来のためにとても重要なことなのです」

離れていると同時に結びついた関係

いずれにしろ、ダイムラー・ベンツとクライスラーの合併に始まった自動車業界の再編劇において、ルノーと日産の提携がこの数年間に素晴らしい結果をもたらしたことは間違いない。日産は当初予想された以上に、素早く――それも根本から立ち直ったのである。提携の成果ということで言えば、プラットフォームを共用化したモデルの商品化をはじめとして、そのシナジー（相乗作用）効果は、市場の地域戦略にまで及んでいる。すなわち、南米と欧州では日産がルノーに、メキシコとアジアと太平洋ではルノーが日産に依存することで、世界市場をカバーする範囲がより広くなり、緻密な対応ができるようになったのだ。また、提携を強化するという方向で、そのあり方が見直された結果、資本の結びつきはさらに強まり、購買、技術、そしてＩＴの分野での統合も進んでいる。この進化は、提携が成果《パフォーマンス》の追求を目的としていくかぎり、まだまだ続いていくだろう。だが、それは二つの会社がひとつに融合してしまうということではない。

「確かに、日産とルノーは、購買の分野でもＩＴの分野でも共通の組織を持っています。また、ほかにも新しい組織を作っています。しかし、それはあくまでも自分たちの業務をより効率的に行うためです。ですから、提携を強化するといっても、お互いのアイデンティティを脅かすようなリスクは冒していません。ブランドのアイデンティティだけではありません。企業のアイデンティティについても同じです。というのも、企業のアイデンティティがなくなってしまったら、企業としての価値は損なわれ、社員の士気《モチベーション》は大幅に失われてしまうからです。会社にとって大切なことのひとつは、社員のモチベーションを保持して、会社に対する帰属意識を高めることです。もしそういったことを重視するなら、統合や合併はあまり良いやり方とは言えません。現在、日産とルノーの関係を見ると、両者はひとつに融合したアイデンティティを持っているのではなく、日産のアイデンティティの一部をルノーが担い、ルノーのアイデンティティの一部を日産が担っているという形になっています。それは世間の人々が〝ルノーというと日産のことを思い浮かべ、日産というとルノーのことを思い浮かべる〟という事実に、端的に表れています。つまり、日産とルノーは離れていると同時に、結びついているわけですが、それこそが〝お互いのアイデンティティを尊重しつつ、提携関係を進めている〟ということなのです。

つまり、この提携はパフォーマンスの追求に基づいたパートナーシップであり、力ずくの関係ではないのです。その証拠に、提携から数年の歳月が流れましたが、現在のところまで、とりたてて大きな問題は起こっていません。もちろん、小さな誤解はあるでしょうし、仕事を進めるのに手間がかかるという問題はあるでしょう。でも、それは決して深刻なものではないのです。ルノーの社員たちのモチベーションは高く、日産の社員たちもそれに劣らず高いモチベーションを持っています。現在、日産の業績は、提携当初には誰も想像しなかったほどの素晴らしい状態にあります。これは何よりも、現場からトップにいたるまで、日産の人々が〝提携の持つ意味〟を深く理解し、〝お互いのアイデンティティを保ちながらも、協力して作業を進める〟というやり方を実践したからだと思います」

そうはいっても、口さがない評論家やアナリストたちは、相変わらずこの提携を懐疑的な目で見ている。つまり、そんな理想的な提携はありえないと……。

「日産とルノーでは、お互いのアイデンティティを尊重しつつ、バランスのとれた提携を続けていくために、真剣な議論が重ねられています。しかし、私がそう言っても、まだそれを信じてくれない人がたくさんいます。ええ、『それが本当なら、素晴らしいことだけどね』なんて思われてしまうのです。確かに〝対等合併〟という美辞麗句で始まった統合がどんな結末に至ったのかを見れば、人々がそう思うのも無理はないのかもしれません。〝提携〟と言っても、そこにはたいていの場合、〝力ずくの関係がある〟と考えてしまうからです。ですから、人々は日産がルノーと提携を結ぶと発表した時、『森から大きなオオカミが出てきた』と見ていました。そして、今ではその反対の見方もされるようになっています。つまり、『今や日産はルノーよりも大きくて強力になったので、提携のバランスは崩れてしまうのではないか』と言うのです。

しかし、それは間違いです。私たちの間には、最初から力ずくの関係は存在しません。これは提携なのです。私たちは、提携するという契約を交わしたのです。そこにはメリットもデメリットもあります。うまくいくところもいかないところもあります。それぞれにとっては簡単なことでも、相手にとっては難しいこともあります。でも、私たちはパートナーの関係にあるのです。もちろん、そのことを市場が懐疑的に見ているのは理解できます。だいたい、アナリストたちは白黒はっきりさせた形で状況を見ようとします。つまり、日産とルノーの関係で言えば、『どちらが権力を持っているか』という形で……。これに対して私たちができることは、提携を今の方向で推し進めていくことだけです。今までのやり方に沿って、このやり方でよいのだと自信を持って……。そういった関係がいまだかつてなかったと言うなら、それでもいいでしょう。日産とルノーの関係はそういう関係なのです。私たちは自動車産業の歴史に新しい章を書き加えつつあるのです」

ルノーの業績には日産の業績が含まれる

さて、こうして両社が提携を深めていっている間に（意地悪く言えば、ルノーが日産にかまけて足踏みをしている間に）、株式市場では驚くべき事態が出来《しゅったい》していた。日産が目覚ましい再建を遂げたことによって、二〇〇二年の春には、日産の株式時価総額は三〇〇億ユーロ（三〇〇億ドル相当）にまで達していたのである。この額はルノーの株式時価総額の三倍に相当する。これは別の言い方をすれば、ルノー全体の株式時価総額よりも、ルノーが保有している日産の株式（全体の四四パーセント）

の時価総額のほうが高いということを意味する。ということは、例えば、理論上、ルノーを買収すれば、ルノーの株式時価総額を支払うだけで、それよりも価値の高い日産の四四パーセントの株まで手にすることができる、ということになるのだ。だが、ゴーンはそんなことは起こらないと言う。

「理論上は確かにその通りですが、現在、ルノーに対して敵対的な買収がかけられる、ということはありえません。なぜなら、ルノーの株の多くは依然としてフランス政府が所有しているからです。ルノーの株価が正しく評価されていない状態では、それがしかるべく上昇しないかぎり、政府はルノーの株を売ろうとはしないでしょう。現在は、ルノーの株式時価総額が、ルノーの保有している日産の株式時価総額よりも低いわけですが、これはそういった計算が成り立つ状況がおかしい。そして、もしその状況がおかしいのであれば、それは長続きしないものなのです。もちろん、企業というのは絶えず買収される危機にさらされています。市場の規則というのは、資金さえあればどんな企業でも買収できることになっているからです。そこで企業のほうにとって大切なことは、企業の価値が株価という形で正しく評価されていることです。その状態では敵対的買収というのは起こりにくいものですから……。しかし、正直に言って、現在のルノーの状態がそうであるとは言えません。したがって、この状態のまま、ルノーを支える大株主がいなくなってしまったら、買収という話も起こりうるでしょう。ただし、今のところは日産もルノーの株の一五パーセントを保有していますし、さらにその上にはフランス政府という大株主もいます。ですから、買収の話は現実的ではないのです」

だが、実を言うと、二〇〇二年六月の総選挙の結果、新しい陣容となったフランス政府は、ルノーを完全に民営化するつもりでいる。といっても、ルノーが完全に民営化されたとしても、別に恐れるには足らない。企業買収が現実のものとならないようにするには、提携が十分その効果を発揮して、ルノーの業績が好転すれば良いからだ。

「日産とルノーの業績がともに良くなってくれれば、提携はもっとバランスの良いものになるでしょう。今は少し業績が停滞していますが、ルノーは大きな潜在能力を持った会社です。九六年にルノーに入社した時、私はまずそう思いました。そして、そのあと三年間、そこで働いてみて、その印象は間違っていなかったと思いました。その三年の間に、ルノーはずいぶん変わりました。そのあとは現在まで少し動きが止まっているようですが、しかし、その間、ルノーが日産に多大な資金と人的資源をつぎ込み、提携の推進に時間を費やしていたということを忘れてはなりません。この資金や人的資源、そして時間は、いわば日産を再生させるための費用ですから、ルノーが直接自分のために活用することはできないものでした。したがって、日産が再生して、利益が出るようになった今、その利益の四四パーセントはルノーにもたらされるわけですから、ルノーはようやく出発点に戻って、攻勢に転じることができるようになったのです。

　そういったわけですから、この間、ルノーが日産にかまけて足踏みしていたのかというと、それは違います。というのも、ルノーは将来を見据えて日産と提携したのです。つまり、ルノーは日産の再生に手を貸し、日産が再生したことによって利益を得ているわけです。したがって、足踏みしていたわけではありません。この点について言えば、日産の再生だけにスポットを当てるのは正しいことではないと思います。日産の成長にはルノーの資源の一部が使われているのですから……。日産の業績はそのまま日産の業績として評価できますが、ルノーの業績には日産の業績の四四パーセントが含まれていることを忘れてはならないのです」

ルノーが低迷している原因のひとつには、自動車業界に特有の〝業績のサイクル〟という問題も関係している。おそらくは、そのことも考慮に入れる必要があるだろう。自動車業界にそのようなサイクルがあるのは、まず〝自動車のモデルには、モデルそのものにそれぞれライフ・サイクルがあって、自動車業界ではことのほかその影響が強いということ〟、また〝自動車は値の張るものなので、家計にとっては大きな支出となり、その結果、自動車の売れ行きは、景気の波に依存して、経済情勢に影響されやすい構造になっていること〟の二つの理由からである。この点からすると、二〇〇一年から二〇〇二年にかけて、ルノーはこのサイクルの底にいた。

しかし、こうした苦境に陥ってみると、逆に、日産との提携が戦略上優れた選択であるということがはっきりしてきた。提携というのは、単にそれぞれの企業の潜在能力を十分に引き出すだけのものではなく、外的なショックや不景気の波の影響を緩和する役割を果たしてくれるものだからである。「新商品の投入によってルノーの業績が好転すれば、今回の提携が状況に押されて、偶然、行われたものではなく、より深いところで、二つの企業が固く結びついた結果、行われたものだということをようやくわかってもらえるでしょう。そして、その時にはルノーの株価も上がっているでしょう。といっても、それにはまだ少し時間がかかるかもしれません。しかし、ルノーの業績が上がり、提携やそれがもたらした成果が正当に評価されれば、ルノーの株価はしかるべきレベルまで上昇するでしょう。そこで、もう一度、先ほどの話に戻ると、ルノーが敵対的買収から身を守るためには、そうやって株価を上げることです。それが最良の手段なのです」

地域戦略における提携の効果

さて、提携の結果、日産とルノーは、地域戦略を推し進めるに当たって、それ以前とは比べものにならないほど有利になった。

「市場戦略ということで考えた場合、提携の良いところは、新たな手間をかけずに、世界のすべての地域を最小限の労力でカバーできるということです。もしルノーが北米市場に再進出しようとしたら、計り知れないほど多くの問題に直面したでしょう。しかし、それでも自動車業界で生き残っていこうと思ったら、そうする必要がありました。北米市場に進出することなしに、グローバルな企業でいることはできないからです。ところが、日産と提携したおかげで、ルノーは北米進出の優先順位を高くしなくてもすむようになりました。その結果、そこで余った力を他の地域に振り向けることができるようになったわけです。メルコスル市場での販売の拡大、メキシコ市場への参入、欧州市場での熾烈な競争、そして東欧市場やロシア市場への進出……。韓国のメーカーとの合弁会社、ルノー・サムスンによって、アジアでの拠点を作ること……。やるべきことはたくさんあります。そして、北米市場については、提携という枠組みのなかで、根本から考え方を変えて、まず何よりも日産のシェアを拡大してやることを優先すればいいわけです。そういった意味で言うと、日産は二〇〇一年には北米市場で四パーセントのシェアを持っていましたが、二〇〇四年にはこれを六・二パーセントまで高めること——つまり五〇パーセント、アップさせることが日産とルノーの目標になっています。ルノーが北米市場に再進出するのは、日産が北米でその力を限界まで発揮したあとのことです。しかし、こうしたやり方をとるということは、ルノーよりも日産のほうが収益率が高くなることを意味します。というのも、北米市場というのは他の国の市場よりも利幅の厚い市場だからです。だいたい、日本の自動車メーカーの収益率が欧州のメーカーよりも高いというのは、北米市場にしっかりと食い込んでいるからなのです。ルノーは日産と提携することによって、収益性の高い北米市場を後回しにし、しかし、それと同時に弱点であった北米市場をカバーしたのです。ですから、〝ルノーは北米市場に進出していない〟というのは正しくありません。提携相手の日産が北米市場で利益をあげているうえに、その日産の株の四四パーセントを所有しているのですから……。

こういった考え方は、真の意味での提携のパートナーでなければできません。競合相手であったり、たとえ提携していても力ずくの関係であったりしたら、そんなふうには考えられません。棲み分けることはできないのです。ルノーは欧州と南米に強力な基盤を持ち、メキシコやアジアでは日産を補完しながら成長しつつあります。日産は日本に強い基盤を持ち、北米、中東、アジアのいくつかの国でも力を強めつつあります。そして、欧州や南米ではルノーの基盤を活かして前進していくのです。現状ではまだ完全に機能しているとは言えませんが、提携とはこうした論理で動いているものなのです。

日産が北米市場で限界まで力を発揮したら、今度はルノーの北米進出を助ける側にまわるでしょう。というのも、もしルノーが単独で北米に進出しようと思った場合、それには高いコストがかかります。投資を行うといっても、自動車産業に必要なインフラストラクチャー（基盤施設）を整備したり、サプライヤーのネットワークを作っていったりするところまではとても及びません。しかし、日産と提携していることを考えれば、そういったものはすでに米国に存在しているのです。すなわち、日産の施設やネットワークです。そうなったらあとは、ブランド・イメージを浸透させたり、販売網を整備したりすればいいわけです。もちろん、それには大変な費用がかかります。しかし、車を売るには、商品とブランドと販売網が必要なわけですから、これはしかたがありません。日産がすでに足がかりを作っているのですから、そういった投資はやりやすいでしょうし、また重要なことだと思います」

この北米市場におけるルノーの問題は、欧州市場における日産の場合にも当てはまる。

「これは補完です。代替ではありません。そうして、その補完が限界まできたなら、個別の市場でそれぞれの力を強化するという方法をとればよいのです」

提携の未来に向かって

日産とルノーの提携関係は、まだ誕生してまもない。その意味で言えば、まだ子供なのであるが、この子供は幼少期に特有の〝忍耐のなさ〟や〝傲慢〟〝自己中心主義〟という病気にかかることなく、すくすくと成長してきた。しかし、まだすべての能力を発揮できているとは言えない。

「提携の成果がまだほんのわずかしかもたらされていないように見えるのは、そこで生み出そうとしているシナジー効果の多くが、短期的なものではなく、中長期的なものだからです。エンジンやトランスミッション、プラットフォームの共用化が進み、工場を共同で利用するなど、もっと交流が深まっていけば、その効果は表れてくるでしょう。しかし、現状ではまだそこまではいっていません。徐々にプラスの効果が表れてはきているものの、このくらいではまだ『成果が出てきた』とは言えないのです。それでも、二〇〇一年には日産は七・九パーセントという高い売上高営業利益率を達成し、これは世界でもトップ集団のなかに入る数字です。しかも、日産にはまだ十分に稼働していない部分がありますから、これからさらに成長することは間違いありません。おそらく、〝日産一八〇〟を達成した頃には、最高水準の利益率をあげていることでしょう。私はそう信じています。実際、二〇〇二年の上半期の売上高営業利益率は一〇・六パーセントにまで達していました。これより高い利益率は高級車とスポーツカーメーカーでしか不可能にもかかわらず、です」

　では、日産に限界はあるのだろうか？　目標は世界一なのか？

「私はルノー・日産が世界一にならなければならないとは言いません。そういったことを断言するのは私の主義ではありません。それにランキングや販売台数は、他のメーカーとの比較に過ぎません。単なる結果であって、目標ではないのです。ですから、私はそういったものを目標にしたことは一度もありません。〝日産リバイバル・プラン〟でも、あるいは〝日産一八〇〟でも、私の目標はいつも決まっていました。それは実質的な成果《パフォーマンス》をあげることです。しかし、日産が新しく生まれ変わって、競争力が高くなった結果、販売台数が増えて、収益力が向上しているという、そのことについては間違いありません。そのおかげで、世界の自動車市場における日産の重みや、あるいは日産とルノーが提携したことの重要性は、これまで以上に増していくでしょう。あくまでも大切なのはパフォーマンスです。そして、日産においてもルノーにおいても、私たちが潜在能力をすべて発揮してパフォーマンスをよくしたら、私たちのできることに限界はないと思います」

第18章　経営者とは

状況を把握する

「経営には絶対的なモデルなどありません。経営というのは、実際に仕事に取り組みながら、その場、その場でいちばんいい方法を見つけていくものだからです。その意味で言うと、困難な状況に置かれた時こそ、経営者は鍛えられます。順調な時には、教科書で学んだ通りにやっていけば、おそらくそれで問題はないでしょうが、危機に陥ったら、根本からやり方を見直さざるをえませんから……」

このゴーンの言葉からは二つのことが学びとれる。ひとつは、「経営手法を磨くには、危機の時こそがチャンスだ」ということ。もうひとつは、「学ぶということは大切だが、実践においてはただ学んだことを当てはめるのではなく、それを超えていかなければならない」ということである。

「私は好みから言えば文系の人間ですが、実際には数学と工学を学び、そして現在はビジネスの世界に身を置いています。受けた教育は科学なのに、興味があるのはどちらかというと地理や歴史、言語、そうでなければ〝言葉と文化の関わり〟といったことなのです。その意味ではエンジニアの道を究めてきた人間だとは言えません。興味と、学校で得た基礎知識と、その後の職歴がどれもばらばらなのです。しかし、それでかえってバランスがとれているのかもしれません」

とはいえ、数学的、科学的なアプローチが〝ゴーン式〟の経営の基礎にあることは間違いない。というのも、経営においてまずなすべきことは、状況を把握し、その原因を分析することであるが、その状況の把握に物理学的手法が使われているからである。つまり、あらかじめ打ち立てられた理論よりも、事実のほうを大切にするということ（世の中には同じ状況は二つとないのだ！）。これは要するに物理学者のやっているのと同じ方法である。

「経営について言えば、私は事実から出発して理論へと考えを進めますが、決してその逆はしません。これは鉄則です。まずは仕事がどう行われているのかをよく見て、それから解決策を考えるのです。『状況は違うが、これと似たような問題には前にもぶつかったことがある。だったら同じような方法で解決できるかもしれない』という具合です。とにかく理論を現実に当てはめるのではなく、あくまでもまず事実関係を調べ、人々の生の声を聞き、そうやって現状を把握したうえで、理論を構築するのです。この方法の場合、事実を確認しながら方策を考えていき、またそれが正しいかどうか事実で確認できるので、非常に効果的です。といっても、もちろんこの場合、拠り所とする事実は最新のものでなければなりません。一方、反対のやり方——つまり理論から出発してそれを現実に当てはめる方法ですが、これはなかなか結果が出にくいのではないでしょうか？」

社員との対話

「日産リバイバル・プラン」を策定する時も、ゴーンがいちばん時間をかけて力を注いだのは、現場に足を運んで社員の声を聞くことだった。企業とは物ではない。数字の総計でもない。バランスシートを見ただけでは、社員の思っていることなどわかりはしないのだ。

「現場に出かけていって、直接話をすることはとっても重要です。そうすれば、社員たちが自分たちの置かれた状況をどう捉えているのかわかりますし、またそれを通して状況そのものもはっきり見えてくるからです。現状把握は経営の要です。といっても、その場合、何が起こっているのか、社員はどういう状況に置かれているのか、技術面の現状はどうかといったことを個別に把握するだけでは不十分で、それらが絡み合った全体像を捉えることが肝心です。全体像を掴まなければ、どういう対策が現実的なのか、それはどこまで期待でき、どういうテンポで進められるのかといったことが判断できないからです。つまり全体の状況を把握し、対策の規模、期間、効果を見極めること、これが経営の基本中の基本なのです」

社員との対話は、社内のあらゆる職階の人々と行わなければならない。というのも「企業が危機に瀕しているとしたら、それは上層部が下の意見を吸いあげなかったせいだ」と考えられるからである。すなわち、上層部が知ってか知らずか下からの情報に耳をふさいだせいで、「状況の変化を把握できず、適切な対応を取れなかった」、また、「そのために自ら問題解決の道を閉ざしてしまった」ということが、ビジネスの世界では非常に多いのである。したがって、トップに立つ者は積極的に一般の社員の話に耳を傾けなければならないのだ。この点では、ルノーで行われた〝二〇〇億フラン削減計画〟の時の話が参考になるだろう。

「最初に私があの削減計画を持ち出した時、ルノーの幹部の多くは『そんなものは夢物語だ』とみなしていました。では、そういった状況で、幹部たちのことは放っておいて、直接現場の社員の話を聞きに行くべきか？　私は行くべきだと思います。ただし、幹部たちに対して挑発的にならないように気をつけて……。あの時、私は自分の管轄下の現場はもちろん、そうでない現場にも行きました。そこで社員たちに質問し、状況を把握しようとしました。そうやって、現場の人間がどんな問題にぶつかっているのか知ろうとしたのです」

困難の原因はいつもその企業自身のなかにある

反対に経営者として絶対にしてはならないこともある。それは失敗の原因と責任を外部要因や関係者の不手際に押しつけようとする、いわゆる責任転嫁の態度である。この態度はあらゆる改革の妨げとなるので、断固として戒めなければならない。もうひとつ、絶対にしてはならないことは「ひたすら危機を回避しようと、逃げの姿勢をとる」ことだ。

「企業が困難に直面するのは、いつでもその企業自身に原因があります。もちろん経済環境も無関係ではありませんが、問題の根源は常に企業自身にあるのです。日産の業績が傾いたのは日本の景気後退のせいでも、競争相手が強すぎたからでもありません。その原因は社内にあったのです。ですから、日産が立ち直ったのも円安や景気が底を打ったおかげではなく、会社が内部から変わったからです。企業を弱体化させる因子は、必ずといっていいほど内部の構造にあります。国やその他の機関が外から援助をしてもなかなかうまくいかないのはそのためです。外からの援助は、せいぜい内部改革を促す背中のひと押しになればいいほうで、実際にはかえって改革を遅らせてしまうこともあります――その場合は、逆に高くつくことになるでしょう」

責任をすべて引き受ける

したがって、経営者が責任転嫁をしていたり、逃げの姿勢に入ったりしていれば、企業の再生など、とうていおぼつかない。企業を再建するためには、経営者が必ず成功してやるという執念と自信を持って、会社の運命を自らの運命とするくらいの覚悟が必要なのだ。

しかし、現在では、企業の経営がオーナーではない人間に任されていることが多い。単なる雇われ人として自らの報酬を気にしながら働いている場合が多いのだ。企業における経営者のモチベーションや責任意識はすっかり弱まり、新たに導入された打開策も、ストック・オプションの普及にしろ、外部役員の指名にしろ、その効果には限界のあることが最近の事例でも明らかにされている。では、どうすればよいのか? ゴーンに言わせれば、この問題への答えはモラルにある。一九九〇年代にはモラルと聞いて苦笑する人も多かっただろうが、今日では的を射ていると認めざるを得ないだろう。要するに、経営者自身が自分の役割を自覚し、責任を果たしていくしかないのだ。それがモラルである。

「私の頭のなかにある経営者像は、どちらかというと単純なものです。それは、企業の過去も未来もあるがままに引き受ける人間のことです。経営者たるもの、『着任前の状態があまりにもひどかったので、もう一時しのぎをする以外、打つ手がなかった』などと言うことは許されません。私が日産に赴任してきた時の状態がまさにそうでした。私はリバイバル・プランを策定しましたが、それが達成できるかどうかは、過去の経営とは関係のないことでした。『プランはよかったのですが、過去の経営ミスに足を取られて、達成することができませんでした』などと、あとから言うことはできません。

そんなものは言い訳に過ぎません。この仕事を引き受けたということは、日産の過去も現在も未来も受け入れたということです。そこでプランを定めた以上、私はリスクを丸ごと引き受けたのであり、つまりはすべての責任を負ったのです」

経営者の責任

経営者の責任というのははっきりしている。何よりもまず、自分たちの企業の未来を信じ、そのことを社員に伝えることである。

「経営者の責任とは、まずその企業のリーダーであるということです。それも幹部役員をまとめたり、中間管理職を引っ張っていったりするというだけではなく、工場や販売店の人々まで含めた社員全体のリーダーでなければなりません。では、リーダーであるためには、具体的には何をすればよいのでしょう？　それは工場労働者から販売店のセールスマンまで、社員ひとりひとりに会社のヴィジョンを伝え、全員がそれを共有できるようにすることです。そのためには、このヴィジョンを形にする、わかりやすい計画を作成し、社員全員がそれを口にして、同じ問題意識を持てるようにする必要があります。また、その計画のなかでは、会社にとって大切な目標を、誰にでもわかる形で掲げ、何をいちばんにやっていくか、その優先順位も明らかにしなければなりません。さらに、その目標のために各人が何をすればいいのかを数字で示すことも大切です。例えば、私が日産で立てた計画では、〝日産一八〇〟という計画が、その名前からして会社のヴィジョンを社員にはっきりと伝える形でつけられました。つまり、この名前には会社の大目標が凝縮されているのです。〝一〟は販売台数の一〇〇万台増、〝八〟は営業利益率八パーセント、〝〇〟は負債ゼロです。そして、この目標を達成するための戦略の柱も明示しました。売上の増加、コスト削減、品質とスピードの向上、そして、ルノーとの提携の最大化です。要するに、こうやってすべてをわかりやすく、はっきり示すことによって、たとえこの計画には直接関係のない部署であっても、ともかく社員全員が、日産がどこに行こうとしているのか、どのような方法でそれを達成しようとしているのか、そして、そのためには自分が何をすればいいのか理解できるようにしたのです。経営者の役割とは、このように〝社員全員をひとつにまとめて経営に参加させること〟、そして〝その結果に対して自ら責任を負うこと〟なのです」

その言葉通り、日産では毎月、幹部が集まって、目標の達成状況はどうか、これからどうすればよいか、その月の結果を見ながら話し合いを行っている。また、社員に対するアンケート調査も定期的に行われ、経営陣についてどう思うか、意思疎通は図れているか、決裁はすみやかに行われているか、取るべき行動と責任の所在は明確になっているか、といった問いかけがなされている。

「日産で働く約一三万人の社員に対する経営者の責任とは、会社の行く先をはっきりと示し、そこに社員たちを導くことです。また、会社があげた利益をきちんと配分することによって、社員たちの意欲を引き出すことも大切です。なにしろ、会社を支えているのは社員たちなのです……。社員たちが、『私たちはただユーザーを満足させて、株主を儲けさせるためだけにいる』と感じてしまうようではいけません。私はいつも社員のことを考えています。それは二〇〇一年度の結果を見ればわかっていただけると思います。日産は車種を充実させて、ユーザーの要望に応えました。また、株の値上がりと増配により株主にも利益を還元しました。しかし同時に、社員全員に対して、給与と賞与を増額したのです。社員の日頃の努力に報いるということでは、私は誰に対しても同じ気持ちを持っています。社内に特別な階層を作るつもりはありません。与えられた責任と使命はひとりひとり異なりますが、私にとって会社は一体であり、ばらばらに切り分けられるものではないのです。会社というのは、全員がひとつになってチームを作っているものです。ですから、経営者として私のほうは、その全員と意思を通わせ、全員と目標に向かって歩み、全員に情報を提供して、できるかぎり公正に全員とその成果を分かち合う必要があります。これは労働条件についても言えることです。日産は工場の作業環境改善に着手しました。その他の施設も含めてすべての社屋を改修する計画もあります。会社が生む利益はさまざまな形で還元されるべきであり、社員全体がそれを享受するべきです。なかにはより多く恩恵に浴する人もいますが、それはより多く会社に貢献した人なのです」

平等にチャンスを与える

もうひとつ、企業という人間集団のなかで、〝社員に平等に地位向上のチャンスを与える〟というのも、経営者の重要な責任のひとつだろう。

「企業のなかでもあるポストから上になると、〝人間としての力〟が問われることになります。つまり専門知識などよりも、状況を理解し、人の話を聞き、やる気を起こさせ、物事を明確にし、大勢の力を結集させるといった能力が問われるのです。もちろん、学歴も助けにはなるでしょうが、それがなくても、優れた能力を持ってさえいれば、上にあがることができます。企業は依然として、社会的地位向上のチャンスを提供する場なのです。入社したら、その先は自分次第です。私自身のケースも少しは参考になるでしょう。ミシュランに入った時、私は一介の技術者に過ぎず、それもブラジル生まれで、フランス国籍も持っていなかったのです。それが今日、日産の社長を務めています。今の私があるのは理工科学校を出たからでも、一流の技術者だからでもありません。それは私が周囲の人々の力を集めて、なにがしかの事柄を実現してきたからです。その際、私の助けになったのは、学校で学んだことではなく、〝人々にやる気を起こさせる〟ために私がしたさまざまな工夫でした。その意味からすれば、経済や科学技術がいくら複雑になろうとも、そんなものは関係ありません。結局は人間性の問題なのです。私は企業の問題を解決するのに、トップがひとりで何もかもを引き受ける必要はないと思っています。それよりも、さまざまな分野で人々にチャンスを与え、優秀な部下を育てることのほうが大切です。そのうえで、トップはその部下たちの報告を聞いて適切な判断を下したり、あるいは部下たち自身が判断できるようにすればいいのです」

フットワークの軽さ

しかし、ゴーンは社長室に閉じこもってしまうわけではない。そのフットワークの軽さから、日々、現場を飛び回っている。だいたい、社長室で財務指標や受注動向に目を配っているだけでは経営はできない。経営とは〝実践〟であって〝学問〟ではないのだ。

「経営をするなら、今、会社がどうなっているのか、そしてユーザーが何を求めているかを自分の肌で感じる必要があります。そうしなければ、決断などできません。そこでは理解することと同様に、感じることが大切なのです。ですから、現場には足を運び続けるべきです。現場でこそ会社の実態がわかるのです。しかも、そこで社員と直接会話を交わせば、その社員のモチベーションを高めるという意味で、計り知れない影響を与えることができます。またトップが現場に出るということは、組織が開かれていることのアピールにもなります。つまり、〝この会社には硬直した身分制度はない〟と示すことができるわけです。だから、私はいろいろな場所に出かけていきます。そして、どこに行っても同じことを社員に伝えます。相手によって態度を変えて、言いたいことを抑えたりはしません。私が身を置いているのはただひとつの世界——日産という世界だからです。そこには部門の壁も、地域の壁も、また派閥などの特別なグループの壁もありません。いや、実際にはそうしたものが存在するのかもしれませんが、私はそれを意識しませんし、そのような視点に立って考えたこともありません。私にとって日産は日産で、それ以上切り分けることができないものなのです。おそらく、ミシュランに一八年もいたせいで、人間を中心に考えるミシュランの文化が身についてしまったのでしょう。最初に入ったのがもっと官僚的な会社だったら、今頃はもっと官僚的な人間になっていたかもしれません。しかし、結果として見れば、人間中心主義的なあの会社で企業人としての教育を受けることができて、私はよかったと思っています」

本来の使命を大切にする

その他に、経営者の役割として大切なことを挙げるとするなら、それは〝物を作って売ったり、サービスを提供したりする〟という企業本来の使命から、会社が逸脱しないようにすることだ。

「私が持つ自動車メーカーのイメージはいささか古風なものです。それはまず何よりも、自動車を作っていい、いるということです。もちろん、それが高いレベルに達したあとでなら、他の事業に手を染めてもいいでしょう。しかし、本業で確固たる優位を築き、それが決して揺るがぬものだと確信できるまでは、二次的な事業に首を突っ込むべきではありません。商品の進化が速く、競争がきわめて激しいこの業界にあっては、下手な多角化は命取りになります。自動車というのは情報処理システムからエレクトロニクス、材料科学、エンジン、トランスミッション、そして生産技術など、あらゆる分野の技術革新が凝縮されたものなので、商品としての進化が実に速いのです。また、外部から課せられる数々の規制や、環境保護のための配慮といったさまざまな条件にも適応しなければなりません。ユーザーの好みも、品質や価格への要望も、刻々と変わっていきます。これほど複雑な商品を抱えながら他の事業に目を向けるのは、よほど自信がなければできないことです。本業が不調だったり、あるいは、そうなる恐れがある場合には、他の分野に手を出す余裕はないはずなのです」

といっても、自動車業界には、多角化の例はいくつも見られる。例えば、ダイムラー・ベンツはユルゲン・シュレンプの前任者、エッツァルト・ロイターの時代に、他社に先駆けて情報サービスや航空宇宙産業に乗り出した。また、ジャック・ナッサー率いるフォードも、修理サービスを足がかりに独自の販売網を作って、自動車の生産だけではなく販売にも積極的に乗り出そうとした。確かに、自動車メーカーが多角化路線を正当化しようと思ったら、シナジー効果を生み出すためとか、より収益率の高い部分から利益を得るためとか、景気の変動に備えるためとか、理屈はいくらでもつけられるだろう。しかし、そのたびに犠牲にされるのは、本業である自動車作りなのだ。実際、フォードは多角化に足を取られているうちに、生産システムで遅れをとり、他の北米メーカーに水をあけられてしまった。これによってナッサー自身もフォードを追われることになるのだが、彼の退任を決めた取締役会の直後にビル・フォードが発表した新スローガンは、まさにこのあたりの事情を象徴的に物語っている。ビル・フォードは、「基本に帰ろう」と言ったのだ。「本来の姿に立ち返って、自動車を開発し、製造して、売ることに専念しよう」と。これについてはゴーンも同意見だ。

「この際、はるか昔の精神に戻ってはどうかと思っています。『自動車にしがみつけ！』と私は言いたい。もっと自分の会社の製品に全力投球するべきです。自分の会社の製品をなおざりにするメーカーには先がありません」

会社が危機を迎えているということは、要するに「初心に帰れ」ということなのだ。

「新規事業の開拓自体は悪いことではありません。問題なのは、よそ見をしていると本業での競争力が落ちるということです。これまで多角化を目指したメーカーは本業をおろそかにすることが多く、その結果としてことごとく痛い目にあってきました。私は別に付帯的な事業に手を広げてもかまわないと思います。しかし、そのためには本業に十分な力を注ぎ続けるということが大切です。自動車メーカーでも部品製造や金融業、エレクトロニクスなどに手を広げ、いつの間にか肝心の自動車を忘れてしまったという例が見られます。電装部品会社のマニェティ・マレッリに肩入れしたフィアットなどはそのいい例です。しかし、そうやって本業から目が離れていると、結局は古い車種に頼ることになり、新技術もほとんど取り入れられず、製品トラブルを抱え、サプライヤーともうまくいかなくなります。事業の拡大というのは、本業の競争力を維持したうえではじめて可能になるものなのです」

経営者はきちんと戦略を立てて、その企業にとって最適な活動分野を明確に示す責任がある。活動分野があまりに狭いと会社は柔軟性を失い、脆弱な体質になる。また、「もっと事業を拡大して、会社を発展させていきたい」という社員のやる気をくじき、才能を見殺しにすることになる。反対に狙いを広げすぎると、管理が行き届かず、注意が分散して、資金も追いつかなくなる。では、どこまで手を広げればよいのか？　その見極めは経営者にかかっているのだ。

時間を管理する

最後にもうひとつだけ、経営者の大切な役割を挙げておこう。それは「時間を管理する」という役割である。つまり、二、三年かけて車を開発し、五年以上にわたって売っていくという〝長期計画〟と、市場が要求する〝短期の結果〟とのバランスをどうとっていくかということだ。というのも、英米資本主義の影響のもと、九〇年代以降の証券市場は〝短期の結果〟を求める傾向がますます強まっているからだ。

「確かにこういった状態では、経営は近視眼的になりがちです。しかし、この問題については、一概にその責任をアナリストに押しつけるべきではないでしょう。というのも、例えば、ある企業が短期の見通しだけを発表して、中期、長期の計画を出さないとしたら、アナリストには短期の結果しか判断材料がないからです。しかも、現実にはそういったことが珍しくないのです。そこで、日産が始めたのは、まず三年計画を発表し、その達成状況を中間的にも報告していくというやり方です。ただ、この場合、中間報告が『順調である』とか、『やや伸び悩みである』とか、そういった抽象的な表現で終わると、アナリストたちが不満を持ちます。ですから、その三年間を半期ごとの六つのステップに分け、ステップごとに具体的な数字を挙げて、中間報告を行うようにしたわけです。こうすれば、途中経過がわかって、会社の状況を全体像のなかで把握してもらうことができますから……。例えば〝日産一八〇〟では三つの目標を掲げていますが、そこへ至る過程として、半期ごとのステップが明示されるわけです。こういったやり方をすれば、たとえある半期の結果が予定に達しなかったとしても、それをどう取り返すか、キャッチアップの方法をきちんと説明することによって、市場は納得してくれるでしょう。ところが、その反対に、もし中期の計画が示されていない状態で短期の結果が悪かったとしたら、いったいどういうことが起きるでしょう？　市場の評価はもうそこで決まってしまうのです。その企業は結果を発表すると同時に敗北を喫することになります。

確かに証券市場には短期の結果を求める傾向がありますが、企業側が情報を出さないことによって、そうした現象に拍車をかけているという面もあるのです。実際、現実の状況をよく見てみれば、上場企業のすべてが短期的な視点で動いているわけではなく、長期を見据えた投資にも多額の資本が投入されています。経営者たちが三年も先のことを約束するのは嫌だと言って、数値目標や達成年限を掲げた計画を示さないとしたら、それこそ市場の近視眼的な傾向にひと役買うことになるのです」

経営を考えるには、やはり三年くらいのスパンが必要なのである。この三年というスパンは、リバイバル・プランを策定した九九年のような危機的な状況だけに使われるものではなく、業績が回復したこれからも用いられる。というのも、三年というのは〝証券市場の要求に応える〟のに適当な長さであるだけではなく、〝社内の力を総動員して、ある計画を進めていく〟のにちょうどよい長さでもあるからだ。

「ですから、〝日産一八〇〟が終わっても、三年単位で常に先の見通しをはっきりさせるというやり方に変わりはありません。日産がどういう道を行こうとするのか、それを社内に明示するのは当然のことですし、またそれを徹底させようと思ったら当然社外に対しても示すことになります。三年という時間的余裕を持って、行く道を照らすというやり方は、じつに健全なシステムだと思います。といっても、実際には進行中の計画が二年目に入ったら、すぐに次の三年計画を練り始めるのですが……。ですから、〝日産一八〇〟のあとにはまた新しい三年計画を用意しています。こうやって、実行中の計画の進み具合を見ながら、地平線を少しずつ先へとずらしていくのです。まずは次の三年、それからまた次の三年――これで六年になりますが、現在、私たちが社内で話し合っているのは、その次に始まる二〇一一年の四月からの三年計画です。具体的な内容はまだ決まっていませんが、私たちはそこに向けて、企業としての日産のヴィジョンや使命、そして指導計画などを考え始めているのです」

第19章　明日の自動車産業

生き残りを賭けて

「自動車メーカーが生き残れるかどうかは、こう考えてみればわかります。競争力があるか？　かつ、それを維持していけるか？　答えがイエスなら、そのメーカーには未来があります。ノーなら、規模が大きかろうが、提携の可能性が残されていようが、未来はありません」

二〇世紀最後の数年間に、自動車業界は再編の波に襲われ、まさに世界中で戦いが繰り広げられた。ダイムラー・ベンツはクライスラーを統合し、また三菱自動車の株を取得して経営に参加。フォードはボルボの乗用車部門を買収し、傘下のジャガー、ランド・ローバーなどとともに、フォード内の高級ブランドであるプレミア・オートモーティブ・グループの一員とした。また、すでに株を所有していたマツダの経営に直接乗り出すようにもなった。ＧＭ（ゼネラル・モーターズ）は日本の三社（いすゞ、富士重工、スズキ）に資本参加していたが、さらにフィアットの株の二〇パーセントをコール・オプション付きで取得。また、韓国の大宇も買収した。その韓国では、現代が一九九七年から九八年のアジア経済危機に乗じて起亜を買収。日産との提携をまとめたばかりのルノーが、サムスンに出資するという動きもあった。

こうした一連の動きによって、自動車業界ではトップの六グループが全生産台数の三分の二を、トップの一〇グループでは同じく九割程度を占めるようになった。

生き残るための四つの要素

「最初に言った通り、メーカーが生き延びられるか、また成長できるかは、それぞれの競争力にかかっています。これには四つの要素があって、その第一はイノベーション（革新）。これが最も重要な要素です。このイノベーションには、〝革新的なコンセプトの商品を開発する〟という商品面でのイノベーションと、〝これまでにない技術を開発する〟という技術面でのイノベーションがあって、そのどちらもが大切です。では、革新的なコンセプトの商品とは何かと言えば、例えばルノーが提案したモノスペース（ミニ・ワンボックスカー）のセニックが挙げられます。コンパクトな足回りに、広々とした室内空間、そして機能性にも優れている――これはまさに革新的な商品でした。ユーザーのニーズは刻々と変わっていきます。そして、そのニーズに応えて、新しい商品コンセプトを生み出そうと、メーカーは常に頭を絞っているのです。また、技術面のイノベーションについて言えば、CVT（無段変速機）などが、そのいい例でしょう。企業にとって、〝新しいものを生み出す力を持っているか〟〝その力に磨きをかけているか〟、また、〝それが市場に認知されているか〟というのは、実に重要な問題なのです」

イノベーションは企業の規模を問わない。欧州で最初にモノスペースのコンセプトを打ち出したのはルノーだが、当時のルノーの規模は中程度に過ぎなかった。だが、いくら規模は問わないといっても、少なくとも開発のための資金はいる。

「研究開発費を増やしたからといって、革新的なものが出てくるとはかぎりません。しかし、いくら新しい発想があっても、それを追求して形にする資金がなければ、これもまた話になりません。またもうひとつ、私がイノベーションに欠かせないと考えているのは、異質なもののぶつかり合いです。何かこれまでとは違ったものにぶつかり、驚き、これは何なのだろうと考えてみる、そういう時にこそ新しい発想が生まれるのです。ですから、異なる文化や異なる方式が出会った時、そこにはチャンスがあります。自動車の最近の新コンセプトといえばハイブリッドですね。例えば4ドアセダンとピックアップトラックの融合、あるいはSUVとスポーツカーの接点を狙ったものなどです。つまり異なるものの融合、異文化を持つ人間同士の対話、そういうところから新しいものが生まれてくるのです」

競争力の第二の要素は、たゆみない品質の向上だ。つまり、クオリティの問題である。

「品質といっても、製品の信頼性や、あるいは初期性能の素晴らしさ――つまり実際に三か月乗ってみても、性能面でユーザーの期待を裏切る部分が出てこないといった性能の素晴らしさを意味するだけではありません。外観はもちろん、内装のセンスや使われている材料など、その車の魅力を構成するさまざまなもののクオリティ、さらには各種サービスのクオリティも含まれます。その商品やブランドをユーザーにきちんと認識してもらうために、サービスのクオリティはますます重要です」

第三の要素はコストである。だが、これは品質と価格の関係で述べられるべきものだろう。そこで、まずは価格の話をすると、産業用語上、自動車は耐久消費財に分類される。だが、日常生活に使われる他の耐久消費財は、家電製品でもコンピューターでも、普通は価格が下がっていくものなのに、自動車には顕著な値下がりが見られない。車というのは大きな投資であり、自動車は家計にとって重い負担になるというのに、これはいったいどうしてだろう？　その答えのひとつは、〝車を買って、それに乗ることは、必ずしも実用のためとはかぎらない〟からである。

「自動車を語る時に、感動や喜びといった人間の感情を無視することはできません。これは今後も変わらないでしょう。車には美学があります。また、車という存在によって乗り手を自由にするという、他の製品にはない特徴もあります。乗り手のステータス、もしくは個性の表現になるという側面もあるでしょう。そういった意味からすると、乗り手は車に対して感情的なこだわりを持つものなのです。ですから、車体のデザイン、内装、材質の手触り、操作部の配置などがとても重要で、そういったものが〝感情的な判断〟に影響を与え、時には車を購入する決定的な要因になることもあります。その一方で、価格はもちろんのこと、例えば室内空間の広さ、エンジンの馬力、操作性、信頼性なども、車を購入する時の重要な要因になって、こういった要素は〝理性的な判断〟に影響を与えます。ということですから、私たちメーカーが追い求めているのは、どうしたら、品質、価格、納期といった〝理性の分野〟でも、ブランド・イメージやデザイン、ステータスといった〝感性の分野〟でもユーザーに満足していただけるかということなのです」

〝自動車の価格が下がっていない〟というのは、実は見かけだけだと考えられる。車種が続々と増えているため、はたして全体として見て自動車の価格が高くなっているのか、安くなっているのか、その動きがわかりにくくなっているのである。車種が増加しているというのは、ひとつには環境や安全に対する基準が年々厳しくなっているからだが、一方、市場がもはや普通車中心でなく、高級車と小型車に両極化する傾向を見せているためでもある。また一部の分野では車種の多様化（SUV、クロスオーバーなど）が平均価格を引き上げる方向に動いており、これがまた全体の価格の動きを複雑にしている。しかし、実際には、どの新車も同じ価格で旧モデルと比べてみると、性能、安全性、品質、耐久性、装備などの点でグレードアップしているのだ（訳註：つまり、実質的には価格は下がっているのである）。メーカーはさまざまな状況から、そうすることを強いられているのであり、また、そのために年間で営業利益の約一パーセントに当たる額を犠牲にしているとも言われている。

「ユーザーの要求は、より洗練され、装備も増え、性能も上がった車を、より安く、それが無理ならばせめて同じ価格で提供してほしい、ということです。市場がそう求めてくるのです。新しいマーチの価格帯は旧モデルと同じですが、機能的には数段上です。デザインもモダンで、より魅力的に仕上がっています。もしそうなら、価格を据え置きにしたなら、メーカーは赤字になるのではないのかと思われるかもしれません。ところが、旧モデルは赤字だったのに、新モデルは黒字なのです」

これは要するにコストの問題である。

「そうです。つまり、もうひとつ競争力のポイントになるのは、コストを抑えられるかどうかなのです。コストを抑えられなければ、成功はありえません。自動車は価格設定が勝負です。高価な買い物ですから、買い手にとって、価格は重要な判断材料なのです」

とはいえ、収益性や革新性を追求するあまり、販売や生産のプロセスが複雑になったのでは意味がない。最善は善の敵である。そこで、第四の要素であるスピードの問題が出てくる。

「競争力の最後の要素、それはあらゆる面で〝迅速でいられるかどうか〟、つまり開発と生産の間をどうコントロールして、スピードアップしていくかです。日産では、既存のプラットフォームで新車を作るのに〝開発期間は一二か月〟という実績があります。プラットフォームを作ることから始めるとなると、二四か月です。これはどちらもすでにかなり高いレベルに達していて、この期間を短縮するのは、他社でも難しいと思います。しかし、私たちは開発期間のいっそうの短縮を大目標のひとつに掲げています。この場合、問題は〝いかに品質を保ち、また納期を守るか〟です。開発期間が短くなればなるほど、サプライヤーにも厳しい納期を要求することになり、また途中で問題が発生した場合の対応時間もかぎられますから、納期——つまり、発売予定を守れない危険性も高くなってしまいます。しかし、私が開発部門に要求したのは、『品質も落とさず、納期も遅らせずに、開発期間を短縮せよ』ということでした。どれほど厳しい状況にあっても、やはり開発のスピードは速くしていかなければなりません。自動車メーカーの生き残りは、これまで述べてきた三つの要素にこの〝スピード〟を加えた四つの要素をいかにバランスよく実現できるかどうかにかかっているからです」

規模のメリット

こうしたことは、理論的には中規模のメーカーであっても実現可能なことばかりである。九〇年代末の業界再編の動きのなかで、総合メーカーのPSAプジョー・シトロエンとホンダ、高級車専門メーカーのBMWなど、少なくとも三社が他社と統合することを拒み、独立を守り通した。

「ですから、規模は大きくないが、非常に強い自動車メーカーというのは、今後も存在しうるのです。ただ、規模が小さいと、失敗した時に立ち直る力がありません。その点、大きければリスクが軽減されます。つまり、会社の規模は成功の鍵にはなりませんが、何かあった時にそのリスクを和らげるクッションの役割を果たしてくれるのです」

そういった観点から現在の上位六社を見ると、年間生産台数はトップのGMの七五〇万台（普通乗用車および小型商用車）から、六位のダイムラー・クライスラーの四三五万台まで、いずれも規模の大きさを誇っている。五位につけているルノー・日産連合も二〇〇一年には五〇〇万台に届くところまで漕ぎつけている。これだけの台数になればコスト削減への量産効果もおおいに期待できる。しかし、繰り返して言うが、規模だけが問題なのではない。

「会社の規模は直接競争力にはつながりません。しかし、強い競争力を持ち、そのうえ規模の効果《スケールメリット》も享受できるとすれば、大変有利な立場に立つことができます。特にコスト面ではそうですし、また投資に余裕が出るという意味で、イノベーションの面でも有利です。かなり大きな投資でも、一台当たりの負担は軽くてすむからです。しかし、そこでもう一度確認しておくならば、日産とルノーの提携によって私たちが追求しようとしたのは、業績《パフォーマンス》であって、規模《スケール》ではありません。この提携は何よりも、お互いの業績を良くしようという意志によって成立したのです。そのためには、先ほどから言っている四つの要素が必要です。そして、この要素を手助けする形で規模が効果を発揮するのです。

例えば、日産とルノーはBプラットフォームを共同開発しました。これはまずマーチに使われましたが、今後マーチ以外にもたくさんのモデルが使うことになります。つまり、そういったモデルでは部品が共通化されることで、サプライヤーに対して、納入価格の引き下げを要求できるわけです。実際、サプライヤーとの契約は、マーチ以外のモデルにもその部品を使うということを前提にして結ばれました。その結果、すでに最初のモデルであるマーチから規模の効果が表れているのです。魅力があり、斬新なアイデアが盛り込まれていて、品質的にも優れた車が、そのうえさらに手頃な値段になるわけですから、これは競争力のある車だと言えましょう。こうした総合的な競争力を実現するには、やはり規模の効果が助けになるのです」

他社との提携

実際、量産の効果は無視できない。だからこそ、自動車業界のように競合同士が容赦なくぶつかり合う世界であっても、長年の敵対関係を棚に上げて、部分的に提携するケースが出てくるのだ。そこでよく見られるのは、エンジンやトランスミッションなどの部品の共同生産である。現在、こうした限定的な提携は国境を越えて広がりつつある。

いや、部品ばかりではない。日本では自動車販売台数の約三分の一を軽自動車が占めているが、日産がこの市場への参入を決めた時にとったのも、やはり他社との提携という方法だった。日産の軽自動車第一号であるモコは、スズキが生産しているのだ。日本の軽自動車市場の大きさを考えたら、日産はもっと早くにこの市場に参入していてもよかったろう。しかし、日産の前経営陣にはこうした戦略はとれなかった。軽自動車を単独開発する資金はなかったし、そもそもこうした開発で日本の競合メーカーとの提携が真剣に検討されたことなどなかったのだ。

「日産はマーチのリニューアルにさえもたついていたほどですから、軽自動車への参入などとても無理でした。しかし、スズキと協力すればこの市場に一歩踏み出すことが可能だとわかり、それならばやろうということになったのです。この協力はうまくいっています。互いに利益を得ているからです。スズキにとっては生産量が格段に増え、それによって部品調達も生産方式も効率が上げられたはずです。一方、日産にとってはさして大きな投資もせずに、軽自動車市場に参入できたのです。それに現在、日産では技術・開発部門にかかる負担がいろいろな面でのネックになっていますから、そこに新たな重荷を加えたくはありませんでした。社外に適切な条件で引き受けてくれるところがあれば、そのほうがいいと判断したのです。これは〝双方が得をする〟関係です。この状態が続くかぎり、やり方を変える必要はありません。日産はモコでもきちんと利益を出しています。しかも、そのために大きな投資をしたわけではありません。また、日産はモコのおかげで軽自動車市場を学びつつあります。さらに、モコによって販売店が利益をあげていることも特筆に値します。商品が新たなユーザーを呼び込み、それによって部品なども含めた販売収入が増えれば、それがメリットです。こうしてモコはさまざまな効果を生み、それが全体として会社に大きく貢献しているのです」

環境問題に対する独自のスタンス

さて、自動車メーカーが二一世紀を生き延びていくためには、どうしてもおろそかにできない問題がある。実を言うと、ゴーンの現実的な物の考え方は、この問題にも応用されている。それは環境問題——特に地球温暖化防止のためのエコ対策である。ポイントを最初に言っておくと、環境問題については、世論からも行政当局からも自動車業界に圧力がかかっているが、この圧力には矛盾があり、その結果、ただ煽りたてる方向に向かっている側面がある——このことを頭に入れておいていただきたい。というのも、まず世間には〝自分の車はいつまでも使う権利がある〟という認識がある。たとえ、その車が公害をまきちらす車であっても、だ。より具体的に言えば、旧式の自動車やきちんと調整されていないディーゼル・トラックは、それ一台で、最新の規制に基づいて作られた車数十台分の汚染物質を空中に振りまいている。しかし、そうした車を乗り換えようという発想は所有者からは出てこない。また、それを処罰対象にして、市場から回収させようという考えも政治家たちからは出てこない。

「この点について、私はただむやみに新技術で解決しようとせず、効果の面から現実的に検討するべきだと思います。一年、二年、あるいはもう少し時間をかけていろいろな対策を行ってみて、対策ごとにどう効果が違うか、比べてみたらどうでしょう。例えば、ある年代以前の車や旧式のディーゼル・トラックをすべて回収すれば、新車の排ガス規制値を五パーセント削減するより、ずっと効果的だと思います。しかし、この方法はあまり魅力的には思われていないようです。そこでメーカーは、さまざまな新技術による提案を行っていくことになるのですが、そうすると、旧式の車を回収するよりは、そのほうが知的で画期的だということで、マスコミにもてはやされるのです」

この点については、メーカーの行政に対する姿勢もばらばらだ。

「監督機関や政府、官公庁に対する、私たちメーカーの基本的な役割は、明確な情報を提供することです。ところが、そうしようとすると、メーカーが自分の有利になるように圧力をかけていると誤解されるのです。排ガス問題について技術と製品に最も通じているのは、私たちなのに、です。確かに法規制が行われた結果、それぞれのメーカーが有利になったり不利になったりという側面もあるでしよう。しかし、法規制は他社にも自社にも適用されますから、基本的には競合要素にはなりません。ですから、メーカーは行政に対してもっと情報を出すべきなのです。技術的にどのような方法が考えられ、どれだけ費用がかかるか、またその措置が社会にどの程度受け入れられるかなどについて正直に述べ、そのうえで判断を委ねるべきなのです。しかしその役割を果たそうとすると、非常に微妙な立場に立たされてしまいます。各社意見が異なりますし、拠って立つ技術も違いますから……」

メーカー間の足並みのずれは、日本だけを見ていてもよくわかる。例えば、トヨタとホンダはハイブリッドカーを市場に投入している。だが、日産はそれとはまったく違うやり方をしているのだ。

「ハイブリッドカーに関しては、今のところ日産は、トヨタやホンダとは違う考え方をしています。私たちもこの技術は大変有望だとは見ていますが、本格的に導入するには、時期尚早だと考えているのです。その理由は〝コストがかかりすぎる〟ということです。今、日本で販売されているハイブリッドカーはすべて政府の補助金を受けており、それでもなお赤字です。ユーザーも、納税者も、メーカーも、誰ひとり利益を得ていません。その一方で、環境対策につながる技術なら、他にも良い方法があります。日産は、二〇〇三年三月末までに日本で販売する乗用車の八〇パーセントを超低排出ガス車（U—LEV）にすると約束しました。U—LEVの排出量は、現在日本で実施されている規制値（平成一二年排出ガス規制値）のなんと四分の一です。これならすぐに環境改善への効果が出せますし、お金のかかる技術ではないので、車の価格を維持したまま実現できます。ユーザーに費用を負担してもらう必要はないのです。メーカーにとっても利益を削らずに導入できる技術です。しかも、販売台数の八〇パーセントがこの基準を採用するとなれば、量産効果も期待できます」

地に足をつけた技術開発

だが、このゴーンの現実主義は、特に日本では評判が悪い。最近日本も変わりつつあるとはいえ、まだ古い考え方が残っているからだ。それは、「日本企業たるもの、いくらコストがかかろうが、なんとしてでも新技術の先駆者となるべきだ」という考え方である。日産は「業績が悪い」と非難されることはなくなったが、今度は「将来のための開発投資を怠っている」と責められている。

「一九九九年度以前については、確かに日産は研究開発費を削っていたと認めざるを得ません。現に予算は絞り込まれていました。投資は最小限度に抑えられていたのです。しかし、それも無理はありません。当時の日産は負債が二兆一〇〇〇億円に達し、しかもなお赤字を続けていたのですから……。必要な投資でも見送らざるをえないという状況でした。ですから、日産リバイバル・プランの発表と同時に、私はまた研究開発への投資を増加すると宣言しました。そして、実際にエンジニアを一〇〇〇人増員し、開発効率の改善に着手し、技術開発および商品開発への予算を大幅に増額したのです。日産は今、これまでに開いてしまった他社とのギャップを少しでも埋めようとしています」

といっても、日本人が時々取り憑かれる、あの〝夢のような新技術〟の方向に舵を切るわけではない。これまで日本人がどれほど〝夢のような新技術〟を追って、痛い目にあってきたことか……。二つだけ例を挙げておこう。ひとつは八〇年代に通産省（当時）の主導で開発された第五世代コンピュータ。これは人工知能への大変革につながるはずだったが、うまくいかなかった。もうひとつは世界中がデジタル放送への準備を進めるなかで、ＮＨＫが固執したアナログのハイヴィジョンである。

「私は技術のための技術を愛する〝技術マニア〟ではありません。それは確かです。しかし、世の中には、私がハイブリッドカーの技術を信頼せず、愚図ぐずしているために、開発競争に乗り遅れると非難する人がいるのです。いいでしょう。今後数年間でどうなるか、よくご覧になっていてください。技術に関しては、明確な、地に足をつけた判断を下さなければなりません。そこでは選択が必要なのです。一度に何もかもやろうとすると、そこまでしていない他社と比べて、財務体質が弱くなり、どこかで必ずそのツケが回ってくることになります」

ゴーンのやり方が間違っていなかったことは数字が証明している。つい四年前までは倒産寸前だった日産が二〇〇三年の三月、収益率で世界のトップに立った。営業利益率でトヨタをも凌いだのだ。

「我々は収益性の改善に全力を挙げています。では、その分、日産の未来を犠牲にしているかというと、そんなことは絶対にありません。日産は未来への投資を怠ってはいません。ハイブリッドに関しては、単に収益のあがる見込みがない――もしくは、その可能性がきわめて少ない技術を今すぐ市場に投入するのを思いとどまっただけのことです。貴重な時間と資金、そして人材を無駄にしたくはなかったのです。環境に配慮したクリーンカーの問題については、従来の技術の範囲内でもまだまだ前進が可能です。もう勝負は決まったなどとは、とても言えません。技術の問題を考えるならば、ある技術の利点だけを取りあげて議論するのではなく、費用対効果のバランスも見なければ意味がないのです。どんなに有望な技術でも、それをユーザーに受け入れてもらえる価格で提供できなければ実用にはつながりません。単純明快な話です。ですから、今の段階でガソリン、ディーゼル、ハイブリッド、電気、燃料電池のどれがいい、どれが悪いと決めつけることはできません。日産もハイブリッド・エンジンを開発していますが、それだけに限定はしていません。燃料電池も手がけていますし、従来のガソリン・エンジンやディーゼル・エンジンの開発も続けています。そして、それぞれの方法の費用対効果を見極めようとしているのです。車の価格は、私たちメーカーの勝手にはなりません。今の時代に、価格がどんなに上がってもいいから新技術を採用した車が欲しいというユーザーがどれほどいるでしょうか？　また、ハイブリッドカーの場合、費用の一部は、現在、納税者が負担しているのです。こんな状態をいつまで続けられるというのでしょう」

ハイブリッドカーに対する戦略

しかし、巨額の開発投資のおかげで、ハイブリッド・エンジンも自動車用燃料電池も、間違いなくかなりの進歩を遂げている。ハイブリッドカーは、性能面では速度も走行距離もまずまずで、電気だけで走らせようとしていた時にはとうてい考えられなかったレベルに達している。とはいえ、新技術が市場に受け入れられるには広く普及することが絶対条件だ。この法則に例外はない。ＡＢＳ（横滑り防止装置）からエアバッグまで、いずれもその画期的な登場から数年で一般化し、大手メーカーが量産効果の恩恵を受けられたからこそ定着したのだ。これは見方を変えれば、必ずしも先駆者が絶対的有利に立つとはかぎらないということを意味する。

「高速走行では従来のガソリン・エンジンを、市街地では電気モーターを使うハイブリッド方式をすでに採用しているメーカーが数社あります。自動車業界にとっては、これはありがたいことです。そういった先発メーカーが基礎固めをしてくれていることになるからです。そして、そういったメーカーは、いずれはその成果を開放してくれることになります。というのも、コストを下げるには、標準化して量産効果を狙う、つまりはその技術を開放するしかないからです。一社だけで独自の技術を開発し、それを採算の合う価格で市場に出すというのは不可能です。したがって、ハイブリッド・エンジンも、結局は、いろいろなモデルに自在に組み込まれるようにならなければ生き残れません。また、それに関して言えば、日産もまたハイブリッド・エンジン搭載の準備を進めています。ただ、自分たちですべて開発するのではなく、いちばん大変なモーター関連のコンポーネントや部品は外部から調達します。この調達は問題なく行われるはずです。サプライヤーの側に立って考えれば、価格を下げるためには他の多くのメーカーに納めることが必要になるわけですから……」

そして、二〇〇二年九月二日、トヨタと日産はまさにこの言葉を裏づけるような合意内容を発表する。二〇〇六年以降、トヨタは日産にハイブリッド・エンジンを提供し、それを受けて日産は、公害対策規制がいっそう厳しくなる北米市場で、以後五年間に約一〇万台のハイブリッドカーを製造、販売するというものだ。この合意はルノーも視野に入れており、これによってトヨタは開発費の一部回収を図るとともに、ホンダ方式ではなくトヨタ方式をハイブリッドの標準にしようと目論んでいる。ゴーンお得意の、〝双方が得をする〟（ウィン・ウィンの）関係である。

市場のグローバル化に対応する

もうひとつ、自動車業界が二一世紀を生き延びていくために考えなければならない問題は、〝グローバル化〟である。具体的に言えば、〝自動車文化〟をこれまでの欧州、北米、日本といったかぎられた地域から世界中へ広げるという課題だ。そんなことを言うと、「自動車ならずいぶん前から世界中を走り回っているじゃないか」と思われるかもしれない。いや、確かに自動車は国境を越えた一大産業を形成している。しかし、生産や販売の台数で言うと、この産業が起こって一世紀にもなろうというのに、いまだに先進国に偏っている。そして、こういった国々では自動車市場は今や飽和状態なのである。これに対して、世界にはまだ非常に大きな可能性を秘めた市場が存在する。トルコ、ブラジル、インド、そして中国である。これらの国々は間違いなく、〝ニュー・フロンティア〟となるだろう。とはいえ、最近のトルコの経済崩壊を見てもわかるように、その経済基盤はまだまだ弱い。

「こういった新しい市場では、成熟市場に比べると、はるかに多くの販売台数を期待できます。しかし、私たちが新しい市場を開拓するのは、台数を増やすためではありません。利益をあげるためです。重要なのは何台売れるかよりも、どれだけ利益をあげられるか、なのです。もちろん、しっかりした販売戦略に則ったうえで販売台数を伸ばすのなら、利益もついてくるでしょう。しかし、ごく普通に考えた場合、〝単純に台数が増えたから、利益も増える〟というわけにはいかないのです」

北米市場と欧州市場、日本市場の違い

なぜ自動車メーカーがこぞって北米市場に目を向けるのか、その答えもここにある。北米は利益を確保しやすい市場なのだ。

「なぜ、北米市場が今、いちばん儲かるのでしょう? それはあらゆるタイプのニーズがあり、市場規模も大きく、しかも、そこにはひとつの文化しかないからです。米国で宣伝キャンペーンを打つ場合、一六〇〇万台の市場に対してひとつの宣伝でいいのです。同じ理由から、ディーラーとのやりと

りでも、苦労することはありません。一六〇〇万台の大市場に、ひとつの文化、一種類のマーケティング、しかもそこにはさまざまな需要のヴァリエーション――つまり業界で言うところの豊富な〝ミックス〟があるのです。欧州は東欧も含めれば市場規模としては北米より大きく、一八〇〇万台になります。しかし、需要のヴァリエーションは限られ、文化は複雑です。ドイツ人の車の選び方はフランス人とも、イタリア人とも、スペイン人とも違います。商慣習も国ごとに違い、宣伝も変えなければならず、マーケティングは細分化されてしまいます。欧州市場は本質的にまだ非効率なのです。北米と欧州のこの違いがわかれば、『北米に基盤を持っているメーカーに比べて、どうして欧州のメーカーの収益率が低いのか』、その理由はもう申し上げるまでもないでしょう。日本市場はちょうどその中間にあります。一国、一文化の市場ですが、規模は限られ、需要のヴァリエーションも少なくなりつつあります。日本では今、高級車離れと小型車への集中が進んでいます。これは日本経済が弱くなり、購買力が落ちてきていることの表れでもあります。ここ一〇年間で米国と日本でそれぞれどんな車が売れたのか、その動向をそれぞれの国の経済情勢と比べてみてください。その違いは、実にはっきりしています」

北米に新工場を建設

だからこそ、ゴーンが着任するやいなや、日産の新経営陣が下した決断のひとつに、北米の第二工場建設が含まれていたのだ。北米市場で需要の高い車種、ＳＵＶ、クロスオーバー、大型ピックアップなどを、地元で組み立てて販売するためである。

「ミシシッピ州キャントンに新工場を建設すると発表したのは二〇〇〇年一一月、リバイバル・プランの最初の中間報告からまだ二週間も経っていない時のことでした。この計画は開発投資を別にしても、工場建設だけで約一〇億ドルかかるという大プロジェクトです。しかし、私はすでに日産の実力に自信を持ち、リバイバル・プランは成就できると確信していました。だからこそ、あの時点で決断できたのです。『行くぞ、時間を無駄にするな』と……」

実際のところ、これは賭けだった。というのも、まずは経済情勢に不安があったからだ。米国は九〇年代に入ってから不況知らずだったが、〝ITバブル〟がはじけると株式市場が崩壊、そこへ金融スキャンダルが重なって企業の信用も失墜した。しかも第二次世界大戦以後、北米では大きな景気後退のたびに自動車需要が激しく落ち込み、四分の三にまで縮小するという事態を繰り返してきた。

不安はこれにとどまらない。日産がキャントンに工場を建設するに当たっては、もうひとつ、感情問題という複雑な要素の絡む不安があった。それは、〝米国のメーカーとその後援者であるワシントンの議員たちが、相次ぐ日本メーカーの現地への進出にどこまで寛容でいられるか〟ということである。実際、日産がキャントンに進出を決めた当時、日本メーカーは各社を総計すると、すでに米国市場の三分の一を獲得するまでになっていた。トヨタはクライスラーを抜いて北米第三位であった。標準的な4ドアセダンでは、米国のメーカーは東部、西部、および南部でも市場を失い、もはや中西部に頼るのみとなっていた。ということは、米国のメーカーの収益は、ほぼ全面的にミニバン、SUV、小型および大型ピックアップなどの〝小型トラック〟に依存しているという状態にあったのだ（しかも、それは二五パーセントという高い関税に守られて、ようやく確保してきた市場であったということを忘れてはならない）。ところが、この分野に対してはじっと様子を窺っていた日本メーカーがついにその市場に殴り込みをかけようというのだ。それも、関税の壁をすり抜けて、現地に工場を建てるという形で……。だが、地元ミシシッピ州の歓迎もあって、この工場建設の計画は実現した。

「大型ピックアップやSUVの市場は以前からありましたが、日産はまったく手をつけておらず、今やっと開拓し始めたところです。これまで日本メーカーが意図的にこの分野を避けてきたのかどうか、私は知りません。しかし、少なくとも日産に関して言えば、これまでは参入しようにもその手段がなかったのです。負債が重く、研究開発費も絞られていたからです。現行車種のモデルチェンジもままならないのに、米国の——それも新たな分野に挑戦する余裕などなかったのです。したがって、このチャレンジは日産リバイバル・プランによって初めて可能になったのです。日産にとっては将来を見据えた大きな賭けのひとつになるでしょう」

生産拠点の分散

現地工場の話に絡めて言えば、自動車産業のグローバル化に関してはもうひとつ問題がある。「人件費が高く、社会保障も厚い先進国は、追い上げてくる発展途上国との競争のなかで、産業基盤を維持していけるのか」という問題である。その点からすれば、自動車業界も生産拠点の分散化と無縁ではいられない。米国のメーカーは国境を越えてまず北に向かい、カナダに工場を展開した。次いで近年はメキシコがＮＡＦＴＡ（北米自由貿易協定）に加盟したのを機に南に向かっている。規模は劣るが、欧州のメーカーも東欧諸国に工場を建設しているし、日本メーカーも東南アジアに進出している。

しかし、今のところ、こうした進出は現地需要の急増をカバーするのが目的だ。玩具、一般向け電子機器、コンピューターといった産業とは異なり、自動車の場合、その生産の基盤はまだ先進国にあると言ってよいのである。

「生産拠点を分散するといっても、そのすべてを海外に移すわけではありません。日本もまだ十分生産拠点としてやっていけると思います。もちろん、これは製品の種類によっても違いますが……。付加価値がそれほど高くなく、複雑な技術も高度な技能もいらない製品の場合は、人件費がネックになりますから、日本での生産には適しません。しかし、自動車のように、総原価に占める人件費の割合がそれほど高くない製品も数多くあります。日産の場合、日本での生産量を減らす必要はまったくないと考えています。私が縮小したのはすでに利用されなくなっていた部分です。九九年の日産の国内生産台数は一三〇万台でしたが、生産能力は二四〇万台分ありました。そんな状態ではやっていけません。そこで、生産能力を一六五万台まで引き下げたのです。しかし、生産台数のほうは、〝日産一八〇〟で販売台数を増加させることを目標に掲げていますので、その三年間で国内の生産量を一五パーセント増やす計画を立てました」

確かに自動車メーカーにおいても、生産拠点は少しずつ海外に移されている。だが、その移転先は今までのところ、先進工業国である北米や欧州が中心である。これの意味するところは明らかだ。国外生産に当たっての日本メーカーの思惑は、これまでも、そして現在も、米国や欧州の根強い保護貿易主義からいかに身を守るか、また、為替リスクをどう回避するか、この二点に尽きるのである。

「生産拠点の国外分散は、国内の人件費高騰よりも、為替リスク回避という性格のほうが強いでしょう。製品はできるかぎり、売る時と同じ通貨で部品や労働力を調達し、生産したほうがいいのです。それが為替リスクを最小にする方法ですから……。為替が動いたために、思ってもみない結果になるのはごめんです。今、市場はドルと円とユーロの三つの地域に分かれています。ですから、日産も、できるかぎりそれぞれの地域内で部品や労働力を調達し、商品を生産して、販売しようと考えています。しかし、それでも基盤となる生産拠点は日本に残します。そこでは米国をはじめ世界中で販売するモデルを作ります。例えば、新型フェアレディZを米国と欧州のそれぞれで組み立てるというようなことはしません。こういったモデルについては、日本で作って米国と欧州に輸出すればいいのです。反対にアルティマのようなモデルの場合、これは北米市場を狙ったモデルですから、米国で生産します。米国がターゲットなのに、それを日本で作って輸出していたのでは、不必要な為替リスクを背負うことになるからです」

では、米国とメキシコのように、同じ通貨圏ではあるが、明らかに経済状況が違う場合はどうだろう？

「現状で米国とメキシコを比べれば、米国のほうがはるかに賃金が高いのは間違いありません。しかし、それでも私は工場をメキシコへ移そうとは思いません。米国の工場は非常に生産性が高いのです。実は日産は、キャントンへの工場進出を決める際に、選択肢のひとつとしてメキシコも候補にすることを考えました。しかし、検討の結果、『やはり米国に建設するほうが確実に投資を回収できる』という結論に達したのです」

中国よりも日本を生産拠点とした時の利点

ゴーンによれば、米国とメキシコの違いは、日本と中国の違いにも当てはまるという。日本中が中国との競争に脅威を抱いているなかで、ゴーンのこの意見は意表を突く。というのも、現実を見れば二〇〇二年の八月には、ホンダが初の中国製スクーターを日本で発売してセンセーションを巻き起こしていた。しかも、その発表には、近く自動車もこれに続くと言い添えられていたのだ。だが、ゴーンはこうした流れに乗ることを否定する。

「日本には高品質を生み出す力、高い生産性、納期を遵守する管理能力、信頼のおけるサプライヤー、高度なインフラストラクチャーなどがそろっています。もっとそういったことを考慮に入れるべきです。人件費は相変わらず高いですが、品質のいいものを、予定通りの期間で仕上げたいとなると、日本で生産するのがいちばんです。流通の面でも有利ですし、輸出業務もスムーズです。自動車のように付加価値の高い製品の場合には、人件費だけでは判断できません。中国で生産して日本で売る時代だという意見を耳にしますが、自動車に関しては、日本のユーザー向けのものを中国で生産するのはまだ当分先のことになるでしょう。一台当たりの総コストで考えると、人件費が高くても、それを補って余りある利点が日本にはあるのです。サプライヤーもそうです。メーカーの生産性は、サプライヤーに負うところが大きいのです。日本のサプライヤーには活力があり、いざという時、大変な力を発揮してくれます。その証拠に、例えば開発期間を考えてみてください。日本での開発期間は欧州や米国よりもずっと短い。なぜでしょう？　それは〝メーカーとの関係において、お互いを知りつくした〟サプライヤーがいるからです。その結果、日本では米国や欧州よりも、ずっとスムーズに仕事が運びます。日産だけでなく、他の日本メーカーでも同じだと思います。中国で同じ状態を作りあげようと思ったら、相当な時間がかかると覚悟しなければなりません。ですから、たとえ人件費が安くても、すぐに工場を移そうということにはならないのです」

実は大手の自動車メーカーにとって、〝中国に進出する〟というのはもっと違ったことを意味している。それは〝潜在顧客数が数億と言われる巨大市場に、それに見合った近代自動車産業を打ち立て〟、しかも〝そこで利益を出して、確固たる地位を築く〟ということである。実際、中国の行政機関はまだ信頼がおけず、いつ独断的な決定を下すかもしれない。また、地元の中国企業は、遠慮なく外国の技術を吸収し、それを武器にしてのしあがってくる。そういった状況のなかで、それでもやってみせるという自信の表明――それが〝中国に進出する〟ということの意味なのである。これはいわば挑戦である。そして、二〇〇二年の九月、日産もついに正面切ってこの挑戦に名乗りをあげた。

第20章　中国市場

急成長を続ける市場

「中国の市場に正々堂々と正面玄関から入っていきます」——二〇〇二年九月一七日、東京。ゴーンは翌々日、政府高官臨席のもとに行われる東風汽車公司（以下、東風）との提携調印を前に、中国との合弁についてこう語った。中国政府のお膳立てにより最初の話し合いを持ってから一年二か月、この間、ゴーンと日産幹部、とりわけティエリー・ムロンゲは、中国でのパートナー、東風グループと合弁会社を作るべく、猛然と交渉を進めてきた。

「二〇〇一年七月に交渉を始めて、明後日が調印式です。一年二か月でした。大変なスケジュールでしたが、成し遂げた仕事を考えると、比較的短期間でまとまったほうだと思います」

中国に進出するにあたって合弁会社を作るというのは、特別なことではない。海外から中国に直接投資をするには、共同出資による合弁会社設立が最適だからだ。ただし、この場合、海外からの出資比率は五〇パーセントまでとされている（場合によってはもっと低く抑えられている。これはもちろん、国内メーカーを保護するためだ）。しかも、その中国パートナーは大型国有企業であるのが普通である。これは海外メーカーにとっては、ひとつの重荷であると言えよう。というのも、鄧小平の後継者――すなわち、現在の中国の指導者たちは、中国という大国を発展途上の段階から引き上げようと〝社会主義市場経済〟を推し進めているが、そこで悩みの種となっているのがこうした国有企業の改革だからである。

しかし、それでも海外企業は、一二億の潜在顧客が待つ中国市場の魅力に抗《あらが》えない。中国は今や米国に次いで外国直接投資（ＦＤＩ）が集まる国となっているのだ。それも初期においては〝無尽蔵とも思える低賃金労働力〟が魅力であったが、今日では〝急速に拡大する国内需要〟そのものが大きな吸引力となっている。もちろん、自動車産業も例外ではない。中国でも他の新興諸国同様、今や乗用車が中産階級のステータスシンボルとなっているのだ。特に顕著なのは、経済発展が著しく、その中産階級が形成されつつある北京、上海、その他沿岸地域の大都市である。

実際、数字から見ても、中国の躍進はすさまじく、二〇〇二年には乗用車の販売台数が一〇〇万台を突破した。米国市場が乗用車および小型トラック合計で一六五〇万台、欧州市場が一四〇〇万台、日本でも四三〇万台であるということを考えたら、この数字はますます伸びていくだろうと思われる。現に、中国の自動車市場は年率二〇パーセントという急ピッチで拡大している。おそらく、二〇一〇年には年間三〇〇〇万台の新車が街を走ることになるだろう。中国は自動車業界きっての成長市場として注目を浴びているのだ。

「自動車メーカーにとって中国はニュー・フロンティアです。大きな可能性を秘めた市場なのです」

提携の内容

それでは、日産は中国とどのような契約を交わしたのだろうか？

「合弁会社は東風の主要部分を引き継ぐことになります。従来とは異なり、この合弁は一車種に限定されません（訳註：中国での合弁生産は一社一車種が原則で、政府が主導して車種を決めることになっている）。その点で今回の合意は特別なものです。日産は八五・五億元（約一〇・五億ドル）を出資します。投資総額はこれをさらに上回ります。中国向けの商品を開発するために日産の社内でも特別な投資を行うからです。それが最高で三〇〇億円（約二・四億ドル）になると見積もっています」

この投資を中国市場に参入するための入場料であると考えるならば、一〇億ドルを超える金額というのは、確かにたいした入場料である。しかし、ある意味では、それは決して高いとは言えない。というのも、新たに設立される会社は、合弁会社とはいえ、これまでとはまったく異なるタイプのものだからだ。すなわち、二〇〇二年九月一八日に発表された合意内容によれば、日産は新会社の五〇パーセントを保有し、その新会社は東風から自動車部門をほぼ丸ごと引き継ぐというものだったのである。東風は中国のトラック市場ではトップ、また自動車全体でもトップ・スリーに入る企業だ。それを丸ごと引き継いだ意味は大きい。

「東風の従業員は現在一二万四〇〇〇人、売上高は約五〇億ドルで、二〇〇一年の実績でも、二〇〇二年の見込みでも利益が出ており、負債も妥当な範囲です。国有企業とはいえ、ごく健全な会社です。事業の中心はトラックとバスですが、すでにグループ内の風神汽車（日産が出資している台湾のメーカーと東風の合弁会社）がブルーバードを現地生産しており、他にもPSAプジョー・シトロエンやホンダ、米国のディーゼル・エンジン・メーカーであるカミンズとの合弁会社も持っています。日産は東風と新たな合弁会社を設立しますが、この新会社には、医療、発電、不動産など自動車に関連しない事業を除き、また自動車関連ではPSAおよびホンダとの合弁会社などを別にして、それ以外のもので東風が持っているものはすべて引き継がれることになります。ええ、カミンズとの合弁生産も今回の提携に含まれます。これは要するに、〝東風の主要な部分が新会社に引き継がれ、その新会社の五〇パーセントを日産が持つ〟ということです。提携の目的は、東風と協力してトラック部門を強化するとともに、乗用車および小型商用車のフルラインをそろえることです。乗用車は日産ブランド、小型商用車は日産と東風のダブル・ブランドとします。トラックとバスには東風ブランドを残します。新会社の名称は東風汽車有限公司（以下、新東風）になります」

日中の特別な関係

さて、これまで日本の自動車メーカーは、中国に関しては積極的に出ていこうとしなかった印象がある。それを考えると、この提携は規模でも内容でもまさに前代未聞だと言える。

では、日本の自動車メーカーは、今までどうして中国進出をためらってきたのだろうか？　それはひとつには、日清戦争から第二次世界大戦終結まで半世紀にわたって続いた対立と侵略の歴史が、いまだに日中関係に影を落としているからである。日本がやっと中国と国交を回復したのはド・ゴール率いるフランスに遅れること八年、一九七二年のことだが、それも米国に先鞭をつけてもらい、ようやく国交回復に漕ぎつけたという状態だった。一方、中国のほうも、日本との経済関係を重視しながらも、日本の過去の行為についての口先ばかりの謝罪に、一度たりとも満足した様子を示したことはなかった。また、その背後には台湾問題も尾を引いている。北朝鮮の問題もある。

しかし、こうした背景があるとはいえ、日中の経済関係は中国側の改革路線に支えられて急速に発展してきた。だが、それでも日本の自動車メーカーは思い切って中国市場に飛び込まなかった。というのも、そうするにはまだいくつかの条件が欠けていたからである。まず乗用車市場が揺籃期を脱すること。次に法令が整備され、進出後の活動条件が明確で安定したものになることだ。これらが整ったのは結局二一世紀に入ってから——すなわち二〇〇一年一一月、中国がＷＴＯに加盟してからのことである。この加盟によって、中国の自動車市場は段階を追って開放され、関税も少しずつ引き下げられ、また中国に進出する企業がより自由に動けるような法整備が進められることになった。

中国政府の方針

こうして、ようやく準備は整った。だが、日本メーカーが本格的に中国に進出するためには、それでもなお最後のひと押しとして、中国政府自らが日本メーカーに声をかける必要があった——中国政府は、自国のメーカーと日本のメーカーをこれまでよりも強い形で結びつけようとしたのだ。

「東風はトラックと乗用車で中国のトップ・スリーに入るメーカーです。自動車産業については、中国政府はメーカーを数社に絞り込みたいとの意向を再三にわたって表明していました。しかも、その数社は世界と戦える競争力を持たなければならないと……。東風は明らかに中国政府がそうした将来を期待している企業のひとつでした」

そして、二〇〇〇年の夏、中国の呉邦国副首相がゴーンに対して、「日産は中国でどういう計画を持っているのか?」と尋ねてきた。その意図は明白だった。

このあたりの背景をもう少し詳しく説明すると、当時、経済改革の先頭に立って、終始中国を引っ張ってきた朱鎔基首相（二〇〇三年の春に引退）の指導のもと、中国政府は国有企業を再編して、競争力のある大企業、すなわち国内の需要に応えるだけでなく、世界市場で戦える企業を生み出すという大仕事に挑んでいた。中国において国有企業グループというのは、都市部に集まる人々の生活を、まさに〝ゆりかごから墓場まで〟支える存在である。したがって、将来の中国のことを考えたら、中国政府は経済レベルにおいても、また社会レベルにおいても、国有企業を改革し、またその再編を推し進める必要があった。そこで自動車産業に目を向けると、当時の中国では、こうした企業グループと地方政府に支えられて、なんと一二〇もの会社がよたよたと生き延びている状態であった（訳註：そのうち、採算ラインに達しているものは、第一汽車、東風汽車、上海汽車のわずか三社である）。したがって、政府はまずなんとしてでも、国内の自動車メーカーを市場の競争原理に基づいて絞り込む一方、そのうちのいくつかを世界で戦えるよう育てなければならなかったのだ。それには海外企業の資金と技術とノウハウがぜひとも必要だった。

「中国に進出するに当たっては、二つの選択肢が考えられました。ひとつは乗用車に限定した合弁会社を作る方法で、これまでの他社の中国進出はすべてこの方法をとっています。もうひとつは、東風のなかに私たちが完全に入り込むやり方です。中国政府が後者のほうのやり方を望んでいることは、最初から明らかでした。そうした政府の意向があったからこそ、日産は、私の知るかぎり前例のない画期的な提携を結ぶことができたのです。また、この提携は中国政府が自動車産業を――ひいては産業全体をどういう方向へ向かわせたいと考えているのか、それを示すことにもなりました。とにかく、今回のように、中国の大企業の〝事業の中核〟に当たる部分に足を踏み入れるということは、これまでどの企業も経験したことがなかったと思います」

日産に白羽の矢が立った理由

では、なぜ中国政府は、この画期的な提携の相手として日産を指名したのだろう？

「中国人は大変な現実主義者です。ですから、日産で何が起こったかを見逃しませんでした。九九年に倒産寸前だった日産がルノーというパートナーに助けを求め、幹部に外国人を迎え入れ、その結果、たった二年で立ち直ったことをしっかりと見ていたのです。また、日産の従業員が提携以前よりもずっと満足して働いていること、そして社員のなかに協調関係が生まれたことも見ていたのです。その一方で、中国政府は自分のところに問題のある企業――つまり、アイデンティティを維持させながらも、早急かつ大胆に改革しなければならない国有企業を抱えていました。そうした状況で、日本に目を向けた時、そこには、『企業を解体することなく、社員のプライドを傷つけることもなく、大胆な改革を成し遂げた』、そういった会社があったのです。これには無関心ではいられなかったはずです。こういった時、あなたが中国の指導者で、この動きを見ていたとしたら、自分たちの問題を解決するのに、誰に助けを求めますか？　当然ルノー・日産連合でしょう。そのなかでも、日本製品が中国で非常に高く評価されていることを考え合わせれば、日産ということになるでしょう。日産と組めば、日本の製品と国際的な経営のやり方――それも中国文化を大切にしながら効果を出すことのできる経営のやり方を手に入れることができるのです」

新会社の目標

さて、提携の合意が発表されたおりには、日産と東風が新会社に託す事業目標も明らかにされた。それを見ると、この提携ではまず規模の拡大が期待されたことがわかる。

「二〇〇一年に、東風は海外との合弁事業を含めて、二六万五〇〇〇台のバス、トラック、乗用車を生産、販売しています。これに対して、新東風は二〇〇六年に五五万台の販売を目指しており、そのうち二二万台が日産ブランドの乗用車です。比較のために申し上げると、二〇〇二年の日産の中国での販売実績は、東風との合弁で現地生産しているブルーバードと日本からの輸入車を合わせてもわずか六万台でした。さらに、新東風は二〇一〇年までに九〇万台レベルへの飛躍を狙っています。この場合、バス、トラックの大型車両と乗用車の比率はほぼ半々にする予定ですから、日産車は四五万台になります。つまり、二〇〇六年から見ると倍になるわけです。こうして、新会社の売上高も、そしてもちろん利益も倍増を目指していく。これが私たちの目標です」

新東風（東風汽車有限公司）における両パートナーの権限分担は、実質上、日産側が経営の舵をとれるように配慮されている。新東風の取締役会は八名で構成され、四名が日産から、残りの四名は東風（東風汽車公司）から出される。また任期八年の第一期には、取締役会会長を東風が、社長を日産が指名することになる（訳註：新会社は二〇〇三年七月一日から事業を開始。会長には東風の苗迂、社長には日産の中村克己が就任した）。

「最初の八年を終える頃には、新東風に新しい独自の文化が生まれていることでしょう。協力関係もいっそう強まり、会長と社長のポストについても取締役会が自ら適任者を選出し、株主がそれを承認するといった形になるはずです」

また、日産側の提案により、新東風における経営の意思決定については、社長が責任を持つということで、指揮系統の一本化を図ることになった。これが大切だということは、中国にかぎらず、世界中どこに行っても変わらない。合弁会社を運営するには、指揮系統の一本化が鉄則なのである。

「新東風では、社長を実質上の経営者とします。会社の舵取りは社長に任せ、取締役会は会社に一貫した戦略があるか、それが本来の趣旨や予算に沿って着実に実行されているかを確認するといった、ごく一般的な役割にとどまります」

提携の経験を活かして

これは中国にとっても、日産にとっても新しい挑戦である。だが、少なくとも日産の側から見ると、今回の提携は、ルノー・日産の提携の経験が活かせる点が多い。

「新東風の発展は、その幹部と従業員の肩にかかっています。ただし、その船出だけは私たちが助けなければなりません。そのためには必要最低限度の管理職と専門家を派遣して、この大事業を担う人々を指導し、支える必要があります。おそらく、新東風が必要としているものは、ルノーとの提携時に日産が必要としていたものとは違うでしょう。しかし、基本的なやり方は変わりません。明確な目標を掲げ、達成への道筋を示し、具体的な行動計画を練る――そういったことを設立後、短期間で固めるのです。その意味で言えば、最初のいちばん大きな目標は、〝新東風を競争力の高い会社〟にすることです。ですから、乗用車の研究開発センターも新たに設立するつもりです。また、商品企画、購買、品質管理、財務、マーケティング、販売、ブランド管理などすべてにわたって経営ノウハウを提供するとともに、さまざまなことについて国際基準を導入します。そういった形で、日産はとにかく全力を挙げ、新東風を中国きってのトップメーカーに育てていくのです。しかし、それはもちろん、日産だけが何かをするということではありません。この提携の基本精神は、双方が持てる力の最高のものを投入するということなのです。東風は新会社に従業員や生産設備などの資産、またトラック市場での確固たる実績、広範囲な販売網など、多くのものを持ち込みます。中国市場に関する豊富な知識や、中国政府の支持といった目に見えない財産も忘れてはなりません。一方、日産は、技術や経営ノウハウ、国際基準に関する知識などを持ち込みます。ただし、日産から中国に送る人員はごく少数にとどめます。というのも、新会社では東風から来た人材を育てることも大切な目的ですから……」

普通、このような規模で進出しようと思ったら、数多くのハードルが待ち受けているものである。だが、この提携により、日産はそのハードルを一気に飛び越えることになった。工場、人員、中国全土に広がる販売網、サプライヤー網――そういったものは、いずれも東風が投入してくれるのだ。

「実際に事業が始まったら、さまざまな変革を導入することになると思いますが、基本的には東風の資産を活かします。この点、私たちは恵まれていると言えるでしょう。工場を作るところから始めなくてもよい……。ゼロからの出発ではないのです。これまで中国の国産車に使われてきた現地生産の部品もできるだけ使いたいと思っています。コストはもちろん、納期管理や生産プロセスの柔軟性といった点でもメリットがあるからです。すでに東風への納入実績がある会社を中心に現地サプライヤーを開拓し、現地生産の部品をもっと増やす計画が進められています。その一方で、サプライヤー網の合理化も図ります。日産のサプライヤーで中国に進出している会社もありますし、今後もそういう例は増えるでしょう。要するに、サプライヤーはどこの国のメーカーであるかを問わず、実力次第で選んでいくということです。中国市場では、これからますます競争が厳しくなっていくでしょう。そうなったら、価格面でも性能面でも、相当強くなければ生き残れませんから……」

だが、この提携には不安な要素がまったくないというわけではない。例えば、労使問題である。中国の国有企業は〝鉄飯碗〟（訳注：落としても鉄の茶碗は割れないということから、失業がないということ）政策によって、社会福祉の側面を持たされてきたところから、人員が過剰なうえに能力不足なところがある。また、長く中国共産党が工場にも事務所にもその根を張ってきたため、二重の支配体系が存在するという厄介な問題を抱えている。これは、自動車メーカーだけではない。サプライヤーにいたっては、さらにその傾向が強い。だが、今回の提携交渉で日産をサポートしてきたゴールドマン・サックス証券アジア太平洋の副社長、ケネス・カーティスによれば、「新東風は中国国有企業改革の実験ないしは手本になるだろうし、また中国政府もまさしくそれを望んでいる」という。これは大変な仕事である。しかし、やり方によっては、危機に瀕した大企業を労使関係にひびを入れずに立て直すことは決して不可能なことではないだろう。やり方と、それを行う人物によれば……。そして、ゴーンはそれを日産で、実際にやってみせた人物なのである。

「新東風を中国のトップメーカーにするために必要なことはすべてやります。当然のことです。この提携の目的は、〝新東風を一流で競争力の高い企業に育てあげることだ〟と最初からはっきりしていましたし、そのために必要なことはすべて考慮に入れたうえで決断したのですから……。また、こうして日産が他社と違うことをする以上、中国政府からもこれまでとは違う協力が得られるはずです」

中国政府のバックアップ――リスクの高くない投資

確かに中国政府は日産に対して、これまで競合他社に対してきた以上に協力的である。

「現状では新車種を出そうとすると、そのたびに認可が必要になります。しかし、新東風の場合、今後、市場に導入するすべての商品に対して一括認可を受けられることになっています。日産が今、中国で製造しているのは、東風グループ内の風神汽車で生産しているブルーバードと、同じくグループ内の鄭州日産汽車で生産しているピックアップ・トラックの二車種だけですが、これを二〇〇六年までにあと六車種増やし、乗用車と小型商用車のラインアップを充実させる予定です。中国での新たな開発はほとんど必要ありません。導入するのはすでに販売しているモデルか、あるいは世界市場に向けて今、準備中のものが中心になります。そういったものを中国顧客の好みや現地の規制に合わせて調節するだけです。こうしたことは他の主要市場向けにも行っていることです」

そういったことに加えて、この提携は資金面でのリスクもあまり高くないように思われる。

「二〇〇一年に東風は八パーセントの営業利益を上げており、二〇〇二年には九パーセントに達する見込みです。また、二〇〇二年上期の販売台数は前年同期比で四四パーセントも伸びています。ですから、日産が投資するのは危機に瀕した会社ではありません。収益改善が問題になっているわけではないのです」

そういうことなら、日産の中国への進出が〝日産一八〇〟の目標達成の妨げとなる心配はなさそうである。かといって、そこで約束した一〇〇万台販売増への貢献が期待できるわけでもない。〝日産一八〇〟は二〇〇五年三月を期限としており、その時点での中国における販売台数は八万台から一〇万台程度にしかならないはずだからだ。

「ええ、台数としてはまだそれほど多くはありません。しかし、それでも達成をより確実にするという形で貢献してくれることは確かです。また、今後、中国の重要度は次第に上がっていくでしょう。前にも言った通り、私たちは〝日産一八〇〟の後にもまた新たな計画を組みますが、そこでは中国の販売が本格的に貢献するようになるはずです。つまり、今度の提携は、〝日産一八〇〟を確実なものにすると同時に、すでにその後への布石にもなっているのです。また、営業利益ではすぐさまプラス方向に影響します。〝日産一八〇〟の目標は八パーセントですが、東風はもうそれを達成しているのです。一方、資金面でも日産には余裕があります。この投資を行ってもなお負債をゼロにできます」

ルノーとの提携に与える影響

このように東風との提携で、日産は中国戦略を固めることができた。しかし、これはただ日産だけに関わる問題ではない。長期的視野に立つと、ルノーとの提携にも影響してくる。例えば、トラック部門はルノーにとっても日産にとっても、もはや主要分野ではないのに、なぜ中国でわざわざトラックに強いメーカーに投資するのだろうか？

「確かにトラックは私たちの中心事業ではありません。しかし、別の見方をすると、東風にとってコアビジネスであるこの部門に無関心ではいられなかったのです。私たちには、日産ディーゼルとＲＶＩ（ルノーの商用社会社）がありますから、乗用車のフルライン化を図ると同時に、トラック部門をさらに強化することもできます。また日産のアジア販売網を使い、東風のトラックやバスの輸出を促進することも考えられます。私たちは日産ディーゼルとの関係を活かし、この分野の技術、部品、そしてノウハウの面で東風を支援していくつもりです。それに日産ディーゼルは今回の合意以前から東風と提携関係にあります。その関係が今後深められることになるのは間違いありません」

では、ルノーがまだほとんど足を踏み入れていない中国市場で日産が優位な立場に立つことは、ルノーと日産の提携のバランスを崩すことにならないだろうか？

「今回の提携はルノー・日産連合にとってもチャンスです。どちらか片方が前進することは、双方にとってのチャンスなのです。ルノーとの提携の根底にある原理——お互いに違いを尊重しながらも、業績をあげるために手を携えてシナジー効果を追求していくという原理は、そのまま東風とのことにも当てはめられると思っています。日産は今、中国で大きく一歩前に出ようとしていますが、これは将来ルノーに扉を開くことにもつながります。中国は成長市場ですから、そこできちんとした仕事をすれば大きな利益が期待できるはずです。もちろん、そこで何かをする以上、失敗する危険はあるでしょう。また、成功するためには努力も必要でしょう。でも、今回の場合は、失敗する危険よりも、成功するチャンスのほうが大きいのです」

激しい競争

確かにゴーンの言う通りである。ただ、もしそこに失敗の危険があるとしたら、その要因の最たるものは競争だろう。つまり、「いくら成長市場だとはいえ、そこに群がるメーカーがすべて勝者になれるわけではない」ということだ。フォルクスワーゲンをはじめ、GM、ホンダ、PSAプジョー・シトロエンなど、すでに進出しているメーカーはもちろんのこと、今や世界中のメーカーが中国市場でなんとか成功しようと闘志を燃やしている。トヨタは二〇〇二年八月に第一汽車と提携を結び、天津の工場を二〇一〇年までに年間四〇万台規模の生産拠点にする計画だ。また、武漢ではPSAプジョー・シトロエンが、東風（東風汽車公司）との合弁会社である神龍汽車への出資比率を上げ、すでに現地生産しているシトロエン車に加えてプジョー車の生産準備に着手している。この会社は、二〇〇三年に一〇万台、二〇〇六年に二五万台の中国国内販売を見込んでいる。

「確かに競争は厳しいと思います。でも、私たちは乗用車でもトラックでも、他社と差異化できると考えています。きっと大幅な販売拡大が見込めるでしょう。市場自体が伸びていることに加えて、会社自身の競争力も上がっていくはずだからです。私たちは、コストでも品質でも商品でも、他社に負けないものを出す自信を持っています。問題はやるべきことを本当にやるかどうかです。確かにいろいろな制約もありますし、難しい判断を求められる場面も多いでしょう。しかし、中国では、そういった問題を乗り越えて、多くの業種の多くの企業が成功しています。自動車産業もそのいい例です」

将来の日産を支える人々とともに

ゴーンにとって中国での挑戦は、〝日産の未来を背負って立つことになる若手幹部を育成する〟という側面もある。

「人の面で言えば、日産はこの提携で人材を育てることができると思います。現地に行くのは、ほとんどが日本人になるでしょう。人材に関しては、『このプロジェクトに適した人間がいる』とか『いない』と言っていたのでは駄目です。できそうだと思う人を指名して、育てていく必要があります。前にも言ったように、人は困難な仕事に取り組んでこそ、それにふさわしい力量を身につけるのです。その意味からすると、今回のこの中国プロジェクトは、挑戦課題としてうってつけです。ですから、もちろん私自身も進行具合を見ながら、日産の社長として密接にフォローしていきますが、原則的には現地チームに任せるつもりです。こうした機会にこそ幹部が育つのです……。人はぬくぬくしたところにいたのでは成長しません。本を読んだり、少々トレーニングを積んだりしたくらいでは駄目なのです。将来のトップを育てるには、困難であると同時に、会社にとって重要な大きなプロジェクトに放り込む必要があります。むろんそのリスクも計算して、必要なサポートをしなければなりませんが、その先は任せるべきです。そして失敗があっても受け入れるだけの度量が必要です。といっても、もちろん、日産は中国に失敗しに行くつもりなどはありませんが……。要するに人を育てながら、最終的には成果を出すということです」

第21章　希望のメッセージ

日本の潜在能力

「日産の挑戦が社会にもたらしたもの――それは道を見失っている日本への希望のメッセージです。日産の再生は大いなる希望のメッセージなのです」

一九九〇年代にバブルが崩壊して以来、日本ではとりわけ悪いニュースばかりが取り沙汰されてきた。無謀な投資を続けた結果、多額の不良債権を抱えて身動きがとれなくなり、麻痺したままとなっている金融システム。あとを絶たない政治・金融スキャンダル。かつては国の行く末を担う人々と言われた官僚の信用失墜。膨大な国債を発行して国家予算を賄うことによって、かろうじて支えられている景気。躍進する中国に押され、失われつつある国際的な影響力……。かつては高度成長の代名詞だった日本が、今や大不況の汚名をかぶり、G7の〝病人〟と成り果てている。

当然のことながら、こうした危機は国の舵取りの問題から企業の経営方式の問題にまでつながっている。二〇年ほど前にエズラ・ヴォーゲルが『ジャパン・アズ・ナンバーワン』で描いた、衰退する米国を凌駕せんばかりだった日本は、その後、すっかり道を誤ってしまった。先の見えない不安が事なかれ主義を生み、古いしがらみから逃れられない関係が社会をすっかり硬直化させ、また四五年に灰燼に帰した日本を世界第二の経済大国にまで持ちあげた政官財のあの〝鉄のトライアングル〟体制も、もはや汚職にまみれた癒着体制に過ぎないありさまになっている。米国のエコノミスト、リチャード・カッツの著書のタイトルを借りれば、日本はまさしく〝腐りゆくシステム〟と化してしまったのだ。そして、九〇年から二〇〇〇年の「失われた一〇年」の間、日本は海外から——とりわけ新システムの構築で一歩先を進んでいる米国から、金融、ビジネス、政治の数多くの分野にわたって、さまざまな要求を受け、また圧力をかけられ続けてきた。

そういったなかで、ルノー・日産の提携が成果をあげたことは、最近の日本にとっては珍しく良いニュースとして迎えられた。また、それだけにこの成果が貴重な価値を持つのは当然のことだと思われる。だが、それは日産の再生が、単に驚くべきサクセスストーリーだからではない。この提携の成果が貴重な価値を持つのは、今の日本の弱さの裏に、実はまだ大変な力が秘められていることを実例として証明してみせたからである。

「日本人は並はずれた資質を持っています。日本がどういう国か考えてみてください。島国で、資源に乏しく、四方から脅かされ、おまけに地震や台風など自然の脅威にもさらされています。にもかかわらず、世界第二の経済大国になりました。この国の唯一の資源は人——つまり日本人です。ことに、その資質です。日産の再生は、まさにこの国の人々の実力を証明するものとなりました。私を含め、フランスから来たチームはそのきっかけを作ったに過ぎません。いわば化学反応に必要な触媒となっただけです。そして、これを触媒とした時に日産の社員たちが示した反応は、実に驚くべきものでした。もちろんスムーズにいかない場面もありましたし、結果も完璧だとは言いませんが、それでもその素晴らしい能力を目のあたりにして、私たちは本当にびっくりしたのです。私は日本および日本人に対して深い敬意を表さざるを得ません」

日産の再生は日本再生のモデルになるか？

実際、ゴーンがやって来てからの日産の驚異的な回復ぶりは、ルイ・シュヴァイツァーやルノーの交渉担当者たちの期待を大きく上回るものとなった。かつてルノーの幹部たちが下した判断――すなわち、「日産は経営の舵取りこそ間違えたが、その基盤はまだ健全だ」という判断は、みごとに的を射ていたことが証明されたのである。

これはおそらく日本全体にも当てはまる。つまり、いかに衰弱しているように見えても、その基盤はまだ健全なのだ。ということであれば、今の日本の政治家や官僚、経営者たちが問われている事柄は明らかだ。それは〝カルロス・ゴーンとそのチームが日産でやり遂げたのと同じことを、日本全体に対して、あるいはそれぞれの会社に対してできないか〟ということである。

「これは時が経たなければわからないことですが、私は日産の成功が日本全体に影響を与えることになるのではないかと思っています。日産の成功は、まず社員たちの精神に、それから日産のユーザーやサプライヤー、パートナーをはじめとして日産に起こっていることを間近で見ている人々の精神に、深く刻み込まれることになるでしょう。そして、そこからその影響が四方八方に広がっていくことになるのです。といっても、もちろん、私たちがとった方法は、日産の置かれた状況、その歴史、そして社員を念頭に置いて考えたものですから、同じ方法が日本中どこでも通用するわけではありません。

しかし、そこからは、どんな場合にも当てはまる教訓が二つ引き出せるはずです。まずひとつは〝世の中には救いようのない事態などない〟ということ。日産が陥っていた状況は、日本のなかでもかなり危機的なものだったと思いますが、それでも二年で完全に立ち直りました。この〝世の中には救いようのない事態などない〟ということは、〝やってみなければ何も始まらない。あきらめずに、まずやってみろ〟ということにもつながります。また、もうひとつの教訓は――これは特に日本に当てはまることですが――〝いったん、ある方針を皆がわかるように示し、そのうえで具体的な戦略をはっきりと打ち出せば、あとはあまり心配しなくても、きちんとした成果が出てくる〟ということです。もちろん、ある程度の時間と労力はかかりますが、計画は着々と進むはずです」

日本にはまだ余裕がある

そう考えてみれば、確かに今の日本と日本企業のネックになっているのは、全体を引っ張っていく方針や首尾一貫した戦略がないことだろう。現代日本が築きあげてきた経済構造や社会制度のいったいどこを見直すべきで、どこを維持すべきなのか――例えば、そういった点について考えてみても、まだ指導者たちの間でコンセンサスが得られているとは言いがたい。日本の進むべき方向は、いまだにはっきりとは示されていないのである。もちろん、政府はやっと重い腰をあげて、規制緩和と市場開放という厄介な仕事に取り組もうとする姿勢は見せている。これは主に太平洋の向こう側にいる盟友、米国にやいやい言われるからだが、その一方で、その米国の言うことをそっくり受け入れようともしない。その結果、なんとなく現状のまま愚図ぐずしているのである。

では、そんな状態の日本が、どうしていまだに持ちこたえていられるのだろうか？　理由ははっきりしている。第二次世界大戦後、九〇年代の初頭まで約四〇年にわたって成長を続け、その間に膨大な備蓄をしていたからである。したがって、バブルがはじけても、まだしばらくの間は悠々と構えていられるのだ。なにしろ、この国には、世界の貯蓄の三分の一が集まっているのである。

また、この「失われた一〇年」で経済が失速したとはいえ、すべての企業の活力が失われたわけではない。日本はまだいくつもの先端分野で首位を維持していて、将来大市場に発展しそうな新分野でリーダーシップをとっている企業がたくさんある。それも大企業や有名企業とはかぎらない。小さな企業や名前を知られてない企業のなかに、新しい分野に投資することを厭わず、積極果敢に挑戦する有望な企業がたくさんあるのだ。いや、科学技術の研究に関しては、国全体で見ても、対ＧＤＰ（国内総生産）比で欧州諸国を、さらには米国をも凌ぐ額が投じられている。つまり、先ほどの話に戻れば、日本はまだ健全な基盤を持っているわけである。

もしそうなら、ここは日本の指導者層がしっかりと舵をとってやればよいということになる。そのためには日本の〝成長構造〟や〝社会制度〟にメスを入れることが必要で、そうなるとどうしても〝抵抗勢力〟と〝改革勢力〟の間で国が二つに引き裂かれることになる。これはどこの国でもそうであるが、日本も例外ではない。しかも、日本にはまだ少し余裕があるだけに、この両勢力の闘いはまだまだ長引きそうである。とはいえ、最後にどちらが勝利するかは考えるまでもないだろうが……。

ゴーンを手本に

しかし、全体の動きを見れば、日本の人々が危機感を持ち始めていることは間違いない。だからこそ、ルノーと提携してからの日産の動きがこれほど人々の関心を引いたのだろうし、また、その提携がこれまでうまくいっていることに、人々は大きな意味を見出しているのだ。つまり、この提携の成功が、現在の危機を打開するための手本になるかもしれない。少し冷静に見ている人たちは皆そう感じているはずだ。そこで、ゴーンにその答えを求めてしまうのである。これに対して、ゴーンは言う。

「日産がやっていることが、何か政治にも影響を与えるかという点ですが、そのことでまず私が考えるのは、ごく一般的に言って、〝日本人は非常に現実的な側面を持ち合わせている〟ということです。日本人は、自分のしたことが役に立ったのか、どういう結果が得られたのかをよく見ています。そして、結果が良ければ、この方向で続けてみようと思うのです。逆に結果が悪いと、すぐにやる気をなくしてしまいます。特にそれが〝よそ者〟によって提示された戦略であれば、なおさらのことです。しかし、その一方で、日本人にはその〝よそ者〟をことさら注意深く見守る傾向があります。もちろん批判的な立場からなのですが、しかし、よく見た結果、その人間の計画にも、行動にも、またその手足となって動く人々の言動にも一貫性があることを見てとると、そのあとは大変な支持者になってくれるのです。日産の場合はその際に、社内やその周囲で働く数十万人という人々が世論への仲介役を務めることになりました。日産の内部で私がすることはすぐに外部に知れわたりますが、あれはむしろ日産の社員が外部の人々に伝えているからです。そういう状態ですから、逆にもし私の発言と行動、発言の結果との間にずれが生じていたら、成功はおぼつかなかったでしょう。それはともかく、私は日産の成功が人々の心に何がしかの影響を与え、それがひいては政治に影響を及ぼしても不思議ではないと思っています。日本人は非常に現実的な側面を持ち合わせているのですから……」

日産はなぜあれほど早く改革を進められたか

しかし、その一方で、日本の産業界に関して言えば、日産の驚くべき〝復活〟に刺激は受けているものの、その本質をきちんと汲み取っているかはおおいに疑問である。例えば、エレクトロニクス業界などを見ても、難局に陥った大企業が人員削減等の厳しい内容を発表しているが、それを実行に移す段階になると愚図ぐずするばかりで、ちっとも計画が捗らない。また、負債の削減を宣言しても、実際には国の暗黙の了解を得て銀行に利息を軽減してもらう、あるいは負債そのものを帳消しにしてもらうことで済ませる場合が多い。

「日産はよくもあんなに早く改革を進められたものだと驚く人がいますが、それは改革の計画が単に上からの号令や、勝手な宣言によって押しつけられたのでなく、下からの意見を吸収しながら、きわめて建設的で、合理的な方法で練られたからです。しかも、いったん実行に移される段階になったら、妥協することなく、一気に行われた……。つまり、〝決断は早くても、実行には手間取る〟というやり方の逆で、〝まずは問題を特定し、ひとたび問題が特定されたら、素早くそれを解決する〟というやり方がとられたのです。その結果、問題が解決した時には、はっきりとした成果が表れたのです」

だが、ゴーンも、そして日産の他の幹部たちも、日産を手本に祭りあげ、あるいは自ら助言者を気取るようなことは一切しない。例えば、富士ゼロックスの会長である小林陽太郎が、ゴーンに対して

「ぜひ経済同友会に入会してほしい」と、しばらく前から呼びかけているが、今日までのところ、それはまだ実現していない。

「今のところ、外部団体の仕事はお断りしています。というのも、今はまだ日産に集中しなければならないからです。それにしても不思議なのは、なぜこれほど多くの日本企業が経営に行き詰まっているかということです。これはきちんと考えてみるべき問題です。といっても、私が見るかぎり、単にやり方を知らないからという場合が少なくないようですが……。これは誰か外国人を呼べば成功するとか、どうせ日本人にはできないといった問題ではありません。欠けているのはノウハウ、経験、問題に対処する具体的なやり方なのです」

すべてが日産を成功させるためにあった

確かにこれは外国人を呼べば成功するという問題ではない。実際、本書のなかでも、ゴーンは、日産の立て直しは〝アウトサイダー〟――つまり、社外から来た人間にしかできなかったと言っているが、その際いつでも、「といっても、いちばん理想的だったのは、日本人の経営者を社外から呼ぶことだったろう」とつけ加えている。しかし、出会いというのは偶然と必然の産物であり、また周囲の状況と個人の運命との巡り合わせだ。その結果、まさにうってつけの人物が、絶好のタイミングで、しかるべき仕事に出会うということも起こるのだ。

「もちろん、偶然の要素もあるでしょうが、私個人からすれば必然の要素が強いと思っています。私はこの世のすべてが偶然の産物で、巨大な混沌に過ぎないというふうには考えていません。ですから、この提携の話が持ちあがった時、こう思いました。これまで自分がやってきたことは、すべてこの提携のための準備だったのだと……。例えば、まず、それまでに複数の国で過ごしてきたこと。私が何の先入観もなく、白紙の状態で日本に来ることができたのはそのためです。また長年サプライヤーの仕事をし、その間に自動車メーカー各社についてひと通り頭に入れていたこと。そして、ルノーの再建に参加したことなどです。こうしたことがすべて、日産のための準備だったと思えたのです。もし、これからあと数年後に日産が完全に復活できたとしたら、それはある状況とある人々がうまく結びついた結果だということになるでしょう。ルノーと日産の交渉が始まる前から、私はこの二社は互いに相性がいいと感じていました。そして、日産と私自身にも同様の相性を感じていたのです」

そういった相性に加えて、ここで特筆すべきことは、日産の社員の度量の広さである。トップの塙から生産ラインで働く従業員まで、日産の社員たちは自分たちの世界である日産にまったくの〝アウトサイダー〟が入り込んできて、あれこれ変えようとするのを受け入れた。確かに九九年の初めの時点では、日産はほぼ絶望的な状況にあり、そこにルノーが大きな出資をしたといった背景はある。しかし、それが理由でゴーンが日産社員に受け入れられたわけではない。

「日産の挑戦はまだ四年目を迎えたばかりですが、少なくともここまでうまくやってこられたのは、相互尊重、労使協調、力の行使の排除をモットーとしてきたからです。これは簡単なことではありません。解決策を押しつけようとする動きがないか常に監視し、あればそれを止めなければならないからです。押しつければ、失敗します。ですから、牛乳を温めるように、つきっきりで見ていなければなりません。しかし、それさえ我慢すれば、必ずうまくいきます。相手を尊重し、特に自分と違う点を尊重し、意見交換と、成果を重視するやり方を心がければ、必ず結果はついてきます」

成功に向かう好循環

こうしてゴーンは少しずつ日産を変えていったのだが、「我こそは日本の改革者である」と声高に名乗る人々とは違って、ゴーンにしても、またゴーンと一緒にルノーから派遣されてきた人々にしても、日本を改革しようと思ってやってきたわけではない。宣教師のような何か特別の使命を帯びて、自分たちのやり方を広めたり、押しつけに来たりしたわけではないのだ。

「最初のうちは〝コストカッター〟という評判からいろいろなことを言われましたが、私は決して日本に何かを広めようと思ってきたわけではありません。当たりまえです。これまでの人生からいっても、何か特定の文化や主義などに染まったことはなく、ましてやそういったものを標榜したことなどないのですから……。自動車メーカーの前はずいぶん長くサプライヤーにいましたし、またフランス人ではありますが、かなりの年月をフランスの外で過ごしてきました。つまり、そういうことなのです。最近ある記事に、日産の日本人幹部の発言としてこういうものが載っていました。『確かに社長は日本人ではありませんが、かといってブラジル人かフランス人かと言われても、そのどちらでもないのです。もし社長がどこの国にせよ、強い国民性を感じさせていたら、成功しなかったかもしれません』。これはかなり的を射た発言だと思います。私がフランス人なのか、ブラジル人なのか、あるいはレバノン人なのか、それとも米国人なのか、誰にもわからないのです。つまり、誰も私をある特定の国民性や文化に結びつけられないのです。日産に勤めていることを誇りにしている日本人社員にとっては、どこの国とも特定できず、またとりわけルノー色を持っているわけでもない私のようなタイプは、確かに受け入れやすかったと思います。それに、私は『こちらのほうが優れているから、こうすべきだ』という形で、何かの優越性を認めさせようとしたことはありません。日産に来てから、私やルノーから来たチームが努力したのは、物事を肯定的なほうへと向かわせること、それも建設的な方法で向かわせること——それだけです」

そして、その努力の成果が出始めるようになると、ゴーンたちに対する日産の人々の信頼は高まるようになった。それと同時に、社員たちの間に挑戦への熱意が湧いてきて、日産は良いほうへ良いほうへと向かっていった。九〇年代に日産が次第に傾いていき、社員のモラルも悪化の一途をたどったあの時期の悪循環のちょうど逆である。物事を好循環に乗せるには、素早い見極めと、間髪を入れぬ実行が必要なのだ。

「私たちは、ちょうど前に進みながら学んでいったようなものです。ですから、常に修正を加え続けていきました。そして、状況がはっきり見えるようになればなるほど、日産はやれるという自信も深まっていきました。それもまだ終わったわけではありません。日産は一年前に私が考えていたよりもはるかに大きな実力を持っていることがわかりました。おそらく一年後には、その思いはさらに強まっているでしょう。そして、もしこれからも、そんなふうに続いていくなら、日産はいつか自動車業界でトップの地位に就くことになるでしょう。もちろん、今の段階で言えるのは、日産にはその可能性があるということだけですが……。反対にこれまでのことについて言えば、『このことはやめておけばよかった』とか、逆に『やっておけばよかった』と考えて後悔するようなことはありません。いずれはそんなことも出てくるのでしょうが、今はまだそういった後悔をするには早すぎます。例えば、リバイバル・プランに関しても、私はあれが完璧だったなどと言うつもりは毛頭ありません。内容の点でも、進め方の点でも……。しかし、ここまでの道のりを振り返って、ああすればよかった、こうすればよかったなどと後悔している時間はないのです」

ビジネス・スクールも研究テーマにしたルノーと日産の提携

日産の再生に着目して、現在、ハーバードからINSEAD（欧州商業経営学院）まで、世界の名だたるビジネス・スクールが続々と「ルノーと日産の提携」を研究テーマとして取りあげている。これは成功には必ずついてまわる現象だ。二〇世紀末には大企業間の合併や買収が急増したが、これまでのところ成功した例は思ったよりも少ない。それだけに、ルノーと日産の提携が成功したことは、大変な注目を浴びているのである。今後はルノーと日産のケースが研究されることによって、将来の経営者たちがそこから経営の基本を読み取り、頭にしっかりと刻みつけてくれることを願うばかりである。その基本とは、いい、〝偏見にとらわれることなく状況を見極め〟〝製品と従業員に対しては尊重を旨とし〟〝現場との対話を重視し〟〝数字とメッセージの透明度を高め〟〝何よりもまず長期目標を掲げ〟〝それに対して経営陣が妥協しない〟ことである。

「ルノーと日産の提携方式は、どこの企業でも真似ることができると思います。ただし、それには何があってもやり遂げるという断固たる意志が必要です。最初から態度をはっきりと決め、この方向が正しいという信念を持って進むことです」

ルノーと日産――今後の指導体制

といっても、ルノーと日産の提携はこれでもう形が完成してしまったわけではない。それどころか、この提携はまだ進化の途上にあるのだ。ルイ・シュヴァイツァーが提唱した〝二か国・多文化グループ〟による提携とは、日々、年々の積み重ねの上に形成されていくものだ。そのなかで、〝ルノーと日産は、徐々に組織が変化し、生産拠点やサプライヤー網も統合され、市場調査も共同で行われて、人材交流も活発になっていく〟のである。そして、現在この提携は予定以上に順調に進んでおり、その意味ではもはや競合や証券市場から煽られることなく、経営陣自らが決めるテンポで進められる状態となっている。そうした状況で、経営陣は今、二〇〇五年の春を次の大きな節目と考えている。その時期にルイ・シュヴァイツァーがルノーの会長職に就くことになっており、つまり社長職をカルロス・ゴーンに譲ることになるからだ。もしそうなら、その時点でゴーンは日産から身を退くのかというと、そうではない。おそらく、ゴーンは日産の社長にとどまり、ただ東京での日々の差配は最高執行責任者に任せることになるだろう。今のところはそう見られている。では、誰がその最高執行責任者、米国式に言うならCOOに就任するのだろうか?

「日産のCOO候補としては、私の頭の中にもう何人もの名前があります。今、その候補の人たちを見て考えているところです。もちろん、いずれも実力のある人たちです。といっても、そのうちの誰にするかは日産の未来にとっても、ルノーとの提携にとっても大事な選択になりますから、ここは慎重に、あらゆる機会を捉えて検討を重ねていこうと思っています。また、まわりの人の助言にも耳を傾けるつもりです。おそらく、最終的には日本人になると思います。日産の士気を高めるためにも、そのほうが望ましいでしょうから……。ただし、その人物は世界に対して開かれた目を持つ人でなければなりません。また、日産のためにチャレンジの先頭に立ち、成果を着実にあげられる人が求められます。日本人になるだろうと申し上げたのは、現実的にも日本人の幹部候補が多く、またその人たちが日産の再生といういちばん困難な時期を経験しているからです。そうです。今回のＣＯＯは日産のなかから選ぶつもりでいます。外部から呼ぶことは考えていません」

だが、ルノーと日産という大企業二社を、ひとりの人間が指揮することなどできるのだろうか？その活動は世界中にわたり、また双方の本拠地は約一万キロも離れている。

「二〇〇五年以降の指導体制は、これまで経験したことのないものになると思います。しかし、そもそもこの提携の形自体が初めてのものであったし、日産の再生もまたこれまでには例のないものであったと言えます。つまり、『これまでに経験したことのない初めてのものである』ということでは首尾一貫しているのです。しかし、初めての体制だといっても、そこで予想される問題は、比較的単純です。それも日が近づけばもっと具体的に、はっきりと見えてくることでしょう。そういうことですから、ルノーと日産の二つの会社を同時に見ることについて、私はなんの恐れも抱いていません。それどころかわくわくしています。そのやり方によって、私たちは企業経営の新しい手法を作りあげようとしているのです。企業経営に関するこれまでにない基準を……。

私たちがしようとしているのは、それだけにとどまりません。企業という枠を超えても価値を持つような新しい考え方――私たちはそういった考え方も模索し続けています。そのようなことも含めて、私はこれからも、日々、変革を続けていきます。経営の変革は、私にとってはもう習慣なのです。つまり、いつでも、今までとは違う新しいやり方を探しているのです。といっても、それは〝ただ変わったことをしようとしている〟ということではありません。あくまでも大切なことは、良識を働かせ、人々の言葉に耳を傾け、成果への意欲を持ち続けるということです。大切なのはやはり成果です。日産は今や収益率で言えば、自動車業界でトップの地位を誇る会社になりました。そして、この日産で起こったことに人々が興味を持ち、応援してくれるのは、このように成果が出せたからなのです」

私は私であり続ける

ところで、二〇〇五年にルノーに戻るとすれば、ゴーンはそれまでに日産に五年以上在籍することになる。一方、ルノーに在籍したのは三年間だから、ルノーよりも日産のほうが長いことになる。そのことに何か不安はないのだろうか？

「日本に来た時には、当然のことながら、私は日産というよりもルノーの人間だとみなされていました。いや、いずれ日産を去る日が来たら、その時には日産のいい社長だったと言われたいものですが……。まあ、それはともかく、日産に来て、最初はルノーの人間だと見られていたとしても、今ではまったく問題がありません。日本人ではないし、日産の出身でもありませんが、まわりの人たちは私がどんな人間がわかってくれています。ええ、私は日産の人間として認められているのです。ということになれば、その逆も可能なわけですから、ルノーに戻るにあたっても何も不安はありません。それに、もともと私はルノーとの提携によって日産に来た……。いわば提携の当事者のひとりなのです。私の使命がなによりもまず日産を立て直すことにあったとしても、それもすべて提携の枠内でのことです。したがって、ルノーに戻ることは、それはそれでごく自然なことであるわけです。

　そして、その日が来たら――つまり、ルノーの舵取りを任される日が来たら、私は、最近少し弱まっている両社の提携をまた強化したいと思っています。ルノーではあらためて社内に腰を据えて、優秀な人々を集めてチームを作る必要がありますが、ルノーは人材が豊富ですから何の心配もありません。もう人はいます。あとはそのなかから選んで、役職を振り分けるだけです。ルノーはこの提携を結び、日産を尊重し、その再建を助けた会社ですから、この関係を維持していくという点でも十分な人材がそろっているのです。また私が両方の会社を見ることになるまでには、日産側にも同様の人材がそろうように、しっかりした人材育成をしておきたいと思っています。そして、この提携を土台に、日産の強さを維持しながら、ルノーのいっそうの強化を図っていきたいと考えています。それこそが私が次に挑むべき仕事でしょう。両社を取り巻く諸状況、その歴史、これまでに双方が経験してきたことなどから考えて、それは可能だと思っています。

　私自身のことについて言えば、確かに戻ってからしばらくの間は、ルノーの人間というよりは日産の人間だという目で見られるかもしれません。しかし、私は私自身であり続けるだけです。そうすれば、以前ともに仕事をしたルノーの仲間たちも、私が日本にいる間に別人になってしまったわけではないとすぐにわかるはずです」

ルノーと日産の提携の本質

　さて、ルノーと日産の提携は、従来の合併のように、どちらかがもう一方を支配するという構図をとっていない。そのことは合意文書にも明記され、あくまでも〝対等な結びつき〟が謳われている。また、その提携の結果は、実際にも前代未聞の成功と言われるほどにうまくいっている。しかしながら、今後もその〝本当に対等な関係〟を維持できるのかと言うと、おそらく難しい問題も待ち受けているだろう。しかし、〝対等の精神〟はこの提携の本質を成すものである。それが崩れれば、提携自体が座礁しかねない。

「前にも言いましたように、この提携の強みが〝双方のアイデンティティの尊重〟と〝シナジー効果の追求〟の両方にあることは間違いありません。それは私だけではなく、多くの関係者が思っていることです。これは単にルノーと日産がひとつになったということではなく、〝ルノー＋日産〟と〝日産＋ルノー〟の二つができたということです。この関係は、単一の〝ルノーと日産〟よりも、さらに強く、またもっと互いに高め合うことができる関係です。つまり双方にとって提携がプラス・アルファだと考えればいいわけです。ただし、それがうまくいくためには、この両社のバランスをとる――とりわけ〝互いが得るもののバランス〟をうまくとるという微妙なコントロールが要求されます。しかし、それでも今、提携の大原則になっている〝双方のアイデンティティ尊重〟と〝シナジー効果の追求〟に関しては、少なくとも、私が責任者であるかぎり、変えるつもりはありません。社内には『シナジー効果を追求していくと、結局、アイデンティティが失われてしまうのではないか』と言う人もいます。反対に、『もっとシナジー効果を積極的に追求していくべきだ』と言う人もいます。どちらの意見にも耳を傾け、そのうえで微妙な舵取りをしなければなりません。そして、その評価はというと、結局は結果次第、成果によってのみ判断されるのです。つまり、優れた商品を出すことができたか、技術力は高まったか、収益率は上がったか、従業員が自由な発想を持ち、また実力を身につけるようになったか、ということです。

ただし、こうした点は社外に比較基準があまりないので、判断も容易ではありません。しかし、いずれにせよ、私はこの大原則を守りながら改革を進めることによって、社員のモチベーションや誇りを大切にしていきたいと思っています。社員が欲求不満や危機を感じているとしたら、それはどこかがうまくいっていない証拠です。今のところ、この提携にそういったひずみは生まれていません。一方、私たちの側からすると、ひずみを出さないために、これまで常に心がけてきたのは、どちらの方向にも行き過ぎないということです。つまり、〝アイデンティティを統一してしまおう〟とか、〝シナジー効果の追求をごく一部にとどめよう〟とか、あるいは〝まったくあきらめてしまおう〟といった極端な意見をいずれも退けるということです。

そして、この問題はまた、単にルノーと日産という提携の枠内では捉えきれない重要な問題とも関わっています。前に述べた〝グローバル化〟と〝アイデンティティの尊重〟の問題です。二一世紀は、すでにその兆しが見えているように、この二つの大変重要な課題を担う世紀となるでしょう。この二つは一見矛盾するようですが、実は両立することが可能です。なぜなら、人間は自分のアイデンティティが侵されないとわかった時に初めて〝グローバル化〟――つまり〝他者との関係強化〟に踏み出せるからです。また逆に〝グローバル化〟のなかでこそ、〝アイデンティティの強化〟が図れるからです。

この両立こそが二一世紀の鍵です。これは国や民族だけでなく、企業についても言えることです。

ルノーがルノーであり続け、その社員がルノーを誇りとし、日産が日産であり続け、その社員が日産を誇りとしている、そういう状態が提携関係のなかで築けたとしたら、それこそ両社が自分たちのアイデンティティを本当の意味で維持できた証拠ということになるでしょう。つまり、ルノーと日産は提携を通じて、二一世紀の重要な課題に取り組み、その成果を出しつつあるということです。

ですから、この提携はこれまでの企業合併とは違います。言うなれば、自分たちはひとつだという帰属意識までは生まれないが、一緒にいる合理性は理解しているという状態です。〝節度ある連合〟と言ってもいいかもしれません。要するに、〝理性的な結婚〟のようなものなのですが、企業の場合にはそのほうが長続きするのです。ルノーも日産もこの提携が単なる行きずりのものではなく、時間をかけ、関係を続けていくなかで徐々に形作られていくものだとわかっています。また、そこで形作られるものが双方の将来に大きく関わってくることも承知しています。ですから、これは決してお仕着せの結婚――無理に作られた関係ではありません。そんなものより、もっと強固で、長期的な視野に立ったもので、簡単には壊れず、多くの価値を生み出していく関係です。その関係を今、私は日産側から見ていますが、いずれ両社の指揮をとることになった時には、両側から見ることになるわけです」

素晴らしい日本

こうして提携が強化されていけば、おそらく両社の人材交流についても、これから年を追うごとに、あらゆる部門で活発になっていくだろう。二〇〇二年一二月には、その前年に日産から派遣されてルノーのエンジン開発部長に就任していた加藤和正が、ルノーの経営委員会メンバーに加わった。だが、こうした幹部の相互乗り入れは、まだしばらくの間は大々的なものにはならないようだ。

「これからは日産からルノーへ行く人間も増えることになると思います。しかし、よく人材を見極めて送る必要があるので、まだ時間がかかります。また私と一緒に日産のコマンド部隊が大挙してビヤンクールに乗り込むということは決してありません。ただ、一般的にルノーから日産に来てなんらかのポストに就く、あるいはその逆という例は増えていくでしょう。ルノーからはもっと管理職クラスの人間を送ってほしいと言ってきています。しかし、送るのは選りすぐりの人材にしたいと思いますから、そうなるとフランスでも力を発揮できるかどうかその資質を見抜き、準備をさせなければならず、それがなかなか大変です。逆も同様で、日本でも力を発揮できるフランス人というのがなかなかいません」

（訳註：確かにいきなり外国に行って力を発揮できる人間というのは、そうたくさんはいないだろう。だが、そこで相手の国の文化に触れ、きちんとした仕事の成果を挙げれば、この経験は特別なものとなる。例えば、ゴーン自身がそうだ）。やがてフランスに戻っていくカルロス・ゴーンは、やはり以前のゴーンとは違っているはずだ。

まず初めに、日本そのものの魅力がある。日本は、そこで暮らす機会を得た外国人の心を惹きつけずにはおかない国だ。歴史、地理、文化、言語などさまざまな理由から、日本で暮らす外国人はきわめて少ない。日本は移民を受け入れず、また近い将来、受け入れる見込みもない。それでも、その特殊な文化、生活習慣、社会構造、またそこに根づいた非常に細やかな人間関係が、外国からの旅行者や滞在者を惹きつけてやまず、大きな影響を与える場合も珍しくない。それはゴーンについても、またゴーンと一緒にルノーからやってきた人々についても言えることだと思われる。しかも、ゴーンやルノーから来たフランス人たちは、日産であれほどの大仕事を日本人たちとともに成し遂げたのだ。

「人間関係の面では、この日本でこれまでの人生にない最高の経験をしています。それもあらゆる面に関してです。私は今かつてないほど重みのある時間を過ごしているのです。そして、若すぎず、年を取りすぎてもいない今、こうした経験を味わえることをありがたいと思っています。四〇代後半という今の私の年齢は、自分に自信が持てるだけの経験を積み、また情熱も失わずにいられる年齢だからです。そういった年齢で過ごす、この日本での数年間は、私にとって実に貴重なものです。ええ、人間関係の面でも、そして仕事の面でも……。なにしろ、私が来たときには地べたで苦しんでいた日産が、私がここを去る日までにはみごとな変身を遂げそうなのですから……。これほど実り多い経験が他にあるでしょうか。もちろん、そのために身のすり減る思いもしましたし、全身全霊を傾けて仕事もしました。しかし、これ以上の喜ばしい経験など、他には想像もできません」

そして日産は変わった

さて、カルロス・ゴーンと日産、および日本の間に起こった出来事を端的に語るのにふさわしいエピソードがある。最後にそのエピソードを紹介して、この本の幕を閉じることにしよう。

それは二〇〇二年六月一四日のことだった。ちょうどサッカーのワールド・カップの予選リーグが行われている最中で、この日は午後遅くに、ゴーンと同じく日本で活躍するフランス人監督、フィリップ・トルシエの率いる日本代表チームが決勝トーナメントへの出場権をかけた試合を行っていた。予選リーグでの日本チームの大活躍に日本中が熱くなり、日産でも社員たちがどうしても日本チームの試合を見たいと言うので、ゴーンは勤務時間中ではあったが、その許可を出してあった。やがて、試合終了まであと十数分というところで中田英寿がゴールを決め、日本の勝利がほぼ確実になると、社長秘書の富永典子が社長室に入ってきて、社員たちが五階ホールの大スクリーンで試合を見ているから、社長もぜひいらしていただきたいと言った。そこで、ゴーンがホールへ行くと、興奮した三〇〇人の社員が大歓声で迎え、試合の最後の瞬間をともに味わおうと最前列に導いたのだ。そこには、あの伝統的なイメージからは遠い日本が——若く、情熱に満ち、世界に向けて開かれた日本があった。

「提携を通じて、私たちは何かとても深いものに触れたのです。そして、あの日のことは、まさにそれを象徴的に示す出来事だったのです」

訳者あとがき

本書は、二〇〇三年六月までＡＦＰ通信社の東京支局長であったフィリップ・リエスがカルロス・ゴーンにインタビューしてまとめたCITOYEN DU MONDE（地球市民）の翻訳である。インタビューは二〇〇二年から一年がかりで行われ、そのあとリエスの原稿にゴーンが補筆するという形で完成した。

さて、カルロス・ゴーンと言えば、倒産の危機に瀕していた日産自動車を再建した立役者として、現代の日本では知らない人のほうが少ないだろう。日産再生のドキュメントやその経営法については、すでに何冊かの本も出ている。そういったなかで、本書の特色であり、また魅力でもあるものを挙げるとすれば、次の四つに集約されると思われる。

――ゴーンの生い立ち、幼少年時代、学生時代も含めて、日産に来るまでのゴーンの半生が詳しく描かれている。経営というのがある経営者の生き方と大きく関わるものであれば、生い立ちや成育歴が経営思想、経営哲学に大きな影響を与えることはまちがいない。読者はおそらく、ゴーンの生い立ちのなかに、経営者としてのゴーンのルーツを発見することだろう。

――インタビューに答えるという形式なので、ゴーンの生の言葉が伝わってくる。ゴーン関係の本のなかで、一冊、丸ごとインタビューという形式は初めてのものであるが、この形式をとると、何気ないゴーンの一言のなかに、経営やその他に関する「思いがけない真理」を発見するという楽しみがある。日頃、ビジネスの最前線で活躍している読者にとっては、そういった数多くの真理を発見して、仕事のヒントにすることができるにちがいない。

――ほかの経営者に対するゴーンのコメントに魅力がある。ミシュランの幹部、ルノーの幹部として、ゴーンはさまざまな経営者と接してきた。ゴーンの目を通して、そういった経営者の姿を知ることは楽しい。とりわけ、フランソワ・ミシュランに対する評は、ゴーンの経営のバックボーンを理解するうえでも興味深い。

――日産とルノーの提携は、ビジネスを基本にしながら、ビジネスの枠を超えた哲学になっている。それは本書では「対等なパートナーシップ」や「グローバル化とアイデンティティ」という言葉で表されるが、「提携」をそういった観点から捉えるというのは、いかにもフランス的で魅力的である。また、そうした提携の意味を象徴的に表現した最後のエピソードは感動的である。

最後になったが、翻訳にあたっては、石井冬樹、臼井美子、江副琴美、大林薫、坂井五月、坂本明美、田中裕子、中川潤一郎、那須英子、野澤真理子の各氏にご協力をいただいた。ここに感謝する。

また、訳文は日本の読者にわかりにくい部分にはいくつか補足の説明を加え、反対に分量等の関係から翻訳後に割愛した部分もある。この割愛の作業は主に日本経済新聞社出版局編集部にお願いした。そういったことも含めて、編集部の網野一憲、佐竹美奈の両氏にはさまざまな形でお世話になった。また、本書の企画の段階から関与されてきた㈱フォルマ社長の芹澤ゆう氏には、翻訳文の最終的なチェックをしていただいた。合わせて、感謝の意を表したい。

二〇〇三年七月

高野　優

〈著訳者紹介〉

カルロス・ゴーン（Carlos Ghosn）

1954年生まれ。99年６月、日産自動車ＣＯＯ。2001年６月より日産自動車社長兼ＣＥＯ。

フィリップ・リエス（Philippe Riès）

1948年生まれ。82年、ＡＦＰ通信入社。経済部デスク、東京支局主席特派員（85～89年）、香港総局、東京支局長を経て、2003年９月よりブリュッセル支局長。

高野優（たかの　ゆう）

1954年生まれ、早稲田大学政治経済学部卒業。フランス語翻訳家。訳書に、マリー＝フランス・イルゴイエンヌ『モラル・ハラスメントが人も会社もダメにする』、クリストフ・アンドレ＆フランソワ・ルロール『自己評価の心理学』（以上、紀伊國屋書店）、モーリス・マスキノ『老いてこそ』、クリスチャン・ジャック『ピラミッドの暗殺者』（以上、原書房）など多数。

カルロス・ゴーン　経営を語る

二〇〇三年九月八日　一版一刷
二〇〇四年一月二二日　七刷

著者　カルロス・ゴーン
　　　フィリップ・リエス
訳者　高野優
発行者　斎田久夫
発行所　日本経済新聞社
http://www.nikkei.co.jp/
東京都千代田区大手町一―九―五
郵便番号　一〇〇―八〇六六
電話　〇三（三二七〇）〇二五一
振替　〇〇一三〇―七―五五五

印刷・製本　中央精版印刷

ISBN4-532-31085-7　Printed in Japan